S0-CBC-615
享受與聯合
飛筆 著
這是一本指引你生命進入奇妙豐盛與滿足的金鑰匙書

序一

陳仲輝牧師

第一次認識飛筆姊妹，是在十六年前的培靈會上，我被邀請到聖荷西的一所華人浸信會講道。飛筆姊妹在我講道前有十分鐘的見證，她給我的第一印象，就是單純的信心與對神、對人真誠的愛。直到如今仍然有增無減，沒有改變那時對主的初衷。

十六年來，飛筆沒有停止過為主作美好的見證。也許這是她的恩賜，也可以說是神給她的一份特別的呼召，所以她每天都有新的見證，在一切大小事上都讓她看見神的恩手和祝福。對一個順服祂的人，神的信實何等廣大。

雖然很多愛主的弟兄姊妹一直催促飛筆姊妹把她的見證寫下來，這本書卻是整整用了四年才完成，不是因為沒有足夠的見證可寫，也不是沒有足夠的時間去寫，乃是要等候神在每一步、每一章所給她清楚的指示和引領。我為著飛筆的忍耐和安靜地等候與順服感謝神。飛筆與朋友見面，每次開口總不忘數說神話語的可靠與祂信實奇妙的作為。我相信書中的見證能使多人的信心和愛心被挑旺起來，在家庭和日常的生活中學習更多的順服與更多的去經歷神的功課。

「耶和華說，你們是我的見證，我所揀選的僕人，既是這樣，便可以知道，且信服我，又明白我就是耶和華，在我以前沒有真神……我就是神……我要行事，誰能阻止呢？」（賽四十三10～13）

飛筆姊妹就是這樣一位忠心的見證人！神也在愛修園中和各處都興起不少這樣的見證人，如同雲彩圍著我們。願我們能「放下各樣的重擔，脫去容易纏累我們的罪，存心忍耐，奔那擺在我們前頭的路程，仰望為我們信心創始成終的耶穌。」（來十二1～2）

序二

容保羅牧師

飛筆姊妹寫的《獎賞與聯合》終於完稿了，能夠給她寫序實在榮幸。飛筆不只是我們的好朋友，也是天道機構的好朋友。大家都知道她是一位非常認真的基督徒，事無大小，一絲不苟，樣樣都會求問神的心意，依照神的話語去行。姊妹也是一位熱心傳福音的基督徒，無論得時不得時，總在作個人佈道，經她帶領歸主的人，為數不少。姊妹也是一位喜樂的基督徒，臉上總帶著笑容，常將主同在的歡欣湧現出來。她也是個祈禱的基督徒，到處舉起聖潔的手，為教會、為聖工、為個人切切代禱。她也是……。

現在她把許多寶貝的見證、生活的經歷寫成書，與更多人分享神的大愛和活潑的真理，實感主恩不盡。深信感動她時刻與主「聯合」的聖靈，也會引導每位讀者，能與恩主有更深的連繫；又深信早已把「獎賞」預備好給飛筆姊妹的父神，也樂意把豐盛的「獎賞」預備給每位願與主聯合的讀者，阿們。

頌詞

劉牧師

每當我看見神在一個人身上工作，來成就祂榮耀的旨意時，我的心就不得不驚異。的確，神是陶匠，我們是泥土，當陶匠塑造陶器時，他把泥土放在輪了上，讓輪子開始轉動，然後用手去模造。對這塊泥土而言，他完全不知道陶匠至終要把它作成怎樣的器皿，它只是被放在輪子上，轉呀轉，一下子它看得見陶匠的臉，一下子看不見，直到它在陶匠手中被模成一個合用的器皿。今天我們在事奉神的過程中不也是如此嗎？這本書的每一篇短文、見證以及感想，都代表著一個模造的過程。我們看見一個順服的器皿，也看見神手中的工作，我們的心就因此而歡喜，我們的靈也在主裡喜樂。就像馬利亞在神面前的頌詞一樣；「我心尊主為大，我靈以神我的救主為樂……，那有全能的為我成就了大事，祂的名為聖。」（路一46～47、49）

願頌讚榮耀歸於神！

感恩

飛筆

能力屬乎神，惟有祂是配得一切歌頌與讚美，凡聽從祂的都能飽足，跟隨祂的都必歡呼。

我要尊崇神，因祂曾將我從深坑中拉出來，把我的哀哭變為跳舞，驚恐變為喜樂。從此，我的生命有了光與熱，希望與方向。主恩不斷，主愛綿綿，祂是豐富榮耀之主，樂意向人施恩。

不但如此，祂也救了我全家，帶給我們歡笑與平安，又使多少相逢的人蒙恩。感謝主不斷引領，不住教導，常施恩惠、憐憫，使我今日成了何等人，是蒙了神的恩才成的，如此白白受恩二十多年，如今祂要我將這條蒙福之路寫出來，好吸引更多的人來蒙救贖。使凡聽從祂的，都能享用，不論這人何等無助、無望，情況像在深崖裡、在沙漠中或死亡的邊緣上，祂都能拯救，因祂是全能的主。

主恩奇妙安排，祂在我夢中將題目賜下，十二綱要是藉我兒子在禱告中見異象獲得的，前五章五字一句，是得救之前，寫出罪惡的敗壞。後七章七字一句，是得救之後，見證救恩的偉大。

記得寫第一章時，主說：「世界黑暗極了，人心憂傷流淚，快用靈奶去餵養」，也就是要寫這本書。因此快寫成時，安同牧師說：「這不是書，是耶穌的心，使需要愛的人讀了能得到愛，需要平安的人得著平安。」

內中第一章與第十章頁數差距甚大，有人問：為何不平均分配？我告訴主，主叫我想到創世記有五十章，腓利門書只有一章，主真是好。

我曾問主，屬靈書夠多了，何用這一本呢？它到底算哪一類？給什麼人看呢？但主安慰我，這是給需要主、肯謙卑接受祂的人，信與不信均可適用。

我深信主要用此書，因內中有許多真實救人的方法、故事及談論家庭的重要，是魔鬼最怕的問題。因此在寫的過程中也多遭牠打擾，並且在開始寫時病了兩週，寫完後又病兩週，但都不妨礙工作。感謝主，因主比牠大多了。盼望弟兄姊妹多為此書代禱，叫它成為主的好工具，能多引人歸主愛主。

另外，書中人名與姓若有更換或不全，主知道那是為福音的緣故。

感謝主，此書寫成都因主的籌算，祂開了工又完工，同時也要感謝各位親愛的弟兄姊妹們，不住的扶持與關懷。其中要格外謝謝以下各位的辛勞。

首先要謝謝朱姊妹花了許多寶貴的時間，在禱告中帶下各種啓示，增添我智慧與活力。又要謝謝曾姊妹，一直愛心慷慨，多而又多，大方的奉獻財力來堅固主的工作。謝謝戴姊妹幾次越洋電話中的禱告啓示，帶來真實的祝福與安慰。也謝謝楊姊妹隨時的打字功夫，甘心樂意的一校再校，造成美好的果效。感謝王姊妹將主賜美好的新歌，誠懇地整理安排，能叫人享用。

此外要特別感激的，是幾位在主裡我所敬愛又良善忠心的牧者，他們在百忙中給予真誠的鼓勵和幫助，使我深深得安慰。他們是：林道亮牧師，一位良善忠心，有見識的牧者，為本書封面題字。陳仲輝牧師，一位遍處快耕，收成多的牧者給予寫序。容保羅牧師，一位促進眾教會連結的牧者給予寫序。劉牧師，一位勤勞敏捷，有遠見的牧者給予頌詞。黃一成牧師，一位背十架道路成全他人的牧者，給予真誠的評語。願主都厚厚記念報償各位的愛心與付出。

末了，要記念我家人的擺上，首先要感謝家母天天忠心恆切的代禱，帶來天上的祝福。其次要感謝外子，佳美的封面設計，以及對我的肯定與鼓勵，好像一粒定心丸，叫人安心。兒子忠誠的十二綱要，如打好的地基、立穩的棟樑。最後要感激女兒恩德的編輯與翻譯，因她清楚各項見證，常把遺漏的趣事給我補上。她常說：「媽是有火有燃料，我是把方向瞄準。」願神記念凡為此書擺上的每一位，用祂的恩典厚厚報償。

上帝啊！我本無有，今享豐盛，都因與祢聯合何等美好，願將一切榮耀、頌讚、尊貴愛戴都歸我主我的上帝，我的神。

愛你更深

Bb 4/4

詞曲：飛筆

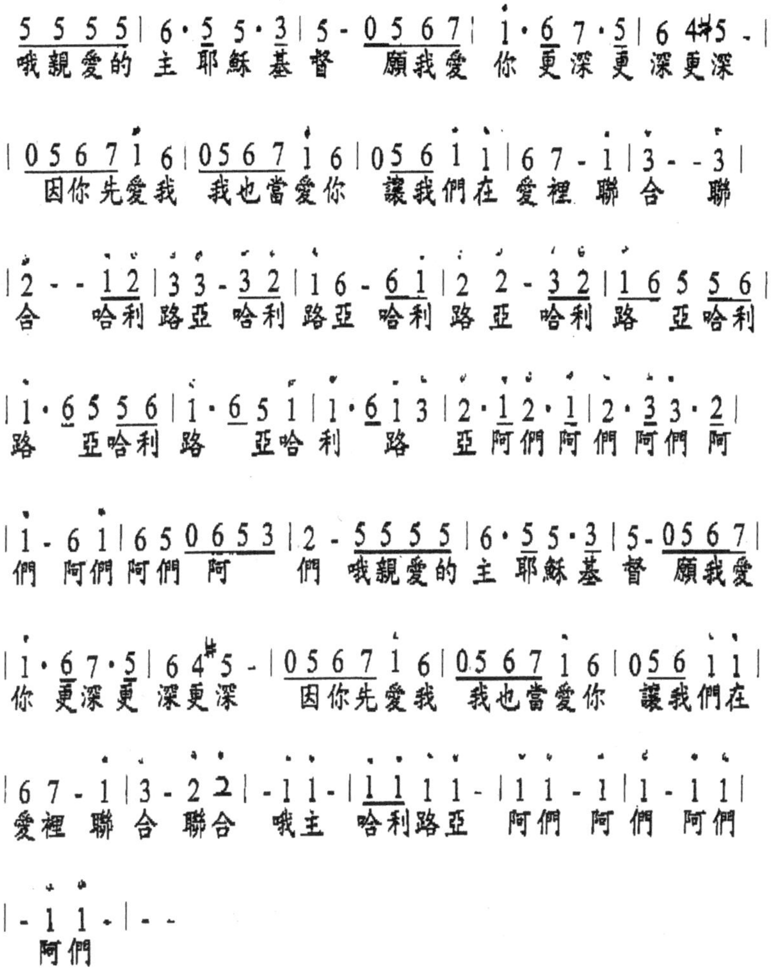

5 5 5 5 | 6·5 5·3 | 5 - 0 5 6 7 | 1·6 7·5 | 6 4♯5 - |

哦親愛的 主 耶穌 基 督 願我愛 你 更深 更 深更深

| 0 5 6 7 1 6 | 0 5 6 7 1 6 | 0 5 6 1 1 | 6 7 - 1 | 3 - - 3 |

因你先愛我 我也當愛你 讓我們在 愛裡 聯 合 聯

| 2 - - 1 2 | 3 3 - 3 2 | 1 6 - 6 1 | 2 2 - 3 2 | 1 6 5 5 6 |

合 哈利路亞 哈利 路亞 哈利 路 亞 哈利 路 亞哈利

| 1·6 5 5 6 | 1·6 5 1 | 1·6 1 3 | 2·1 2·1 | 2·3 3·2 |

路 亞哈利 路 亞哈 利 路 亞阿們阿們阿們阿

| 1 - 6 1 | 6 5 0 6 5 3 | 2 - 5 5 5 5 | 6·5 5·3 | 5 - 0 5 6 7 |

們 阿們阿們 阿 們 哦親愛的 主 耶穌 基 督 願我愛

| 1·6 7·5 | 6 4♯5 - | 0 5 6 7 1 6 | 0 5 6 7 1 6 | 0 5 6 1 1 |

你 更深更 深更深 因你先愛我 我也當愛你 讓我們在

| 6 7 - 1 | 3 - 2 2 | - 1 1 - | 1 1 1 1 - | 1 1 - 1 | 1 - 1 1 |

愛裡 聯 合 聯合 哦主 哈利路亞 阿們 阿們 阿們

| - 1 1 - | - -

阿們

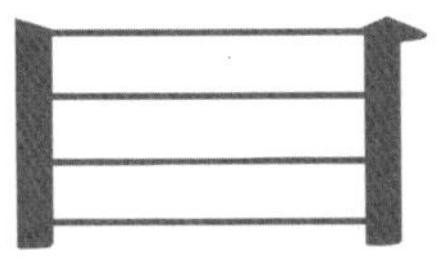

目錄

Content

第一章

愛玩的日子

「看哪！滿池的白蓮花，美極了！」我說。

「哇！眞的，好美啊！我眞想採一朵帶回家呢！」天藍回答說。我馬上贊成：

「好！我幫妳，妳看，那邊有一棵彎彎的大樹，我可以抓住它，再用兩腳一夾，就成了！」

「好呀！棒極了。」天藍向我笑瞇著眼。於是，兩個小女孩一前一後地飛奔著，到了那裏，我倆屛住氣，用盡心力地爬樹採花。豈料，就在緊要的關頭，突然「噗通」一聲，「哇，我的媽呀」，我大叫：「快拉我上去！快拉我上去！」

結果，花沒採著，人倒先下水了。當我爬起來時已成了半個泥水娃娃。怕得不敢回家去，先躲到天藍家裡，清洗一番。但事後那狼狽的記號，並沒有逃過媽媽銳利的眼睛。

「飛筆，跑哪兒去了？看看妳的新皮鞋，怎麼變成這副樣子？妳眞是比三個男孩子更麻煩哪！」

「哦！我……。」低頭一看，果然，那亮亮的紅皮鞋，變成醜八怪了。剎那間，下午那一幕幕的興奮與害怕，都浮現在眼前。本以爲隱藏得很好，竟然展露無遺。

小時候我總愛擠身在好玩的事堆裡，諸如女兒們的跳房子、跳繩子、踢毽子以及爬樹、爬山等，都不會少我一份。而我特別喜歡的是，迎著毛毛細雨，傲然地站立著，藉此可以盡情享受一份冰涼的擁抱。眞過癮呀！

時光飛馳，我馬上要穿初中生的制服了，媽媽說：「飛筆，妳不小了，該定點心唸書吧。」

「好啦，媽，我知道了。」

可是，愛玩的朋友總像磁鐵般吸在一塊兒。有一天，當我對許多玩法都感到乏味時，心中突然有個奇想：何不到海邊去撿貝殼呢？於是我就編了一個故事：

「媽，同學的叔叔要帶我們到基隆的海邊去玩，我可以去嗎？」

媽媽說：「只要有大人就可以，要小心點，要聽話，順便把弟弟也帶去。」

本來，還有一點「作賊心虛」，誰知這下有個立功的機會，膽子就大起來了。次日到學校去，先找到最好動的書文。我說：

「嘿，你想不想去海邊看大輪船，又撿貝殼呢？我從前在基隆住過，好想回去看看。」

「好啊！我跟妳去。」接著又有幾位響應。我驚訝：這樣一口胡說八道的話，他們居然都信了。

我們一夥六人旅行團，自六歲到十三歲，浩浩蕩蕩地在一個陽光普照的週末，上了火車，我們又說又笑，沒有大人在旁邊，彼此都感到很自由。終於，擴音機報告：

「基隆到了，基隆到了，下車的旅客請注意……。」我們都興奮地下車。來到海港，我忍不住先喊起來：

「哇，好雄偉的輪船哪，快來看哪。」

「怎麼，妳從來沒見過？我還以為……。」

「沒有，沒有，我是吹牛的，哈哈，根本沒有來過。」暗中的事本來就會跑出來的，好在新鮮事夠瞧的，也就沒人追問了。

遊過海灣，跑完了公園，我們來到一處上面寫著：「軍事重地，行人止步」的地方，旁邊還有鐵絲網攔著。因好奇心作祟，我們完全失去理智，非進去看個究竟不可。於是，大的幫小的，花了一番工夫，都過了關。書文興奮地快跑，直到迎面罩上一張人蜘蛛網，引起一場大呼小叫。「哇，哇，哇」，以後乖乖的一個跟著一個，在小山岡上起起伏伏，按步前行，雖然太陽頂天，熱得皮膚發燙，但無一人叫苦，因為我們的心都被那邊的大海吸住了。愈近海邊愈看到許多光滑的岩石儼然站立著，其間空隙處有各色美麗的小魚，游來游去。我們選了一塊陰涼地坐下，各人把腳泡在冰涼的水中，任海風吹散頭髮，有時躺下，有時在岩石間跳來跳去，並不考慮危險，直到疲倦爬滿了我們的身體，才依依不捨地回家。

小時候就是那麼愛玩，甚至有時玩過了火。卻總為一時之念，不顧以後的代價，仍要嘗試一下。

有一次，爲了想看一場電影，那天正好是愚人節，最後一堂課的鈴響了。「鈴──」，老師久久不來，我自願出去打聽一下，回來後說：「報告好消息，老師今天有事不能來，各位可以回家了。」其實老師說慢一點會來，反正是一個公開吹牛的日子，不成功不爲過，成功豈不要滿足心願嗎？居然有人當眞就走了，也有人等了一會兒走的。總之，那堂課取消了，並且我去看了電影，正好老師也在場，這個寶貝的巧合第二天可有用了。

說到這兒，或者令你追憶起，昔日你那些天眞無知的鬼把戲，也想找人滔滔述說一番，那個世人所謂的「淘氣」曾留給你的刺激品。

在人生許多的片段中，我們常去力爭自己所嚮往的目標，不論採用的手段，或所得的結論如何。可是，你有沒有發現，那些事從來都沒有眞正滿足過我們的心，一旦時間久了，我們會嘆口氣說：「他們不過如此吧。」爲什麼呢？聖經箴言書說：「陰間和滅亡永不滿足，人的眼目也是如此。」（箴廿七20）

所以，我們不會持久滿足在物質的增加、工作的成功、或者是有趣的驚險經歷中。這些東西我們有了還想有，看了還想看，玩了還想更驚險。我不是說這些事不好，只是它會留下一個空虛的心，爲此，就想出許多巧計和方法，想贏得自己的心。

你或者還有許多善行或功德，但它們至終均不能帶來永久的滿足，爲什麼呢？因爲他們是屬於這世界的事，它們影響的範圍有一個根本的限度。它們只能餵養人的眼目、身體和驕傲，但絕不能餵養人心靈中那份超越的需求。

不但如此，它們有時甚至是唬人的東西，只供欣賞，不可採摘，如同那枝蓮花一樣，有時甚至暗藏著危機，好像孩子們在岩石間跳來跳去一般。你在學術界或者有許多伎倆可以把玩，但不知有陷阱在等著。使你的心常被驚恐，歡喜所參透，無法安寧。有時你好像什麼都得意，卻又如惡夢一場。爲什麼會這樣呢？因爲你走錯了路。「有一條路人以爲正，至終成爲死亡之路。」（箴十四12）意思是：人若爲自己活，爲世界活，至終都要迷失方向，也失去生命。

以上的故事是我年少時不明白做的，所以愛怎樣就怎樣，如今回頭看，它們都如煙雲消散，毫無價值。聖經上說：「少年人哪，你在幼年時，……使心歡暢，行你心所願行的，看你眼所愛看的，卻要知道，爲這一切事，神必審問你，所以你當從心中除掉愁煩，從肉體克去邪惡，……當趁著年幼，衰敗日子尚未來到之前，……當記念造你的主。」（傳十一9～十二1）

奉勸各位不要隨著世界的風，飄來飄去，人若心中無主，世界就成爲你的主，你若向世界看，終究要懊悔。但你若向耶穌看，就必得永生與福樂。請記著不要爲自己活，當為造你的主而活。神賜人生命，氣息及萬物，叫我們存活享用。但人擁有這一切，卻丟棄造萬物的主，人們寧得禮物，卻棄絕賜禮物的主；寧享暫時之福，而丟棄永恆的生命；只緊抓著次好的，卻不要上好的。這豈不是非常沒有智慧嗎？

聖經路加福音十五章說到，有一個人離開家，在外放蕩，用盡了父親給他的產業，後來窮苦難當，就想起父親家中的豐富，懊悔自己所行，於是回去向父親道歉，而他的父親已天天等著他回家，就在匆忙回家的路上相離還遠之時，父親見到他，就高興地跑去抱著他，連連與他親嘴。又呼召人拿上好的袍子來給他穿上，拿戒指給他戴上，而且宰肥牛快樂慶祝，說：「這個兒子是死而復活，失而又得的。」這故事正表明了神的心腸。所以只要人肯回頭，天父也要這樣伸開慈愛的雙手環抱他了。

第二章

可怕的黑夜

通常人在無法控制的災難裡，就會害怕。然而，人最大的敵人，又是誰呢？

小時候別人總以爲我膽子不小，可是骨子裡卻有一個無名的害怕，偶爾會亮起來。每一天我要擠公車上學，每當車輪開始轉動，若有人一條腿還掛在門外時，我就害怕了。原來車掌小姐弄不過那些強擠上車的人，所以就吹哨子，叫司機開車。哦！如果那個人是我那多恐怖啊！

從前家門口有一條長長的小巷子通往大街。每當毫無星光的夜晚，大約九、十點鐘就已經黑漆一片，不見人影。唸中學時，家裡規定不可晚過十點回家，這時只要我獨自一人行走，一定要不停地唱歌來壯壯膽。由於白天聽多了鬼故事，這時候牠們好像都活過來似的，令人毛骨悚然。因此愈走愈快，愈唱愈大聲。某次感覺有人拉住我的腳，嚇得我立時大喊，「媽啊！」然後拔腿就跑。一口氣跑回家後，才發現這個鬼原來是：一根鬆了的鞋帶。我眞傻呀！害怕的事常常好像很沒道理，一旦來了，竟然那麼逼眞，叫人魂不附體。

在東南亞長大的人，都領教過颱風的威力，我家大小就曾深受其害。它眞是一個不顧情面、肆無忌憚、橫衝直撞、盡行毀壞的能手，可惡極了！雖然如此，記者們卻偏愛給它們取些嬌滴滴的名字，什麼妮娜呀，波密娜呀！

在我六、七歲時，妮娜颱風帶來傾盆豪雨，半夜鄰居來喊醒我們。「淹水了！」原來洪水氾濫，本來離我們家四分之一哩路的河水，當時已到了門口，僅僅兩、三步的距離。我們立時連夜逃命，次日回去一看，只剩頂頭一根木樑，其餘的全都淹沒了。多少哩路人家，一夜之間都浸泡在水中，情況就好像三歲小孩將玩具放在澡盆裡那麼容易。多少財產在一瞬間付諸東流，水退後，屋裡還留下一尺厚的爛泥，颱風眞是可怕呀！

後來遷居永和市，離家一哩之遙，有條淡水河，當時尚未建河堤。當波密娜颱風來襲之夜，河水上漲，淹沒了整個小鎭，半夜水湧進屋子裡，全家趕緊把東西往高處搬，不多時水快及胸。爸爸看見前門漂浮著好些倒塌的竹籬笆和商店招牌，有些埋在水中，就說：「前門危險，看看後門。」當時一棟正興建的高樓與後院相連，那樓五尺高處有個大洞，我們就是靠它爬上二樓，躲過風暴的。那知水勢飛快進攻，轉眼已塡滿了一切的空隙。記得當時媽媽輕聲連連地說：「感謝耶穌救了我們，感謝耶穌救了我們。」我們看著她，都詫異她怎麼這樣說。

我們五口之家，當時只有媽信耶穌，「謝謝耶穌」是她常說的話。我們四個人都不以爲然。記得某次到別人家作客，天熱，主人請我們吃西瓜。媽接過來就說：「謝謝耶穌。」我在旁邊難爲情地嘀咕著：「媽到底怎麼了？明明是人給你的，怎麼會謝謝耶穌呢?」

同樣地,這個大洞,屢次因大雨,水就從它沖下來,破壞了後院的水泥地。我們四個人都爲此而生氣。只有媽媽說:「萬事都互相效力,叫愛神的人得益處。你們不要這樣說吧!上帝有好意思呢!」我們搖搖頭感到無從理解,但這回好像給她說中了,確實是這個洞救了我們。然而,若說是耶穌救了我們,祂既是神,爲何叫我們吃這苦頭呢?

聖經說:「愚蒙迷住孩童的心,用管教的杖可以遠遠趕除。」(箴言廿二15)可見,受苦是有益的,爲要使我們頑梗的心甦醒,可以明白神的眞理,得著益處。是的,神可以藉著祂的豐富與慈愛來向我們說話,如果祂叫洪水不來,我們可能永遠不知道:祂作了那些事是值得我們感恩的,因爲我們感到恩典是如此方便,如此平常,所以只有剩下這個會痛的方法,來抓住我們的注意力,爲要制伏我們頑梗的心。

回到這個害怕的問題,爲什麼人會害怕呢?我們可以說:「害怕是屬靈病的一種癥兆。」魔鬼用它來折磨世人的靈魂,就像疾病殘害人的肉體一樣。爲什麼會產生害怕呢?

1. 因爲有罪,作了虧心事,良心不安,就會怕它有報應。

2. 因爲無知,不知道耶穌是神,更不肯讓祂作救主,我們就失去生命的意義和方向。

3.因為無能，不願意倚靠眞神，以為人定勝天，等到患難臨頭，才知招架不住。

因此，人類最終要面臨一個無法逃避、眞正可怕的大敵——「永遠的死亡」。一般人所謂的死，是指肉體的死，但「永遠的死」是指與神永遠的隔絕，所以不信主的人死了要下到陰間去。聖經形容陰間是：

「好像一張無限量的口，不信耶穌的人到了時候，他們的榮耀、群眾、繁華、並快樂的人，都落在其中。」（賽五14）

「陰間與天堂互相不能來往。」（路十六26）

「是永不知足之地。」（箴廿七20）

「是沒有工作，沒有謀算，沒有知識，也沒有智慧。」（傳九10）

「是一個殘忍的地方。」（歌八6）

「那裡下鋪的是蟲，上蓋的是蛆。」（賽十四11）

「勇士在陰間，頭枕刀劍，他們的骨頭上有他們的罪孽。」（結卅二27）

「以後再被扔在燒著硫磺的火湖裡，這是第二次的死，就是永遠的死。」（啓廿14）

為何會這樣呢？因為：「世人都犯了罪，虧缺了神的榮耀。」（羅三23）而「罪的工價就是死。」（羅六23）

因爲有罪，人類就被神的公義判處死刑。但神愛我們，捨不得見到我們被毀掉。就差祂的獨生兒子爲我們降生、受苦、受辱、受傷及受害，以無罪之身替我們釘上十字架，爲我們擔負了因罪而死的痛苦，祂又從死裡復活，勝過死亡，叫凡信祂的人得救贖，並且因有神兒子耶穌的生命，就永遠與神活著，這就是「永生」。

聖經說：「神愛世人。」但這愛並非溺愛。祂見人犯罪作惡，祂的公義要伸張，祂先是多次警告，給人機會悔改，但世人卻以爲神不理會他們的罪。一旦神的刑罰來到時，祂必要追討一切罪惡。

創世記說：「神的心憂傷」（創六6），因祂見人的罪惡極大，終日所思的盡都是惡，地上也滿了強暴，祂說：「人的盡頭已經來到！」就用洪水滅了他們，卻保護了傳義道的挪亞一家八口。又用硫磺與火滅了滿了淫亂的所多瑪、蛾摩拉兩城，只有義人羅得與兩個女兒得救。

在阿摩司書四章中看到：神曾一再警告以色列民，不要欺負貧寒，不要向神存虛假的心，否則就有災害臨到他們。祂先叫人糧食不足，他們不肯悔改；就叫雨水停止，他們也不理會；又叫植物被毀，瘟疫戰爭來臨，他們仍不回到神那裡。最後，神要使城邑傾覆，將他們趕出去。從這個長期受苦的經過裡使我們看見，神很不願意處罰罪人，因爲祂是慈愛的神，祂愛那些犯錯的人，給足夠的時間等他們悔改，同時又愛那些貧苦受欺壓的人，神還能作什麼呢？「喔，耶路撒冷，耶路撒冷呀！你常殺害先知，又用石頭打死那奉差遣到你這裡來的人，我多次願意聚集你的兒女，好像母雞把小雞聚集在翅膀底下，只是你們不願意，看哪，你們的家成爲荒場，留給你們。我告訴你們，從今以後，你們不得再見我，直等到你們說，奉主名來的，是應當稱頌的。」（太廿三37～39）這是神心裡沉痛的呼喊。當人聽見神的警告，卻仍舊固執剛硬不回頭，他們就會繼續受到更多的災害。

聯合國在一九九四年五月曾發表一項長達三十年的研究報告，發現自一九六三年到一九九三年，每十年就有一百多萬人死於天災。每年受天災影響的人數，都增加百分之六，也就是全球人口成長率的三倍以上。調查報告顯示，雪崩、寒流、乾旱、疾病（包括癌症、愛滋病）、地震、饑餓、火災、洪水、蟲災、地裂、熱浪、颱風、海嘯以及火山爆發等十五種災害，在此三十年間，頻發於世界各地，在一百七十九個國家中，總計有五千件以上的災害。其中以洪水、颱風、旱災三類，傷害尤爲顯著。此外，還有許多國與國之間的戰爭，不斷地發生。馬太福音二十四章7～8節已預言了這些事：「民要攻打民，國要攻打國，多處必有饑荒、地震。這都是災難的起頭。」

這是末日來臨前的記號。因基督必要作王，當祂第二次來到世上，祂將坐在白色大寶座上，死了的人，都將站在大寶座前。這是全人類有史以來最嚴肅、可怕的時刻，神要每一個人交賬。有案卷打開，另有一卷生命冊展開，死了的人都憑著這些案卷所記載的，照他們所行的受審判。凡名字沒有記在生命冊上，就是沒有信耶穌的，要被扔進燒著硫磺的火湖裡，這是第二次的死，就是永遠的死（參啓廿11～15）。

不要以爲還有時間，災難臨到時常使人猝不及防，耶穌說：「天地要廢去，我的話卻不能廢去。你們要謹慎，恐怕因貪食醉酒並今生的思慮，累住你們的心，那日子就如同『網羅』突然臨到你們，因爲那日子要這樣臨到全地上一切居住的人，你們要時時儆醒，常常祈求，使你們能逃避這一切要來的事，得以站立在人子耶穌面前。」（路廿一33～36）

不要以爲自己是強者，到危險關頭再信吧！恐怕由不得你。某人曾有如此念頭，當他在冰河上玩，突然冰裂開落進水中，被救起後他的第一句話是：「我要信耶穌。」又有一人對傳道人說：「你的耶穌若是眞神，讓祂降大災於我，若眞有這事，我就信祂。」一個月後他果然遇到大車禍，身上骨頭多處斷裂，住院開刀五次，最後終於信耶穌。他一信就到處傳說：「耶穌是眞神」。是的，耶穌是眞神，祂多麼渴望人們來證明祂是眞神。神爲了救這個人，當他開出條件時，神就回應他的話，並且又事先預備了一位骨科權威醫生，在出事前五天搬來該城上班。因著專家的照顧，使這位陳弟兄今天可以走路與上班，和往常一樣，實在見證了神的手是極堅固又溫柔的。朋友，「無人有權力掌管生命，將生命留住，也無人有權力掌管死期，這場爭戰，無人能免，邪惡也不能救那好行邪惡的人。」（傳八8）

雖然神有憐憫，但時候到了，神不會不公正，也不會容忍罪惡。「落在永生神的手裡，眞是可怕。」（來十31）

然而，人若信了耶穌就不用再懼怕，因爲耶穌是懼怕的剋星。「你們要將一切的憂慮卸給神，因爲祂顧念你們。」（彼前五7）「不要怕，只要信。」（可五36）人生在世，不在乎我們擁有什麼，得到什麼，要緊的是我們的根本問題解決沒有。那就是：「你信了耶穌沒有？」

人若有耶穌就能勝過罪惡，勝過懼怕，勝過死亡，也能超越萬事。因爲主曾對信祂的人說：「你們可以放心，我已經勝了世界。」（參約十六33）所以人生雖然有困難，但我們裡面都有平安，因爲有倚靠，有生命目標，就不會懼怕了。可以在今世平安度日，在永世更有預言告訴我們：「當耶穌基督榮耀掌權時，在祂的聖山，遍地都不傷人，不害物，豹子可以與小羊同臥，獅子可以與小牛同處，獅子吃草與牛一樣，吃奶的孩子可以在虺蛇的洞口玩耍。」（參賽十一6～10）神要親自與信祂的人同在，不再有眼淚、悲哀、死亡、疼痛，因爲以前的事都過去了，一切都更新了，眞是好得無比。

親愛的朋友，人生只有兩條路，一條光明，一條黑暗。通往光明的路，就有永遠的生命，可在今生預嚐天恩的滋味，許多基督徒都可以做見證。你可以有免於害怕的自由，因爲耶穌替你擔當憂愁與懼怕，你只要相信並承認自己是罪人，不能救自己，誠意地接受耶穌替罪人受死的恩典，請祂進入你心中，赦免你一切的罪過，做你個人的救主與生命的主，祂就要救你，並住進你裡面，保護看顧你，又引導你一生走義路。但通往黑暗的路，卻是人不想去，也不知道的，試問誰願意一生忙碌，爲的是走向滅亡呢？

親愛的朋友，請你現在就做一個聰明的決定吧！不要懷疑神的救恩，不信眞是最大的罪，帶來最大的絕望。人雖有自由，可以不接受神的救恩，但卻沒有自由，能逃避那悲慘的結局。神給人決定的自由權，何必自取滅亡呢？趁早回來吧。你若在主耶穌的國度裡，必有美好的福樂環繞你，而且是存到永永遠遠的，阿們。

第三章

愛上了繪畫

風直吹蜘蛛網，終究要破。照樣，人倚靠自己，不倚靠神，必要落空。

我生來愛繪畫，每逢暑假，時常帶著畫具四處走動，爲要攝取寶貴的鏡頭：比如河畔跪著專心洗衣的婦人、太陽底下抬棺木哭泣的行列、動物園裏打呵欠的獅子、鄰居小孩子的神情等等。繪畫成了我生命中的一部份。即使曾經因摔傷住院五十天，我仍不停止畫畫，每天將來客一一速寫，所以一些醫務人員都成了我的朋友，如此不尋常的忙碌，帶來許多歡笑。我很享受當時那種受歡迎的場面，那時藝術就是我生命的重心。

隨著歲月成長，我對繪畫的酷愛日漸增添，以後經過名家的教導，就特別喜愛油畫和水彩畫。過去曾得過各種藝術獎，也曾教人繪畫，或賣畫，或送人都很歡喜，我特別欣賞大畫家的傑作。當我遠遠站在名家的門外時，曾悄悄地夢想著，若能一嘗名畫家的滋味該多好呢！

後來與外子結婚，有了兩個孩子，我就轉移目標，專心在我們的家庭上。但作畫家的夢並沒有全部消失，不過是用更大的夢來包圍它，就像一支燭光遇見了燈光那樣。這樣丈夫的愛情，兒女的天眞可愛，又變成我生活更大的重心了。

以後當我認識了耶穌，不知怎麼的，逢人就想提耶穌的名。若拿燭光和燈光來比的話，耶穌愛的光輝就更大了。祂好像正午的太陽，不住的照著，明亮無比。

婚後頭十年，多次在夜間夢到繪畫的事。有一天又作夢，開了一個中國名家國畫大展，幅幅都如一扇門那麼大，全是山水寫意畫，好開心呢！夢醒後心中突然有一個不平安的感覺壓住我，我馬上明白祂的意思。我說：「神啊！我知道祢眞愛我，我也愛祢。因爲祢替我死，我當爲祢活，我要努力去探訪，去關懷各樣的人，……因爲這是祢叫我做的，願將餘下的光陰由祢來使用。至於繪畫的驚喜，就留待以後在天家報償我吧！好讓我畫個痛快。奉主耶穌的名求，阿們。」當這件事與主談妥了以後，就感到十分平安。從那一次直到今日，十多年來我再沒有作藝術家的夢，也不曾後悔過。神以祂自己無比的愛來塡滿我的心，使我可以忘記背後，忠勇向前。我所得著的美福眞的無法數算，這與我爲主丟下的，確實不能相比。

漸漸地，神讓我知道，在祂的計劃中，並沒有叫我作畫家。而我從前種種的努力，在祂眼中的評價，只不過是停車場中常見的一片污油而已。我也相信祂說的是，因爲祂的眼能看透萬事、萬物的表面，且深察內心，更能明白一些醜陋的動機。諸如驕傲、嫉妒、貪心等。神不是反對人成爲科學家，或是藝術家，況且祂原是將這一切放在我們裡面的那一位。這些非凡的能力正反照出祂的完全與榮美，所以祂是所有科學家與藝術家之主。祂也樂意人用祂所賜的天份，來見證祂的榮美。比方神用牛頓、愛因斯坦這樣的科學家，窮他們一生來證明神偉大的創造。神又用像楊恩典這樣的藝術家，雖然殘缺，仍能用左腳畫出美麗的花鳥，表彰出神給人無比的潛能與資源。此外，從化學準確的週期表，到美妙的彩虹都是祂創造的。但是，人有罪，會傾向去跪拜假神—拜名、拜財。眞神不是只看人的口才、學問與外貌，祂也看人的內心。神看人非同人看人，人很容易被看得見的東西引動心思。人會將富人看高一點，窮人看低一點。聖經箴言十四章20節說得好：「貧窮人連鄰舍也恨他，富足人朋友最多。」但神是看人的動機。

「祂知道人心裡所存的。」（參看約二25）如果動機不對就全盤錯了。我之所以被神責備，是因爲動機不對，只想要自己成功，但是「以別神（就是任何其他的東西）代替眞神的地位，他們的愁苦必增加。」（詩十六4）因爲「高舉非從東，非從西，也非從南而來。惟有神斷定，祂使這人降卑，使那人升高。」（詩七五6～7）

有位朋友拿了兩個博士、三個碩士，花了許多時間在學問上，仍然不能滿足。後來蒙神引導，才知道神沒有叫他作科學家，卻要他摒棄一切做牧師。當他順服了神，雖然有人笑他發瘋，浪費那麼多的學問與潛能。但他本人卻如魚得水，快樂無比，因爲他與造宇宙的主聯合了，神就用他造就許多的人。當他高舉神的名，將自己甘心降服在神的計劃之下，他就活了，因爲只有耶穌的名當被高舉。人所有一切若不與神聯合都是短暫的，不論你只為自己求益處，或為他人求利益，除非你進入祂宇宙性的全盤計劃中，成就祂在人身上的旨意，否則絕不能有眞正的價值。

沒有人可以完全知道神的偉大，但從神所創造的許多事蹟裡，可以略略看到一點。就拿天天看到的太陽來說吧！你知道太陽的價值嗎？地球的一切生物都是靠著太陽的光熱維持生命的，據估計：太陽每秒鐘要消耗四百萬噸重的物質，才可以維持放射這麼大量的光熱。地球每日所受的日光若折合電力，以美金價值計算，全世界每天要給太陽付出160,000,000,000美元，請問有誰能付得起呢？據天文家計算，太陽比地球大一百三十萬倍，星球之中比太陽更大的還有億萬萬個之多，宇宙眞不知有多大呢？（錄自《到底有沒有神》一書，張郁嵐牧師著）

歷史上，以色列民族曾有百萬人口帶著他們的小孩、老人、牛群、羊群離開埃及，當他們正面臨紅海時，埃及軍隊從後面騎馬追來，想要擊殺他們，就在千鈞一髮之際，神將紅海分開，帶他們行走乾地，平安跨越過去。在人以為絕無可能的事上，神就用那一個障礙來完成拯救，甚至將海水再度合併，使埃及軍兵全數淹沒在海中。祂是全能的神，是牧養我們生命的主，因祂是如此偉大，使我們能信靠祂引導我們的一生。

在耶利米書三十三章3節說：「你求告我，我就應允你，並將你所不知道又大又難的事，指示你。」沒有事可以難倒神，祂管理大事，也管理小事。我們可以隨時求告祂來幫助我們。

記得小女進大學那年的聖誕節，她的兩位室友送她禮物。她不知道要送他們什麼，就去問耶穌。耶穌提醒她，其中一個人的鏡子才打破，另外一個找不著她失落的一打筆，正在愁煩。雖然她只花了一點點的錢，但兩位朋友卻十分驚喜。可見神樂意在一切大小事上幫助我們。

成功不一定就好。有一個美國工程師被派到日本出差，在日本用自己的方法賺了一大筆錢回到美國，以爲立了大功可以升官得獎了，豈料，公司非但沒有稱讚與獎賞，反而只給他一筆佣金，就將他開除了，原因是「他不聽指揮，違反秩序。」老闆認爲，幸好這次賺了錢，倘若將來再有一次不聽指揮，以致經營失敗，把公司倒掉了，那還了得嗎？

又比方，母親在廚房做麵食，一個孩子跑來要插手幫忙，母親吩咐他說：「洗了手再做。」他不肯，母親還是分給他一小團發好的麵，他就做了一個小麵包，還撒上黑芝麻，看來十分像母親做的，雖然如此，他那一團麵已經髒了，不能再回到那又白又香的大麵團中了。

家有家規，國有國法，若是人人都不守規矩，不守法，必然天下大亂。同樣地，神在祂全宇宙的計劃中，凡事都有規矩。若不然，太陽與地球隨便出軌一下，地上的生物則不是燒死，就是凍死。照樣，人是神在宇宙創造中的一部份，若個個都不聽祂指揮，結局也是不堪設想的。當年，約瑟若沒有聽從神藉天使的指示逃往埃及，則今天全人類都滅亡了。可見順從與不順從神，眞有天淵之別呢！這樣我們若能尋求祂的旨意，一生成全在祂的引領與計劃中，生命必定會很圓滿。「凡聽見神的吩咐，而去行的就是聰明人。」（參太七24）

親愛的朋友，你願意信靠這位眞神嗎？祂是救主，祂對你一生有全盤性的計劃，你目前生命中有難處嗎？你對前途有把握嗎？耶穌能解決你一切的難處，且能引領你走一條正確美好的道路。只要你肯將自己交祂手中，祂必使你成爲無價的寶貝。你若願意以神爲可靠，你是有福的，祂知道你的心。你若樂意、請用下面的禱告對神說，好使祂進入你的生命來幫助你。

「親愛的天父，謝謝祢，將宇宙的一切安排得那麼妥當完美。謝謝祢，差耶穌基督做我救主和生命的主。謝謝祢看顧我、愛我。我願將前面的道路、難處，一生交託給祢。求神幫助我全心全意地愛祢，求神赦免我的罪，我沒有聽從祢，求祢幫助我，信靠祢的眞理，並且去行，做一個聰明的人，奉主耶穌的名求，阿們。」

第四章

瞎眼貓頭鷹

月亮藏在樹叢中，人不去找，就看不見。同樣，神有恩典要給人，人若不要，就不能得。

耶穌在地上傳道、趕鬼、醫治許多病人時，其中也醫好瞎眼的。約翰福音九章說：祂治好一個生來瞎眼的，但這人卻不知道是神的兒子治好他。人時常會這樣，對眞理瞎眼。

年輕時，我常參加課外活動與比賽，總是注重看得見的快樂，卻看不見神的恩典。母親屢次邀我去聽道，我總是沒胃口，又花數百元將我送到美麗的陽明山去，參加教會的夏令會，在那兒住三天，我都沒去聽道，卻找一些同樣愛玩的人，一同聊聊天，爬爬山，又偷採別人的橘子。媽想盡各種方法，買我最愛吃的，送我新衣服，爲要叫我信耶穌，但當我收下禮物到教堂，只要有一絲兒機會我就溜走了。我推耶穌在門外，信耶穌對我，眞像在沒有月光的夜晚看風景一樣乏味。但神不因此收回祂的愛。

有一次，我在游泳池學打水，想試驗一下能夠悶氣多久，等受不了時，才發現正在深水中央。嚇得我胡亂打水，死命掙扎。就在危急存亡之際，我猛然急呼：「耶穌啊！救我！」我立刻感到身體上浮，驚惶沒有了，兩腳慢慢打水，就上了岸，我終於鬆口氣，卻把耶穌忘了。

又有一次，在台北大屯山走迷了兩個小時，找不到一條路，四圍全是比我高的蘆葦草。等到六點多突然打起雷，烏雲滿天，快要下大雨，深怕蛇爬出來怎麼辦呢？這時我又喊：「主耶穌啊，請祢幫助我找到出路吧！」話才說完，一條路正在腳下，直通山底，這回眞有死裏逃生之感，終於見到人群，安心了，但當時仍不知是眞神在荒野替我開道路。

當我兒子一個月大，在換尿布時，有次從桌子上掉下來，摔到地上，把我嚇呆了。沒想到媽卻平靜的說：「不要怕，我已經爲他禱告，沒事的。」果然眞的沒事，因媽有靈眼可以看見神的大能。

恩典的水流，就這樣一直經過身旁，我竟看不見。神看我如一隻瞎眼貓頭鷹。貓頭鷹是一種凶猛的鳥，晝伏夜出，有一雙特別銳利的眼睛，能在黑暗中捕食田鼠和小鳥。若是牠們的眼睛瞎了，就失去一切的力量和反應。同樣，因爲我的驕傲，看不見神的恩典，因此神使驕傲的人像愚昧的人那樣跌倒。

如果一個人是身體上的瞎眼，他還能適應看得見的世界，至少藉著音樂可以跨過馬路，用觸摸點字法乘升降機，用白杖行路等。當然這不表示他可以和正常人一樣，但是有這些輔助也就夠了。有些大學生要學信心走路，也用布蒙著雙眼，繞校園一圈，為要明白瞎眼人的感覺，尤其是那些起初能看見後來卻瞎了的人，就更能明白這種悲慘的失明是什麼滋味。肉眼瞎了只妨礙到能觸摸的層面，然而，靈眼瞎了卻影響到整個生命。

牠能使人在靈裡對神的眞理無知覺，然後再歪曲眞理的正意。最後藉著這種愚昧的選擇，使人身體受害。使徒行傳十三章裡的以呂馬就是這樣的一個人，因他靈裡瞎眼，混亂了神的道，主遂使他外面的眼睛暫時瞎掉，為要警告他：不要繼續在心靈裡眼瞎。

所謂「有靈裡的看見」或說「屬靈的洞察力」是什麼意思呢？那就是別人不容易看出來，他卻能看明白。換句話說，他能看清事情的眞相。如果我們要認識眞神，享受豐盛的生命，我們必須要用靈眼來看神要我們看的。就是藉著聖靈來啓示我們，使我們能與神來往，又因信耶穌，順服眞理，使我們靈眼明亮。摩西在申命記廿九章2～9節對以色列民說：「神在埃及地，在你們眼前向法老和他眾臣僕，並祂所行的一切事，你們都看見了，就是你親眼看見的大試驗，神蹟並那些大奇事。但耶和華到今日，沒有使你們心能明白，眼能看見，耳能聽見。……」可見靈裡的明白是從神來的。

以色列民雖然看到許多大神蹟和大奇事，但因為不順服神，仍然迷糊、瞎眼，向神不專一，十次試探神，又時常想念埃及的享受，忘了痛苦的奴隸生活。哥林多前書十章5～10節說：「他們多半都是神不喜歡的人，因爲他們貪戀惡事，拜偶像，行姦淫，試探神，發怨言。」所以，罪可以使人心靈的眼瞎了：

1. **不信的心**——「不信的人，被這世界的神魔鬼弄瞎了心眼，不叫基督榮耀福音的光輝照著他們，基督本是神的像。」（林後四4）

2. **恨弟兄的心**——「恨弟兄是在黑暗裡，且在黑暗裡行，也不知道往那裡去，因爲黑暗叫他眼睛瞎了。」（約壹二11）

3. **受賄賂**——「賄賂能叫明眼人變瞎了，又能顚倒義人的話。」（出廿三8）

4. **不長進**——「不追求屬靈的長進就是瞎眼。」（參看彼後一3～11）

5. **自滿**——「禍哉，那些自以爲有智慧，自看爲通達的人。」（賽五21）

這些罪都使人對眞理瞎眼。約翰福音九章的瞎子，後來認識耶穌就拜祂，因他心靈的眼睛明亮了，就能用心靈和誠實來敬拜神。法利賽人雖然熟悉聖經，但他們不要耶穌。所以耶穌說：「我爲審判到世上來，叫不能看見的人，可以看見，能看見的，反瞎了眼。」（約九39）

有一個十一歲的男孩，父母對他倔強的個性感到很煩惱，他不聽教導和勸誡，總以爲自己的選擇是對的，等到吃了苦，發現錯了才肯改。他又愛看打鬥片，令父母很頭痛。有一次，他和母親去參加一個基督教會辦的退修會，在那裡他被神的靈光照。他從異象中看到地獄的苦況，好些人在地獄中喊叫，又有各種蟲子爬到人身上。他又看見神的家，在天堂中十分安寧、潔淨、喜樂。後來耶穌在異象中將他抱起來，對他說：「你長大以後不會變成這樣，但是你要來服事我。」後來他便有許多的改進。首先，他自動將那些有傷害力的錄影帶毀掉，開始和父母溝通，早晚要和母親禱告，有時甚至禱告一小時也不覺疲倦，在學校遇到困難的時候，他也會尋求神的幫助。他開始喜歡讀聖經，去參加高班的聚會，而能安靜地聽。他在短短兩個月內進步很多，令父母十分驚喜。他本來好像一塊粗糙的石頭，如今卻成了玉石，因他裡面看見了。所以，有時父母管教子女，感到無力、灰心，不妨仰望神來開導我們的孩子，更重要的是，祂能引導全家人一同行走正路，同蒙恩福。

一位弟兄開車到十字路口，他的車子被別人的車撞到，路上開車的無人願意停下來爲他作證。那人就想歸罪於他，弟兄想起神說：「伸冤在我，我必報應。」（羅十二19）並且祂報應時我們就能說：「義人誠然有善報，在地上果有施行判斷的神。」（詩五八11）這人靈眼看見耶穌有辦法，所以他說：「主耶穌，祢看見，是他撞我，求祢替我作證。」話剛說完，有輛車老遠開來停住，那人一出車門就說：「我是親眼看見這車禍的，因爲心不安，特地回來作證。」感謝神，裡面的眼睛明亮叫人心不慌，在

急難中有倚靠。「耶和華的名是堅固台，義人奔入便得安穩。」（箴十八10）

聖經記載，先知以利沙得聖靈啓示，屢次幫助以色列王，不受亞蘭王的侵害。亞蘭王知道了，就去圍困以利沙住的城市。先知的僕人清早看到車馬軍兵圍城，心中著急。以利沙就禱告說：「神阿，求祢開這少年人的眼，使他能看見。」（王下六17）他僕人立時就看見，原來神的軍兵與他們同在，比敵人更多。

然而，要叫心靈的眼明亮，必須要接受眞光。以色列民流浪四十年之久卻仍然瞎眼，不認識神，原因是他們不順服神。但他們的領袖摩西，卻是心眼明亮，接受眞光，得著正確引導的人。我們可以從他美好的品德中，找到接受這光的關鍵所在：

忠心：「我的僕人摩西不是這樣，他是在我全家盡忠的。」**（民十二7）**

謙和：「摩西爲人極其謙和，勝過世上的眾人。」（民十二3）

順服：聖經多次提到神怎樣吩咐，他就怎樣行。

寬廣：「摩西對他說，你爲我的緣故嫉妒人麼，惟願耶和華的百姓都受感說話，願耶和華將祂的靈澆灌在他們的身上。」（民十一29）當米利暗毀謗他而受罰長大痲瘋時，他求神，神就醫治她。

教導：他勸百姓要數算神的恩典，要謹慎遵行神的道，好使他們在凡事上亨通順利（申廿九2～9）。因爲摩西在他一切所做的事上蒙神喜悅，神就用他帶領百萬大軍在曠野度過四十年，而且沒有缺乏。他是與神聯合的人，是一個心眼明亮的人。願我們都不再自我打算，三心二意，爲罪所捆，落在瞎眼黑暗裡，而要作一個眼目純正的人，專一將自己獻給主，爲神所用，做一個與神聯合、心眼明亮的人。

第五章

公義的審判

人不可自高，最穩妥的時候要謹慎，免得跌倒。

「飛筆，明天妳要走了，這兒有兩本眞皮大聖經，送給妳和勤樸一人一本。不要忘了耶穌是眞神，並且有一天妳會需要祂的……。」媽媽很慈愛地叮嚀著，將這兩本聖經交在我手中。我不瞭解母親會多麼想念我，或者她花了多少的力氣來買這些禮物。反而心中有個叛逆的惡念，人都要離開了，還談這些做什麼？我一到美國，就要把它們收到拿不到的地方去，看妳還管得著我嗎？

我的無知，就像一個兩歲小孩，手中緊握著那個發亮的小銅幣，哇哇大叫，不肯換取那張百元大鈔一樣。當神在等我丟下那些我抓住的東西，希望我得著祂寶貴的禮物：「新生命」時，祂的心極其憂傷。

以後，我這個孤單的陌生人，在新的環境裡，開始在鄰居家參加查經聚會。過了半年，陳姊妹好意對我說：「飛筆，妳聽道那麼久，也該明白了，可以相信吧。」我回答她：「哦！陳姊妹，妳知道嗎？我來這裡是因爲你們待人友善，而且點心很好吃。」我故意避開她，誰知她馬上警告我說：「妳若再推辭，不但失去永生，還要在活著的時候被魔鬼傷害呢！何必自討苦吃呢？」我自大到一種地步，竟然毫不考慮的說：「我不要信，也不怕魔鬼，叫牠來找我好了。」她立刻著急的說：「千萬不能這樣說，不能這樣說啊！」

話果眞應驗了！過沒幾天，我全身莫名地癢起來，大大小小的紅斑紅疹，不知是哪門子的病症，癢得眞難過，使我不停地抓它、打它、掐它、扭它，出血了也不管，結了疤又抓翻，不久就住進醫院的隔離病房，三天如同三年。我日間唉哼，夜晚不能眠。只稍微轉動，那密密的疤如同勇士穿戴盔甲，使我全身痛癢不停。醫務人員來去如風，都怕被傳染。外子下了班趕來看一回，就得回去照顧兩個幼兒。因我醜陋得像隻癩蛤蟆，不許人來看望。最後，我被寂寞、愁苦、疼痛淹沒了。

第三天下午兩點，我無意中看到牆上的木頭花紋，突然變成許多小矮人，走來走去，悄悄耳語。自恃白日見鬼一定性命難保。這時才想起母親的話：「有一天妳需要耶穌，惟有祂是眞神。」我說：「主耶穌啊！如果祢是眞神，求祢給我先生一個有愛心的妻子，可以善待我的兩個孩子，我就安心死吧！」

我不知道這一切的苦頭，都因自己的無知，開口說了狂傲的話，給魔鬼開了機會的門來搗亂。因神是公義的主，祂照著我口裡的話來審判我。

於是在祂許可的範圍內，祂讓魔鬼來苦待我，我像懸崖峭壁頂上孤立的一棵樹，被狂風吹得幾乎倒下。就在那時，祂顯給我一個溫柔的意念：「祂既是仁愛的神，爲何不求祂醫治呢？」我覺得有理，就說：「主啊！如果祢是眞神，方才的話求祢全部不算，並求祢醫治我吧！祢若醫好我，我就信祢。」禱告完，我就睡了。雖然還未發現痛癢不再折磨我，但神使我安靜休息，這是三天來難得的一刻，因爲神是使疲乏人得安息的神。

之後，護士進來看到我，嚇了一跳就衝出去。我感到莫名其妙，很快地，我再次聽到急促的腳步聲傳來，這下子是醫生、護士同時出現，醫生看到這個奇蹟，震驚的說：「妳好了！」我才發現一切傷疤不見了。他盤問一番，做出一個聰明的結論：「我看是這藥發生奇效，回家去按時服用，兩週後必定斷根。」他一面說，臉上仍掛著一副懷疑的神情。我也糊塗隨從，以他爲是。當時神慷慨的治好了我，我又把祂全部忘了。

誰知兩週之後，舊戲重演，柔軟的皮膚再一次爬滿了血跡與傷疤，這樣反覆無常，怎能再活下去呢？因此眼淚湧流不住，驚恐淹沒了我，唉哼之聲不息，求死勝於求生。正在絕望之際，那一個溫柔的意念再一次出現：「想一想妳在醫院怎麼好的？」是呀！自古以來未曾聽聞有人全身紅腫的傷疤，經服奇藥後，不到一分鐘即脫胎換骨，全部還原的事，於是我想起醫院中的禱告。

許多屬靈深奧的道理，是神用祂諸般的智慧、忍耐與溫柔的心，把我們單獨引到曠野，一而再、再而三地親自教育，才能學成的。目的爲要我們不用怕，只要信，因為全世界在神手中。於是我半信半疑的說：「主耶穌，若眞是祢，那麼大的本事，再做一次我看看。」一面說，一面認眞的跑進臥房跪下來，並且大聲地、情辭迫切的說：「我奉拿撒勒人耶穌的名，求祢把我身上的鬼趕出去，祢若醫好我，我就信祢，並且要跟定祢。」我不知在說些什麼，因我從未聽過耶穌與拿撒勒有什麼關係。

太奇妙了，說完，那一身的紅斑、奇癢、血跡、疼痛、硬皮再次消失無蹤。取而代之的，是像新生嬰兒一般，又紅又細、又完整的嫩皮。這一回我馬上信了。我如夢初醒，大大震驚，好像發現新大陸，快樂的直喊：「主耶穌啊！祢是眞神，我是罪人，開恩可憐我，求祢救我，我要信祢，我眞是瞎子。哦，祢眞是忍耐我，寬容我，我要跟定祢。」

我的心在沸騰，巴不得我是一個巨型麥克風，可以向世界呼喊。「世人哪，你們還在等什麼哪？快來信耶穌吧！只有祂是救主，祂是眞神，就是祂。不要再懷疑，不要再耽延。不要空跑一生啊！快快離棄你們的罪惡，歸向永生神吧！祂救了我，祂也能救你們啊！快來信祂吧。」

那一刻何等難忘啊！本來絕望到想死，後來卻快樂得癲狂，情不自禁地又痛哭又感恩。哭我為什麼那樣眼瞎，而且瞎了十年。因母親為我禱告了十年，一天都不間斷。我懊悔使母親傷心，使許多人失望，又使主耶穌傷心。因我將那麼偉大、慈愛、全知、全能的眞神摒棄門外，我眞是惡極了。然而，此刻我要感恩，因我中了自己口舌之計，神卻一點也不計算，一次又一次地救我。就在這不到一分鐘的求告中，祂能做那麼多的事，省去我吃藥、打針、住院等等的苦痛，並且不費力氣就醫好我了。神眞的沒有難成的事。

感謝祂的大能，把我從憂愁的死蔭裡拯救出來。祂沒有照我的罪過待我，也沒有照我的罪孽報應我，感謝神給我第二次的機會，使我不但病得醫治，而且還得到永生。

當神第二次醫治我，向我再顯出祂的眞實和大能，我終於誠心地悔改，也承認神的最高主權。就在那時，一件無法想像的事發生了。神給我看一卷錄影帶，就是我一生犯過的罪，一幕幕好像電影映入眼簾：罵人、吵架、恨人、發怨言、講閒話、說謊、偷竊、不負責任、嫉妒、貪心、自以爲是、愛虛榮、不孝順、不順服、不要神等等。霎時間，敬畏與震驚交織成一片，使我心悅誠服，深知祂果眞是鑒察萬事的神。

於是我將過犯一一承認，甘願降服在這位有忍耐、有溫柔的神面前。然後我寫信向父母道歉，請求他們的饒恕，對他們說我信耶穌了。他們看了信，就說我是鐵樹開花了。之後，我也去向一些我得罪過的人道歉，並請求他們的饒恕。向神、向人道歉是很重要的事，不但能清潔我們的良心，也能幫助被我們傷害過的人，挪去他們苦痛的根。當他們原諒你的時候，就拆毀了中間的隔膜，遂能眞誠相待，和睦相處。

認罪之後，我被喜樂的靈充滿，平安如江河，我領受了一個從未有過的自由，有好長一段日子，天天都快樂如泉湧，到那裡都覺得人可愛。從那次以後直到今日，多年來，我將這份喜樂與滿足的祕訣，分享給許多的人。感謝神，祂令我看清自己的本相，以致我得救，徹底對付罪，奉獻給主，被聖靈充滿，幾乎是連在一起經歷的。感謝神藉著祂的恩典，靠著這一個屬靈的壓力鍋—認罪悔改，使我因無知而浪費的年日得以奪回。

要對付罪不是一件容易的事，必須拿出勇氣，放下自尊。如果你能認清罪的可惡，全心去對付，再行神的旨意就不難了。雖然你仍會有一段掙扎，因爲我也掙扎過。尤其要向親友認罪時，但後來從神得回的自由，勝過你所失去的一切面子。罪有徹底對付的必要，因爲：

罪好像一幕黑窗簾，一拉開它，神同在的榮光就湧進來了。

罪又如一塊絆腳石，叫人跌倒，要吞吃人的靈魂。

罪又像一個腫瘤，使人失去健康、快樂與生命。因爲撒但常把自私的慾望和引誘人的惡事，放在人的思想裡。牠巴不得我們恨人而失去愛心；害怕而失去信心；不知足而不懂感恩。當我們看透牠害人的詭計時，就當有明哲的行動來避開牠。

「你們務要從他們中間出來，與他們分別，不要沾不潔淨的物，我就收納你們，我要做你們的父，你們要做我的兒女。」這是全能的主說的，「親愛的弟兄阿，我們既有這等應許，就當潔淨自己，除去身體靈魂一切的污穢，敬畏神，得以成聖。」（林後六17～七1）

這是何等的福份和應許，只要對付罪，接受耶穌基督做救主，立刻全宇宙最大、最富有、最智慧、最仁慈的神要收納你做祂的孩子。神不說謊，也不偏待人。容我再說怎樣可以離開罪，與全能的神有美好的來往：

1. 惟有神兒子耶穌的血能洗淨我們一切的罪，使我們可以與光明的神來往（參看約壹一7）。

2. 我們必須在神面前將罪認清，才能被洗淨。約翰壹書一章9節說：「我們若認自己的罪，神是信實的，是公義的，必要赦免我們的罪，洗淨我們一切的不義。」這裡說，認自己的罪，這「罪」是指多數的罪，要一件一件的認，一件一件靠神拔除，像拔除雜草、荊棘一般。這樣就是將自己降服於神。

3. 一旦罪的雜草被拔除，就要立刻種上好東西，就是天天勤讀聖經，將神的話充滿在你新的心田中，早晚默念神的話，並且誠實去遵行，使你可以平安度日，凡事亨通。

4.讓神的話常存在我們心裡，就可以使我們剛強，能勝過魔鬼的詭計（參看約壹二14）。

感謝主，罪一除去，光就進來。使我們從捆綁到釋放，從醜惡到美麗，好像毛蟲蛻變成蝴蝶。神釋放我們脫離了罪的束縛，又能在祂的道上享受眞平安與眞自由。

第六章

上帝是我的保護

神是我們的主，是我們的保護。一生之久，隨處隨刻的保護，且是從今時直到永遠無止盡的看顧。

「我要向山舉目，我的幫助從何而來。我的幫助從造天地的耶和華而來。祂必不叫你的腳搖動，保護你的必不打盹。保護以色列的，也不打盹，也不睡覺。保護你的是耶和華，耶和華在你的右邊蔭庇你。白日太陽必不傷你，夜間月亮必不害你。耶和華要保護你免受一切的災害，祂要保護你的性命，你出你入，耶和華要保護你，從今時直到永遠。」（詩一二一篇）

某晚聽完聖經課已經很晚，我直接將車開上高速公路，往一百哩外去看孩子。因爲困倦就用唱詩來提神。後來唱到一半沒力氣唱，就喊：「耶穌！耶穌！」末了實在太困倦，就大聲喊：「主耶穌啊！主耶穌啊！」但不行，仍打瞌睡。等清醒時，發現車子有一半在右邊線道上，就小心地將車子轉回原來線道。後來我再定睛一看，不得了，發現左邊兩輛巨型卡車，正和我並排開著。心想：我的車子若滑進左線道，而不是右邊線道，我就要變成了歷史人物，但神卻保護了我。原來我像一隻不知天高地厚的小烏龜，撞進了人類的急流道中，神卻在暗中作透明的大恐龍，用祂高大巨型、如杜有力的大腳，一次就霸佔了兩個線段，使我在祂所佔有的勢力範圍內，滑來滑去，仍舊安穩。神愛無法測透。祂令我想起詩篇三十四篇7節說的：「耶和華的使者，在敬畏祂的人，四圍安營，搭救他們。」

另有一次，同工何姊妹陪我自大學城回來，因爲困倦，她好幾次來替我壓捏頸子，但仍有三次手發軟，無力把使方向盤，有三次則腳發軟，無力踩油門。我們不時求主加力量，兩人用力振作，好容易才安抵家門，一熄火就全身癱軟，動彈不得，倒頭就睡了。往後還有幾次都這樣，好像已經用盡氣力，一滴也沒有剩下。直到神多次救我，才恍悟自己不對，再也不敢那樣開車了。

講這些事莫非要人知道，人眞的很有限，但上帝的眼目都一直看顧凡信祂的人。因此，每逢想念神的看顧，心中便充滿無限感恩，誠如摩西在申命記三十二章10～12節所說的：「耶和華遇見他在曠野荒涼野獸吼叫之地，就環繞他，看顧他，保護他，如同保護眼中的瞳人。又如鷹攪動巢窩，在雛鷹以上兩翅搧展，接取雛鷹，背在兩翼之上，這樣耶和華獨自引導他……。」

人一生的遭遇，經常如此，許多事必須獨自擔當，正像走過曠野路，面臨危險一般。信了耶穌的人也不例外，同樣會遭遇困難，但所不同的是，神必替你擔當難處，因爲詩篇六十八篇19節說：「天天背負我們重擔的主，就是拯救我們的神，是應當稱頌的。」因此祂要保護你，除去你的危險，將你安置在高處，在穩妥之地。祂眞是美善的泉源，正如詩篇三十四篇8節說：「你們要嘗嘗主恩的滋味，便知道祂是美善，投靠祂的人有福了。」「知道向祢歡呼的那民是有福的，耶和華阿！他們在祢臉上的光裏行走。」(詩八九15)

另有一個晚上，我送孩子回學校後，歸途中一進了高速公路，才發現油表上的汽油太低，平時跑長途總要加足油才走，這回竟忘了。不管了，再回頭就更晚，也不知哪來的想法，總覺得想賴在主身上：「主啊！祢先替我加油吧！等會兒到了Mission街我才自己去加油，好嗎？」心裏感到十分平安。於是，一路上我不停地唱詩又與主交談，整個人喜樂得好像浸泡在聖靈裡一般。「主啊！我知祢眞在這兒，雖然我看不見祢，但祢看得見我。主啊！祢眞偉大。主啊！祢眞是何等溫柔，何等謙卑。我敬畏祢，主啊！祢全然可愛。全地都當向祢歡呼，歌唱祢的榮耀，談論祢一切奇妙的作爲。」

正當我唱得盡興時，突然有一個意念：「看一看油表」，才發現幾乎沒油了。「主啊！不能沒有油，求祢加一點，求祢升高一點。」奇妙的是，原本已往下掉的油表線，瞬間即從起點升了上來。

「主啊！眞想看一看祢那溫柔美麗的風采，眞想看一看祢那榮耀的寶座，祢華美神聖的居所，那聖城偉大的建造，以及祢在天上爲我預備的住處。主啊！祢說那沒有看見就信的人有福了。主啊！我信祢在聖經中所說的一切話，都不落空，都比金子寶貴，然而我仍渴望祢向我開啓天上的異象。主啊！祢不是曾向以西結彰顯祢的榮耀嗎？（結一1）使他靠這異象與祢的話，可以承受主的使命，作一名諄諄教誨的先知。你也讓司提反看見天開了（徒七56），有神的榮耀向他開啓，使他能愛仇敵，爲那一群咬牙切齒、用石頭殘害他的人禱告。還有彼得，看見天上的異象後（徒十11），就打破了原先偏狹的觀念，開始向外邦人傳福音。主啊！爲何不給我看一看呢？好叫我在屬靈上疲乏之時，可以加添力量，祢不是要我們顧念上面的事嗎？」

每次談到忘我的境界時，那個意念又提醒我：「看看油表」，原來指針已和「E」字（內中無油）重疊了，我唱著對祂說：「主啊！四圍竟是大黑山，天上無星光月亮，路上無燈光，住家稀少也不見光，車輛也少。主啊！祢就再加一點油吧！我願與祢共享這一刻寶貴的時間。浸泡在聖靈裡，多美，多甜蜜啊！不是嗎？」於是油表又往上升，成了兩條線。就這樣一路與主同行。油表如此升升降降，彷彿有天使結隊相伴隨侍在旁，既作護衛，又作供應。如此從眾山環繞的路中奔馳而下，我終於到了平坦的Mission街，燈光明亮，加油站已在眼前，才開心地加滿了汽油。雖然深知祂能繼續供應，但卻不能試探主，所以等車子吃了「迦南地的出產」以後，「嗎哪」就止住了。

這樣共跑了九十七哩，其中不知有多少哩是從「嗎哪」來的。從這件事上我體會到：

1. 神很體諒人，本來自己可以作的事，祂卻來供應你，爲滿足人心的需要。
2. 神時常傾倒祂豐富的恩典，來填滿我們的渴望，使我們的喜樂可以滿足。
3. 神在人的軟弱裡，祂情願用溫柔來建立人，而不是用指責的方式。
4. 神雖有大能，又無所不知，但祂情願每一次照我小小的信心來成全我。

基督耶穌昨日今日直到永遠是一樣的，祂不偏待人，因祂從死裡復活的大能，能供應保護我們一切的遭遇和需要。祂爲我所作的，也能爲你作。只要人願意離棄罪惡、聽從、親近祂，祂就要親近你、幫助你，雅各書四章6～8節說：「但祂賜更多的恩典，所以經上說，神阻擋驕傲的人，賜恩給謙卑的人，故此你們務要順服神，抵擋魔鬼，魔鬼就必離開你們逃跑了。你們親近神，神就必親近你們，有罪的人哪，要潔淨你們的手，心懷二意的人哪，要清潔你們的心。」

在你最想不到的時候，神就要給你一個驚喜，使你的心能歌唱。詩人說得好：「因祢耶和華藉著祢的作爲，叫我高興，我要因祢手的工作歡呼，耶和華阿！祢的工作何其大，祢的心思極其深。」（詩九二4～5）

第七章

變成了噴射客機

信耶穌的人，白白得福音的好處，也當白白傳出去。

主耶穌從死裡復活、升天前曾吩咐門徒說：「天上地下所有的權柄，都賜給我了。所以你們要去，使萬民作我的門徒，奉父、子、聖靈的名給他們施洗，凡我所吩咐你們的，都教訓他們遵守，我就常與你們同在，直到世界的末了。」（太廿八18～20）所以傳福音是信徒必行的事。

傳福音必須經過先苦後甜的過程，好像婦人懷孕走山坡路一樣，現在雖然辛苦，卻不會一直如此，有一天當孩子生下來長大了，這婦人就快樂了。傳福音亦然，一旦看到對方從死亡轉向永生，你就快樂了。

傳福音是打開救人的門，在傳的時候，我們不要怕對方名氣大、財產多，要記住他們正向死亡奔跑，我們就當攔阻。當你想到他們從出生到如今，一直被惡者踩在腳下，任牠擺布，沒有一線希望時，又怎麼忍心不傳給他們呢？有的人則時常在驚慌中到處亂跑，一下子換工作，一下搬家，東撞西撞地找不著方向，也沒有平安。他們爲暫時的求知、求金、求名、求權，被害得動彈不得，彷如一個人被強盜綁在樹幹上，十分危急，又怎能忍心不顧呢？所以傳福音是信徒們義不容辭的事。

什麼是傳福音？

約翰福音三章16節說：「神愛世人，甚至將祂的獨生子（耶穌）賜給他們，叫一切信祂的不至滅亡，反得永生。」「耶穌說：我來了，是要叫人得生命，並且得的更豐盛。」（約十10）

然而，人類因爲有罪，不認識神的愛。羅馬書三章23節描述了我們實際的光景：「因爲世人都犯了罪，虧缺了神的榮耀。」罪好像一個深坑，將人與聖潔的神永遠隔絕，使人不能認識眞理與救恩。正如羅馬書六章23節說的：「因爲罪的工價乃是死」，而且「按著定命，人人都有一死，死後且有審判。」（來九27）所以，神就差祂的獨生兒子耶穌，一個完全無罪的神子，代替世人的罪，釘死在十字架上，替我們撤去律法上攻擊我們、有礙於我們的字句。也就是從撒但手中，撤去我們所犯的眾罪。人只要肯認罪，願意接受耶穌基督作救主與生命之主，神定要赦免他，並且賜他神兒子——耶穌基督的生命，因爲「凡接待祂的，就是信祂名的人，祂就賜他們權柄作神的兒女。」（約一12）所以我們必須接待耶穌進入心中。

耶穌說：「看阿！我站在門外叩門，若有聽見我聲音就開門的，我要進到他那裡去，我與他，他與我一同坐席。」（啓三20）因此，我們只要將心門打開請祂進來，祂就要進來作赦罪與賜永生的工作，使我們成爲神的兒女。

哥林多前書十五章22節說：「在亞當裡眾人都死了，照樣在基督裡，眾人也都要復活。」這福音所帶來的新生命，使我們與神和好。有了耶穌活在心中，使你我找到生命的意義，並且經歷了只有在基督裡，生命才有盼望和恩典。這份禮物帶給我們清潔的良心，賜人免於犯罪的自由。

約翰壹書三章6節說：「凡住在祂裡面的，就不犯罪（不會接續不斷地犯罪）。」另外，三章24節說：「遵守神命令的，就住在神裡面。」這屬神的生命會一天一天長大，誠如詩人在詩篇二十三篇3節所說的：「祂使我靈魂甦醒，爲自己的名，引導我走義路。」可知神必在凡事上引導你，使你行得合宜。約翰壹書一章27節說：「你們從主所受的恩膏（聖靈），常存在你們心裡，並不用人教訓你們；自有主的恩膏在凡事上（指日常生活與思想上）教訓你們；這恩膏是眞的，不是假的；你們要按這恩膏的教訓，住在主裡面。」

親愛的朋友，如果你現在還未信耶穌，要知道沒有耶穌的生命是迷失的、短暫的而且心靈不得滿足，至終會通向滅亡。而有耶穌的生命則是有方向、有把握，能享受到永恆的價值，並且與祂同活。請問：你願意擁有哪一種生命呢？如果你願意接受耶穌基督，就當誠心悔改，專心歸向祂。如果你心中飢渴，盼望生命有意義，想要認識神，請用下面的禱告向神說：

「神啊！我是一個罪人，現在求祢憐憫、赦免我的罪。求主耶穌的寶血洗淨我，我願意將心門打開，請祢進來作我的救主與生命的主宰。求神因祢名的緣故，引導我走義路，我願意經歷那叫人滿足的生命，求祢管理我的一生，使我成為一個討神喜悅的人。奉主耶穌基督的名禱告，阿們。」

為何要傳福音？

1. 是自然的事

當你我意外地得著一些好處時，很自然會告訴別人，讓彼此同享這份喜樂。一個人若在戀愛中，他周圍的人都知道，因爲他臉上掛著一份不能隱藏的喜樂。同樣地，人信了耶穌，也會告訴別人，因爲喜樂是不能隱藏的。常聽人說：「某人信了耶穌不一樣了，本來一毛不拔，很小器的，現在變大方了。」又聽見人說：「本來老失眠的，現在不需要再看精神科醫生，不用吃藥，就能睡好了。」又有人說：「孩子信了耶穌，聽話多了！」因爲耶穌摸著他們的生命。有人信主時失業，卻也能放開心到教會去作禮拜，因爲他知道神必看顧。生命的改變是基督的香氣與能力的流露，使自己驚訝，也使周圍的人感覺出來。神的道擋不住的，就如鐵絲網封不住大喇叭的聲音一樣，因爲「福音本是神的大能」，要救．切相信的人。

信主的人雖然仍在地上生活，但目標已朝向天家，價值觀與興趣也跟著改變了。這樣的生命充滿平安、喜樂與盼望。既然如此，我們都當趁著還有機會的時候趕快傳福音。路加福音十九章37～40節說：「眾門徒因見耶穌所行的一切異能，就都歡喜起來，大聲讚美神，說，奉主名來的王，是應當稱頌的……。」當時有幾個法利賽人，對他們這樣的表現感到很煩惱，就向耶穌抗議。耶穌卻回答說：「我告訴你們，若是他們閉口不說，這些石頭必要呼叫起來。」（路十九40）並且有一天，我們的救主要從天而降，天上亦將有大響聲發出，神要用那能叫萬有都歸服自己的大能，改變我們這卑賤的身體。當那吞滅死亡的復活臨到時，我們都要升天而去。那時，就再沒有機會向家人、親人、朋友傳福音了。

2.是主耶穌的吩咐

傳福音是主耶穌給我們的大使命。主的門徒都要將福音傳出，而且要勸人徹底悔改，跟隨耶穌，作主的門徒。試想想，當初主的門徒若沒有將福音傳開，今天我們就無法認識耶穌了。倪柝聲弟兄曾經打過一個比方：「我們傳福音的時候，就好像蠟燭點著另一根蠟燭一樣，會不斷迸發光芒。」這樣地，一根根點下去，光不但增多，還可以延續。主耶穌是世界的光，我們是祂的門徒，就當為主將福音的光照亮這世界。並且還要使他們受洗，加入教會，與信徒有靈裡的團契，又將聖經的眞理教導他們遵行，主必常與我們同在，直到世界的末了。

3.人們需要主

以弗所書二章1～3節：「你們死在過犯罪惡之中，……行事為人隨從今世的風俗，順服空中掌權者的首領，就是現今在悖逆之子心中運行的邪靈；…放縱肉體的私慾，……。」另外二章12節也說：「那時你們與基督無關，……在所應許的諸約上是局外人，……活在世上沒有指望，沒有神。」而約翰壹書五章19節則描述：「全世界都臥在那惡者手下。」可見不信主的人，是臥在惡者（魔鬼）的手下，身心靈都受到捆綁與傷害。所以他們是：

a.行事為人隨從今世的風俗，生活方向只能依據世上墮落的標準走。

b.順服空中的掌權者，那邪惡之靈的指揮。

c.放縱肉體的私慾，任意而為。

我們從前也都和他們一樣，但神使我們脫離罪的權勢，成為神家的人。所以我們應當傳這與神和好的福音，藉此釋放那些在罪的捆綁之下，被惡者擄去的人。路加福音四章18～19節說：「……傳福音給貧窮的人，……報告被擄的得釋放，瞎眼的得看見，叫那受壓制的得自由……。」就是說，當人們聽到福音，被神的眞光照亮時，就醒悟過來，不再被愚昧、無知所害，也不再受罪的轄制。使瞎眼的能看到屬靈的眞實，被逼迫的也得到公平的待遇。就是神賜人救恩並各樣屬天的福份。他們和我們一樣需要主，又怎能不傳呢？

雅各書五章20節說：「叫一個罪人從迷路上轉回，便是救一個靈魂不死，並且遮蓋許多的罪。」這樣地，當他們信了主，便藉由福音，得以在基督裡，與我們同為神的後嗣，同蒙永生的應許了。

4. 為了榮耀神

身爲神的兒女，眞是何等福份、何等恩典，這是神的榮耀和見證。以賽亞書四十三章7節中，神說：「凡稱爲我名下的人，是我爲自己的榮耀創造的。」10節又說：「你們是我的見證，我所揀選的僕人，既是這樣，便可以知道，且信服我，又明白我就是耶和華，在我以前沒有眞神，在我以後也必沒有。」

5.能叫人喜樂

傳福音能夠榮耀神，又能建立人，有永恆的價值，能叫我們的喜樂得到滿足。腓立比教會是使徒保羅在歐洲傳道時所建立的。後來，保羅為傳福音進了監獄，他們不但沒有丟棄他，還屢次在物質上供應他的需要，在福音上與他齊心努力，使保羅深得安慰。故他在腓立比書四章1節中說：「我所親愛、所想念的弟兄，你們就是我的喜樂，我的冠冕。」請注意：保羅身體雖在監獄中受苦，卻能說他們就是「他的喜樂和冠冕」。再者，傳福音不只叫人在地上歡喜。路加福音十五章7節中，耶穌說：「……一個罪人悔改，在天上也要這樣為他歡喜，較比為九十九個不用悔改的義人，歡喜更大。」可見連天上也歡喜。

6.不傳就有禍了

身為新約時代的基督徒都是神國的祭司，就應當去傳福音。為何保羅說不傳福音就有禍呢？因為「惟有你們是被揀選的族類，是有君尊的祭司，是聖潔的國度，是屬神的子民，要叫你們宣揚那召你們出黑暗入奇妙光明者的美德。」（彼前二9）故此，我們若不傳福音，便違背主的厚恩。所以，保羅說：「我傳福音原沒有可誇的，……若不傳福音，我便有禍了。我若甘心作這事，就有賞賜。若不甘心，責任卻已經託付

我了。」（林前九16～17）

那麼不傳福音會有什麼後果呢？

a.良心不安

因爲沒有順服神的吩咐，詩篇四十九篇對不信者告誡說：「萬民哪，你們都當聽這話，世上一切的居民，無論上流下流，富足貧窮，都當留心聽，因爲不信的人雖然自誇財物很多，他們一個也無法贖自己的弟兄。也不能替他將贖價給神，叫他長遠活著，不見朽壞。」因爲「贖他生命的價值極貴，只可永遠罷休。他必見智慧人死，又見愚頑人和畜類人，一同滅亡，將他們的財物留給別人。……見人發財家室增榮的時候，你不要懼怕。因爲他死的時候，甚麼也不能帶去。他的榮耀不能隨他下去。他活著的時候雖然自誇爲有福（你若利己，人必誇獎你）。他仍必歸到他歷代的祖宗那裡，永不見光。人在尊貴中而不醒悟，就如死亡的畜類一樣。」（詩四九7～10、16～20）

「人若賺得全世界，賠上自己的生命，有什麼益處呢。人還能拿什麼換生命呢」。（太十六26）富有的與貧窮的一樣需要永生。假如我們看見他們靈裡空虛，卻拒絕將永生的路告訴他們，我們的良心怎麼不受譴責呢？

某次在聽道中，聽到一項驚人的報導：目前全世界有四億人天天在挨餓。九億五千萬人吃不夠，三十億人喝不好的水，每天有兩萬五千人因水質不好而死亡，有十五億人沒醫藥保障，八千萬人淪爲乞丐。另有一億小孩在街上乞討……等，這是我們所處的世界，我們怎能不向他們傳福音呢？

b. 主要審判

當主再來的時候，那些認識眞理，卻不去分享給人的人將有禍了：「我們眾人，必要在基督台前顯出來，叫各人按著本身所行的，或善或惡受報。」（林後五10）信徒固然因信耶穌白白得到永生，但生活在世上，仍有一些道德的責任要盡。才能在主耶穌再來的時候，因著行善而受獎賞。不然，若行得不好，就要被處罰，因爲主是公平的主。

7.「去」就得著能力

當我們踏上信心的腳步，放下自私的野心與害怕，神的能力就會出來。

許多時候，我們渴望得到屬靈的能力，卻對聖工缺乏貫徹到底的心志，這是一種自私的心態。撒但本爲天使長，卻因驕傲自私，淪爲魔鬼。牠曾說：「我要高舉我的寶座在神眾星以上，我要坐在聚會的上山，在北方的極處，我要昇到高雲之上，我要與至上者同等。」（賽十四13～14）且看這種自私的野心帶來什麼後果呢？「然而你（撒但）必墜落陰間、到坑中極深之處。」（賽十四15）牠想爲自己得榮耀，反而遭神貶抑，自天墜落。

耶穌說：「你們要給人，就必有給你們的。」（參路六38）不要怕人會說什麼，或者你的名譽會遭損傷。重要的是，你是否順服神的旨意而行？有沒有討神的喜悅呢？路加福音十章20節中，耶穌對那些得到權柄勝了撒但、工作回來的門徒說：「不要因鬼服了你們就歡喜；要因你們的名記錄在天上歡喜。」故此，我們當憑信心跨出去；因為寶貝已經在瓦器裡。我們若不憑信心工作，又怎能經歷屬靈的能力呢？願我們一同來經歷門徒所經歷的，在馬可福音十六章20節的實際吧：「門徒出去到處宣傳福音，主和他們同在，用神蹟隨著，證實所傳的道。」

現在，我們對傳福音有了基本的認識，讓我們再來看一看當如何去作。

如何去傳福音？

保羅在羅馬書十二章1～2節說：「所以弟兄們，我以神的慈悲勸你們，將身體獻上當作活祭，是聖潔的，是神所喜悅的。你們如此事奉乃是理所當然的，不要效法這個世界，只要心意更新而變化，叫你們察驗何為神的善良、純全可喜悅的旨意。」

羅馬書一到十一章闡述神對人的愛。到了第十二章，保羅就勸神的兒女們，當在日常生活中將神的眞理活出來，把身、心、靈全然交在主手中，由祂來作主，再去服事他人。因爲祂先愛我們，爲我們死，我們也當愛祂，爲祂而活。這樣，藉著降服祂的帶領，我們就不再效法這世界上的各種潮流。不但如此，神還要更新我們的心思，使我們經驗到祂諸般的美善。

1. 一信主就可傳

約翰福音四章說到一個撒瑪利亞婦人的故事，當她知道耶穌是彌賽亞，就回到城裡，對眾人說：「你們來看，有一個人將我素來所行的一切事，都給我說出來了。」莫非這就是基督嗎？因她的話，就有好些人信了耶穌。（約四27～39）因爲「作眞見證的，救人生命。」（箴十四25）人只要將自己所看見、所聽見、所經歷的告訴人，神就可藉由你的心去救其他人。

耶穌說：「舉目向田觀看，莊稼已經熟了，可以收割了。」（約四35）「田地」代表「世界」，「莊稼」就是「世人」，世人因爲終日爲會朽壞的事物勞碌，心靈空虛，都需要耶穌塡滿他們的心靈。「收割」就是去「傳福音」，領人信主。有時候，你要先撒下信心的種子，再經由別人去收割。有時候，是別人勞苦，等你來收割。然而，無論是「撒種的」或「收割的」，都一同快樂。我們可以從家人作起，接下來是親人、鄰舍、同學、同事、朋友，一路往外傳。

2.隨時可傳

「務要傳道，無論得時不得時，總要專心……。」（提後四2）有一位弟兄在醫院裡，想向一位剛出院的八十歲老翁傳福音。但他看到老人高興的說：「外面見，外面見。」就忍住沒有開口。沒想到，老人一到醫院大門就死了。這位弟兄深深後悔沒有及時向他傳福音。所以，我們隨時要將「靈耳」豎起來，就會發現許多機會常在向我們叩門，一旦錯過了，他們可能就永遠失落。將來面對主又該如何交賬呢？

3.放膽

我們必須放下害怕的心，勇敢去傳福音。我曾遇見小學生爲了推銷糖果，挨家敲門，爲那沒有多大價值的東西，努力工作，雖被拒絕，仍然前進。這樣，我們豈不更該放膽，爲永生之事勞力嗎？求主開我們的眼，認識祂的偉大與人的需要。有了這種認識，就不難面對人的拒絕與辱罵了。

試想想，主耶穌也曾被人拒絕、被人辱罵過，但祂到了死地，仍不以爲恥，也不害怕。原因是：祂對這項使命有極大的盼望與完全的認識。當你我面對一個將死的病人時，還要顧什麼面子呢？難道我們的面子，比他們永遠的結局還來得重要嗎？所以，我們必須放膽去傳福音。

4. 不用深奧的知識，要講事實

凡跟過主的，有些人對聖經與聖靈的知識了解較多，有些則較少。但兩種人都可以傳福音。就像有學問的使徒保羅，或在井旁打水的撒瑪利亞婦人一樣。所謂傳福音就是：誠誠懇懇地將自己所知所聞有關耶穌的事告訴人。使徒行傳二十二章15節說：「你要將所看見的，所聽見的，對著萬人爲祂作見證。」

保羅提過：「弟兄們，從前我到你們那裡去，並沒有用高言大智對你們宣傳神的奧祕，因爲我曾定了主意，在你們中間不知道別的，只知道耶穌基督，並祂釘十字架，……我說的話，講的道，不是用智慧委婉的言語，乃是用聖靈和大能的明證。」（林前二1、2、4）所以，他並沒有用高言大智，也不作無謂的辯論。因他深知福音要餵養人的心靈，必須將基督爲我們的罪受死，又用復活的大能改變我們生命的信息告訴人，同時將自己信主前後的不同擺在人面前，爲主作見證。

5. 自居卑微

有人在農村傳福音，就下田幫助農人插秧，因著他的愛心和謙卑，帶領了許多農人信主。「謙遜人卻有智慧，有智慧的必能得人。」（箴十一2、30）謙卑就是知道神是眾善的源頭。身爲一個基督徒，就是歸回恩典的人，並非高人一等。只有高舉基督耶穌，才能吸引萬人來歸向主。

詩人說得好：「耶和華阿，榮耀不要歸與我們，不要歸與我們。要因祢的慈愛和誠實歸在祢的名下。」（詩一一五1）基督徒好像一個恩典的管道，一方面要不斷向神支取能力，一方面又要甘心愛人和施予，這樣才能作主的好僕人，也必能爲主得人。

6. 請人去教會

我們也可以效法腓力，請拿但業去看耶穌的作法。當耶穌看透拿但業的心，他就信了主（約一45～49）。

同樣地，請人去聽道是好的方式，當他們的心被主摸著，他們就會信耶穌。因爲「神知道人心裡所存的。」（約二25）家母曾帶一位八十歲的老婦人去聽道，那老人很快便信了主，而且殷勤參與聚會。我眞歡喜看到神復活的大能充滿她。

7.多禱告，不灰心

禱告最大的攔阻是罪。詩人承認：「我若心裡注重罪孽，主必不聽。」（詩六六18）要使禱告有效果，我們必須先求耶穌寶血的潔淨。而且禱告必須恆切，又要有信心，一點都不可鬆懈，也不可灰心，因爲「義人恆切的禱告，是大有功效的。」（雅五16）

許多年前，有位基督徒每週按時邀請他樓上的吳小姐到教會聚會，可是兩年之久都沒有成功過，他只好不住的禱告。後來中日戰爭爆發，吳小姐立刻下樓，要求信耶穌，並且奉獻作傳道，終身未嫁，一生忠心服事主。所以，「我們行善不可喪志，若不灰心，到了時候就要收成。」（加六9）

8.靠神的話，不靠感覺

「神的道是活潑的，是有功效的，比一切兩刃的劍更快，甚至魂與靈，骨節與骨髓都能刺入剖開，連心中的思念和主意都能辯明。」（來四12）神的話大有功效，能在人心裡作成美好的工。主話安定在天，永不動搖。我們必須用單純的信心去聆聽和接受。有一位牧師在證道時曾說：「用聖經解開死結，憑愛心去作，就能看到神的榮耀。」

有位劉先生聽道多年都沒有信，因爲他聽人說：「必須有感動來的時候才能成爲基督徒，所以他一直在等這一天。」我們就告訴他，救恩是靠主耶穌已經作成的事，並非憑感覺。他明白過來之後，眼睛就明亮了，遂快樂地接受耶穌作救主。他又激動地說：「主耶穌啊，我等這一天好久了，謝謝祢，從今天起，我是祢的人了，求祢帶領我一生的路，奉主名求，阿們。」那一天，我們有三個人，加上他太太都一同分享到他的喜樂。

9. 靠神的靈，不憑人意

許多年前的一個晚上，家中有一個見證聚會，當晚各人熱烈地分享耶穌醫病的大能。快結束時，五歲的女兒恩德，從臥房走出來，滿臉紅腫，大家都很驚訝，不知她生了什麼病，其中一位未信耶穌的林伯母第一次來，也看見了。我心中問主：「主啊，怎麼回事？」祂說：「你們不是在談論耶穌醫病的事嗎？」因著這話，我立刻了解主有用意。於是我吩咐她回到房間，等大家散會後，我和她一起禱告，就熄燈上床。次日凌晨六點多，她全好了。主吩咐我：「帶她上五樓十號的房間。」我說：「主啊，現在太早了。」主卻說：「妳去就明白了。」我順服地牽著小女兒，帶著莫名其妙的心上了五樓，敲了門，是林伯母開門。她一看到恩德，立刻連聲說：「我信了，我信了，我要信耶穌。」讚美主，從這事上我認識到，主是信實的主，只要人與祂同工，祂就要成就大事，而且吸引人歸向祂。

撒迦利亞書四章6節說：「不是倚靠勢力，不是倚靠才能，乃是倚靠神的靈方能成事。」所以，不要依靠自己的聰明，要專心依靠主，只有祂通曉萬事。也惟有聖靈能應變任何突發的事，我們倚靠祂，就必看見神的榮耀。

10.先自潔再求神捆綁惡者

「人怎能進壯士家裡搶奪他的家具呢？除非先捆住那壯士，才可搶奪他的家財。」（太十二29）某次主日崇拜結束，何姊妹說：「我丈夫還沒信主，他會來接我，我得趕緊回家。」由於李弟兄同她先生都是學物理的，我就建議說：「我們三人一同去看你先生，好嗎？」她說：「千萬不可，他最近常發脾氣，什麼人都不顧情面。」於是，我們一同禱告：「奉主耶穌的名，捆綁那空中的惡者，釋放姊妹丈夫的心，使他能敞開心，接納我們，並且盡早歸順基督耶穌，禱告奉主的名，阿們。」後來何先生開車來了，她卻躲在門後不敢出來，直到看見禱告的功效，她丈夫開心地伸出手來與我們握手談論，何姊妹才相信奉主名禱告的眞實。於是，她笑瞇瞇地從門後出來，並且連聲說：「太奇妙了，太奇妙了。」

「我們爭戰的兵器，本不是屬血氣的，乃是在神面前有能力，可以攻破堅固的營壘，將各樣的計謀，各樣攔阻人認識神的那些至高之事一概攻破了。又將人所有的心意奪回，使他都順服基督。」（林後十4～5）所以，雖然會遇到對方態度不好，口氣不好，但不要因此放棄。我們若了解這眞理，就不會憑血氣爭戰，反倒會同情對方，再靠著聖靈、憑信心爭戰。我們只要堅持到底，仇敵終究會失敗的。

11. 常常禱告，求神開傳道之門

在《醫生奇遇記》一書中，提到一位醫生每天出門前，都向主求傳福音的對象，因此他經常領人信主。二十年前我讀完這本書，也如法炮製：「上帝啊，我現在出去，求祢使我能帶領一個人信耶穌。」那天在火車上，我坐在一個女孩旁邊，經她同意後，每當火車下地道太吵時，我就禱告，一出地道，就向她傳福音。那天我們談得很愉快，直到下車，走了一段路，正要分手時，她就接受耶穌作救主了。三天後，她去了加拿大，從此再沒有見面，但深信她仍在主裡面。因爲當天分手後，主使我經歷了一個從未經歷過的大喜樂，使我不停地說：「主啊，夠了，主啊！夠了。」約翰福音十五章10～11節說：「你們若遵守我的命令，就常在我的愛裡，……是要叫我的喜樂存在你們心裡，並叫你們的喜樂可以滿足。」當天我眞切地經歷到什麼是滿足的喜樂。我們豈不當快樂去傳福音，叫神、與人、與自己都滿足嗎？

12. 肯犧牲

傳福音必須有愛人靈魂的心，在《鳳梨故事》一書中，敘述一位宣教士在一群土著中傳福音、面對土人偷他鳳梨的故事。當時他雇用土人種植鳳梨園，而當地的風俗認為你種什麼，那果子就屬於你，所以他們又種又吃又領薪水，認為很合理，令這位宣教士非常生氣，因為他付了錢卻不能享用。直到有一天，他聽到將你所擁有的權利讓神掌管的眞理。他就放手，將一切奉獻給神。神就賜他平安、喜樂與自由，他便成了一位很有能力的福音勇士。因待人有眞愛，那些土人後來被神管教，不但不再偷吃，且都信了耶穌。可見愛主是不會落空的。

13. 肯忍耐

人常云：「十年樹木，百年樹人」，栽培的時間總是長的。歷史上偉大的成功，背後都花上許多忍耐的工夫。聖經教導我們：「要學農夫忍耐，等候地裡寶貴的出產。」（雅五7）「並且要用百般的忍耐，各樣的教訓，責備人，警誡人，勸勉人。」（提後四2）我們傳福音難免要出錢、出力，有時還要受苦。這時若能想到耶穌的忍耐，就不難忍受了。因為「那忍受罪人這樣頂撞的，你們要思想，免得疲倦灰心。」（來十二3）「並且我們若因行善受苦能忍耐，這在神看是可喜愛的。」（彼前二20）忍耐不是一件容易的功課，神曾給我多次的學習。

我在打字房認識一位王小姐，半年內常向她傳福音，可是經常碰釘子。有一天，她走過來問我：「什麼是信耶穌？」我因手上有事，就說：「明天給你看一篇文章妳就知道了。」心裡卻嘀咕著：「沒有誠意還問什麼呢？」沒想到，她這回是認眞的，她說：「非要馬上談不可。」感謝主，十分鐘後，她就信了耶穌。只是不肯去聚會，因爲她是外國學生，禮拜天要查生字。我勸她，信主就得要順服神的旨意。我一直爲她禱告，求神給她加倍的聰明，結果她的功課進步得很快。從C、B成績進到全A。因此，她不但聚會不缺席，還樂意服事主。主耶穌就更多聽她所求的，給她好的丈夫，又給她三個很好的兒女。感謝主，她使我看到：「傳福音要忍耐，若不灰心，到了時候就要收成。」

14. 藉著工具——四個屬靈的定律和福音橋

《四個屬靈的定律》是白立德博士原著，國際學園傳道會編譯的小冊子，約一個手掌大小，既輕便又容易攜帶。不妨隨身帶幾本，遇有機會就跟人分享，加上自己的見證，能引人入勝，是傳福音的好材料。

《福音橋》則是聖經公會出版，圖文並茂，又教導如何使用，及個人佈道應注意的事項，也是好材料。

此外，更新傳道會出版的《聖徒裝備》，第一冊第七課裡面有一個簡單的傳福音圖片，可以將它們貼在四乘七吋的彩色硬紙片上，反面同時寫上需用的經文和見證，也是美觀又實用的材料。

15.借用錄音帶、錄影帶

中華浸傳中心的傳福音錄影帶，以及眾教會主日講台有關佈道信息的錄音帶等，都是很好的工具。李伯母是神賜我第一位探訪與傳福音的同伴，她很看重禱告，也很會關心人。有一次，我們爲了向一對陳姓老夫婦傳福音，前一天她爲他們整夜禱告。陳先生是銀行家，有錢又有學問。李伯母同我都不敢傳，但因他們日子不多，這是難得的機會，不可叫他們錯過，只好將佈道會和證道錄音帶放給他們聽，同時爲他們不住地禱告。感謝主，他們聽完後就跪下來，一同認罪、接受耶穌作救主。

16.同行相傳容易

有一次，我特別找一位百萬富翁去向另一位富翁傳福音，他們談金錢的話題，談得很投契，後來才漸漸轉到耶穌身上，那人很快就信主了。另有一次我將一位珠寶商如何靠主，作生意十分成功，後來受感作傳道人的故事，告訴一位房地產商人。她聽了之後很感動，因她靠自己作生意很吃力，就樂意信耶穌。所以，同行相傳是一個好辦法。

17. 一心討主喜悅

每次出去傳福音時，都要想像主就站在旁邊，在傳講時，我們的心必須向著神，講完之後要感謝神。因爲傳福音靠主，認定我們是兵，神是元帥。大衛王打仗時不憑經驗，每次都禱告，這是他成功的祕訣。歷代志上十四章中，他求問主兩次怎麼打仗。主兩次給他不同的策略，他照著作，就都得勝了。所以大衛說：「神藉我的手沖破敵人，如同水沖去一般。」（歷上十四11）

祂恩召我出來

在一次聚會中，神的靈大大感動我。當台上發出呼召時，我不由自主地主動走到台前，將自己獻給神。接著，開始想去關心、探望人。當我隨著感動去作時，覺得這些工作很有意義，有一天午睡，我中途醒來，看到窗外有個很亮的十字架，立刻又睡著了。醒來又看到那個明亮的十字架，心中就想起一首詩歌：「十字架的道路要犧牲，要將一切獻於神，要放一切在死的祭壇上面，火才在這裡顯現，這是十架道路，你願否走這個，你曾否背十架爲你主？你這奉獻一切給神的人，你對神是否全眞？」接著，我又作了一個夢。夢到一顆星由遠而近，愈來愈亮，也愈來愈大，一直到我跟前，既變成暗紅色。接著中間出現一個鮮紅色的正十字，好像救護車上的紅十字。之後有一個意念對我說：「放下自己的打算，跟隨耶穌。」我才發現，上回奉獻不是說說而已，而是要付代價的，因此心中開始有了顧慮。「我們不能一直開舊車、住公寓啊！父母老了要照顧，兒女上大學要錢，誰來幫助？」

當時我對神的認識很膚淺，然而，當我想到神的愛，奉獻的心志又堅決起來。我就向主說：

「主啊，祢當年是差門徒兩個兩個出去的，如今孩子只會開車，並不懂得如何去關心各式各樣的人，請祢差一個有經驗、有愛心又有負擔的姊妹來與我同工。求主指示我工作的範圍，是住在附近的人，或是僅僅關心教會的人呢？還是沒有一定的範圍？」

在等候期間，神常感動我去探訪一位癱瘓的寡婦。她非常貧窮，幾乎所有生活基本的東西都沒有，因此主藉著各樣的人把需用的物品帶給她。在弟兄姊妹的愛心下，她家大大改善了。感謝神，祂在這件事上悄悄地訓練我，知道這是一件美善的工作。

我更認識到：神眞是看顧孤兒寡婦的神，這樣就奠定了探訪的信心與基礎。如此等候了兩年，有一天電話鈴響了，是羅姊妹的聲音。

「飛筆，請妳去探望我的房東太太好嗎？她自殺被救活了，目前在醫院裡，十分孤單。」

當時我一面聽一面想：「主啊，這人眞可憐，我無力幫助。但是，祢要我去嗎？祢還沒指示我工作的範圍呢！」一個微小的聲音馬上對我說：「好撒瑪利亞人！」這是主的聲音，簡單而溫柔，祂要我學習路加福音十章那個憐憫人的榜樣。因此，我趕緊回答她，說：「好，我去，請告訴我是什麼醫院？」對方回答：「是好撒瑪利亞醫院。」我當場愣住了。主好像再次對我肯定這個呼召。

第二天，我找到愛主的夏姊妹同去，我們把那人帶到主面前，她就流淚悔改，信了主。這樣，那個明亮的星變成了紅十字的異夢，現在就明白了。從此我更確定，主要我作關懷人的探望工作，可見，認識神是藉著眞理與啓示，但惟有信而順服，才能看到祂是在曠野開道路、在沙漠開江河的神。當人不問理由跟著祂去，祂就替你拿走障礙物，開出道路，只要照祂吩咐前行，必能看到主的榮耀。

主啊！範圍有了，同工在哪裡？有一天開車途中，聽到車上兩位伯母在談及探訪的事。李伯母說：「在台灣我有二十多年探訪的經驗，來到美國不會開車，就像沒有腳的人一樣。主不用我了，想探訪也不能，禱告快兩年了，主還不回答……」

我耳朵立刻豎起來，心中快樂地說：「主啊，謝謝祢，她就是我拼圖中尋找的那一片，我在找有經驗的人，她在找會開車的人，我們都等了兩年。遠在天邊，近在眼前，祢的預備和計劃極其美好。」

第二天，我們就找到那貧窮的寡婦張姊妹，與她的兒子同到公園去玩。多少年來，張姊妹因幾場重病失去健康、工作與朋友，不能行動，也不能說話，卻因著信耶穌得到一批在基督裡的朋友，給予她各樣安慰與幫助，使她有勇氣活下去。雖然她一直坐在輪椅裡，但從她靜靜的笑容裡，我看見了耶穌就是她生命的活泉，是她永遠的光。本來冰凍的心田如今開始融化，本來沉靜的死寂，如今也有了生氣。我心裡亦因此充滿喜樂。

因見神的垂顧，使我將自己給了祂，並得到外子的同意，我就隨著神的帶領，懷抱著一顆赤子之心，甘心樂意地事奉祂。往後，我時常開著那輛八汽缸歪頭大車到處跑，有人說它是坦克車，因爲是暗綠色的，我也想它可以被算爲一輛戰車，雖然價錢三百元，是二十年的舊車，但因有神同工，它的確不凡。

工作了一年之後，表面上看來是一文薪水都沒有的家庭主婦，卻因有主同行，使我有屬靈的富足，全家都很喜樂，我更體會到主說的：「主爲愛祂的人所預備的，是眼睛未曾看見，耳朵未曾聽見，人心也未曾想到的。」（林前二9）後來，神給我家一個房子，兩部新車，好些人對我說：「飛筆，我眞羨慕妳的工作。」我聽了彷彿看見他們的心聲，雖然他們有大產業，固定薪水，但壓力也大，心靈更缺少主的喜樂與滿足，有時候，還會有失業的隱憂。但在神國裡卻沒有失業，而且是一直需要工人，神也會照著你的需要，給你足夠的恩典，使你擔子輕省，祂永不會虧待員工，只有更多的賜福。

馬太福音二十章1～16節裡，耶穌說了一個比喻，關於在田裡工作的人，那最後來的和最先來的工價都一樣。都得到一整天的工錢。主用這個比喻要門徒知道：「天國是努力進入的，努力的人就得著了。」（太十一12）因神看人不像人看人，所以祂給賞賜，不在乎人工作的長短與先後，乃在乎我們的心態。因爲主不偏待人。

幾個福音見證

1. 懇切求善的，就求得恩惠

八四年的尾聲，我天天在想：「若能在年底前帶一個人信主有多好！」次日，我對女兒說：「猜猜看，媽今年要給耶穌什麼聖誕禮物？」她說：「你想多奉獻一點。」

「嗯，不對」「多背一點聖經？」「也不對」「帶人信耶穌？」聽到這裡我嘆了一口氣：「主啊，十三歲的女兒都能這樣想，如果祢願意幫助我，我仍是可以辦到的。」沒想到答案會那麼快來到。就在那天晚上，熱心的薛姊妹來找我去探望一位鄰居陳太太，向她傳福音。

陳太太是佛教徒，她本來是個放牛的鄉下女孩，非常純樸，結婚後在社會上混成一個錢財味濃厚的百萬富翁，奢華愛賭，曾幾何時，又變成了窮人，後來他們一家六口住在兩個臥房的小公寓裡，成了我們的鄰舍。由於他先生工作不順利，她只好去餐館打工，因此常受到委屈，有時甚至不想活下去。我們向她傳福音，分享耶穌的愛與大能，再把基本眞理講述一遍，她明白之後就連聲說：「我要信耶穌。」於是我們帶她一同跪下，接受耶穌作救主。她滿眼淚水，我心深受感動地吶喊：「主啊，祢眞是主，祢深知一切。」所以有神同工，一切都變得輕省容易了。因爲，「在人不能，在神卻凡事都能。」（太十九26）

主要我們去贏取靈魂，主會負一切責任，人若愛祂，將自己獻上，由祂作主，讓祂藉我們作工，就必看見神的榮耀，破除一切的軟弱。

如果情況許可，能陪伴初信主的人走一段路是很好的。陳姊妹剛信主時，仍常常哭泣，就像新生的嬰孩無助愛哭一樣。有一天，她說：「家中常有殺不完一群又一群的螞蟻。」令他們很頭痛，於是我帶她一起跪下，求主幫助。往後的兩年內果眞再沒有看到螞蟻了。她後來告訴我：「飛筆，還記得當初妳爲我家的螞蟻禱告嗎？本來我以爲妳很迷信，爲了遷就妳，就禱告了。沒想到耶穌眞會聽禱告的呀。」因著親眼看見耶穌的作爲，她的信心開始增長，她雖書讀得不多，卻很肯聽勸教，也愛禱告，因此神蹟奇事就接連發生，因爲謙卑人必多蒙福。

她一信主就願意去作禮拜，但爲了生活，六天都須上班，那時她四個孩子都很小。我勸她週六不要去作工。她說：「星期六生意最好，放棄了多可惜，這個要求太大了，誰來補償我的損失呢？」這時主給我恩典，我就說：「主耶穌會叫你五天賺的比六天還來得多。」她照作了，果然後來五天比六天賺得還要多。但由於平日工作忙碌，孩子很晚還沒晚飯吃，她遂爲這事向我哭訴，我再勸她：「不如再兩個晚上不上班，在家好好照顧孩子吧！」她說：「難道會賺更多嗎？」這時主又給我恩典，我就說：「這回主會叫你先生的生意大大發旺！」她同意了，我們就禱告交託主。第二天，老闆叫她以後可以少來兩個晚上，因爲老闆的親戚要來作。這種事本來可以成爲很大的傷害，但神卻使它變成更緊緊倚靠主的憑據。那年她先生果然比往年多賺三萬多，使買房子的事有了著落。那年他們搬進一棟有七個房間、兩個客廳、一個大花園又位於好學區的自家住宅中，感謝主，爲他們成就大事。

「耶和華喜愛敬畏祂和盼望祂慈愛的人。」（詩一四七11）

往後，陳姊妹繼續經歷神的愛與信實。今天她成了一個滿心歡喜的人，熱心傳耶穌，又帶領許多人信主，很有能力。她丈夫本來撕碎聖經，如今也同她一起熱心服事主。

陳姊妹本來好像一隻被獵人抓住，放在袋子裡的大老鷹動彈不得。如今袋子打開，她飛出去了，神與她同在，使她作見證多有能力。感謝主，懇切求善的就求得恩惠。所以，你要傳福音，主必用你，也必成全你的心願。又使那新信主的，繼續把福音的火把傳遞出去。

2. 不憑眼見，憑主的話

某次，聽說戴先生已報名受洗，目的是想和教會的人作朋友，我看他動機不對，心裡著急，就告訴主說：「主啊，祢看他表面跑得飛快，和別人一樣，內裡卻有絆腳石，主啊，求祢救他，不許仇敵利用他、害他。聽說他學問很大，孩子不想去，請祢派人去幫助他好嗎？除非祢要用我，求主指示，……。」

禱告完上床不久，電話來了，是許姊妹的聲音：「飛筆，明天同我一齊去看戴先生，好嗎？」哦！「主啊，感謝祢要用我，我心雖不情願，但為祢的緣故，我就去了。」當夜在夢中，聽到自己在唱詩歌，並有一聲音說：「基督精兵向前去……」主眞會鼓勵人。

於是我戰戰兢兢地同許姊妹去了，起初一直不見效果，末了他問：「聖經眞是神所啓示的嗎？」他既尋找眞理，我們就用聖經的話向他證明耶穌是眞神，告訴他不要再心懷二意，徒費光陰，不要走虛假的路，要行事正直，才能討主喜悅，告訴他除了耶穌別無拯救，我們引用許多聖經的話證明神的信實。最後他跪下，兩眼含淚地說：「求主血洗淨，拿去我的驕傲，引領我走一生的路。」

感謝主，聖經中的話充滿能力。故此，不要看環境，要多靠主話，必得著能力。

3. 安靜聽有需要的人說話

有一天，在一個小聚會中，我分享神成就的大事，一位叫蘇珊的女子聽了，第二天來找我，原來她是一位名舞蹈家，後來移民到美國，由於多年工作過勞，十分疲倦。她一坐下就滔滔不絕、口若懸河地談她的故事。如此六小時，第二天也來了六小時，大部分的時間，除了回答問題之外，都是聽她述說。蘇珊口才很好，多年來，這是第一次有人能安靜地聽她的故事。等她講完了，她就聽我講耶穌的故事，分享祂是疲倦人的眞朋友，能解開我們生命中的結。最後她敞開心，接受了主。之後有一年多，我們時常一同禱告，她也開始經歷神。漸漸地，主斷開她的鎖鍊，開她的靈眼。又拿去她從前的不安與憂慮，使她學習更多信靠主，甘願從驕傲、愛名、愛利、受盡愛戴的掌聲中退居家裡，安心料理家務。雖然沒沒無聞，卻在主耶穌的懷裡，享受了無比的安息、甘美與豐盛。以下是她信主六年後，為了陪丈夫回國工作，與我告別中的一段摘錄。由此可見主何等恩待看顧她：

「從前我能有所成功，本以為全是自己的功勞，如今知道這一切的功與名，都是主耶穌替我成全的。我能順服那掌權的，也是主給我的力量。從前我的靈眼是瞎的，日子也是虛度的。如今，我要為主使用。四十年的辛苦已成過去，現在能與祂同享安息，眞是甜美。這次回國聽主安排，主要我去耕耘『未得之地』，我要與主一條心。」

感謝神，惟有被祂愛的榮光照亮，人才能從驕傲中出來，成為謙卑溫柔的人，放下自己，被主使用。如今，蘇珊找到了耶穌——那生命的泉源，使她疲倦乾渴的心靈得著滋潤，又從被捆綁中得釋放，人生有了正確的意義與方向，於己於人都有益處。主為她死，她為主活，何等美好。

「歌唱的跳舞的，都要說，我的泉源都在祢裡面。」（詩八七7）一切眞正的美善都在基督裡面，耶穌如今也在凡信祂的人裡面活著。蘇珊已得著了最美善的源頭，怎能不快樂呢？我深信，主時刻的澆灌，日夜的看守，必能使她成長、堅固，但願她蒙主保守，一心爲善，好叫多人因她得著賜生命的主。

4. 有憐憫人的心

一次主日聚會結束，蘇珊邀我去見她的朋友小倩。她原是位傑出人物，後來與丈夫離婚，隻身來美又非法居留，心中時常惶恐不安，好像被野狼追捕的小動物，加上經濟的壓力，又沒有朋友，面容十分憔悴，蘇珊極力向她傳講耶穌。聽了她憂心忡忡的一大串故事，我們都深表同情。就把人類惟一的希望——耶穌介紹給她，又把耶穌在我們身上作的美善告訴她。但她好像耳聾，全聽不見，她說：「唉，我曾經崇拜過ＸＸＸ人，後來時局起了大變動，把我的夢打碎了，我把他當神一樣拜，最後竟使我非常失望。我無法再一次被人愚弄。夠了，夠了……。」我心中深深替她難過，因她用盡一生最寶貴的青春年華，去信靠一個與我們一樣有限度的人，怎能不失望呢？我心裡默默禱告，就在我們無言以對的時候，聖靈動工了，一股無法抗拒的力量突然臨到她，她莫名其妙地願意跪下來，眼淚滾滾而流，承認自己的罪。就這樣，她與主耶穌親密的連結了。

以後她說：「耶穌我不認識，聖靈也不明白，我只把心門打開，讓耶穌進來，就有一種奇妙的感覺，充滿了全身……。」感謝主，就在最重要的一刻，神的靈親自充滿她，讓她一切的疑慮一掃而空，取而代之的，是滿懷的希望與喜樂。

當天下午，在她回洛杉磯之前，我們和她一同尋求主的幫助。主若許可就留她在美國居住，並賜她一位很好的終身伴侶。我們勸她應當一無掛慮，只將所想要的對象告訴神，神必定看顧她。

小倩開始將她想要的丈夫寫在禱告單上告訴神。記得當時她所要的條件都合理，只是我們替她加一項，就是愛神的基督徒。她說：「這樣機會率就減少了。」我們勸她不用擔心，只要甘願順服神的旨意。因爲哥林多後書六章14節說：「你們和不信的人原不相配，不要同負一軛。」神必要負她的責任，日後她必看見順服神是蒙福之路。

感謝主，她同意了，以後這幾年蘇珊繼續與她聯絡，我則爲她禱告，並將屢次收到的主日講台信息轉寄給她。就這樣，神使她在主裡成長。以下是幾年後一個感恩節中，她來信分享主恩的內容：

「……自從信了耶穌，我的生命改變了，我不再孤獨徬徨，凡事我可以向主傾訴，不論是自己的祕密、要求、苦悶與感情。我的生活走上了正軌，主眞的聽禱告。祂給我那麼好的丈夫，有正當的工作，愛我和孩子，有責任感……，並且是好基督徒。所有我期望的，主都給了我，就因他是愛主的基督徒，他樂意將我的父母、女兒一同申請來美參加我們的婚禮。當時只短短一個月，怎麼可能辦到？後來父母很快來了，女兒必須移民過來要等兩三年才可。他知道我多年不見，很想念女兒。他說：如果妳女兒不能來參加婚禮，這婚禮就不完整，妳心裡也不會快樂……。於是他不住地帶領我迫切禱告神，又打了許多長途電話。終於在我們結婚的前一天，神把女兒帶到我們面前，這是主大能的神蹟。這件事連移民局的官員也不相信，在此虔誠感謝神，若非神的恩典就辦不到。

如今，女兒也成了一個很好的基督徒，她明年要上大學了，預備讀心理學，並希望入基督教大學，她願意學習怎樣靠耶穌基督的眞理，去幫助心裡破碎的人找到神。感謝主，她的決定對我們來說，這比進有名的大學賺大錢，更使我們得安慰。我將女兒交在主手裡，知道祂的帶領和道路是最好的。謝謝主給我一個蒙福的家庭。雖然還有小小困難，但主是我們一家之主，祂能解決一切的問題，我們有信心有盼望，相信明年會更好。在這感恩節的日子裡，我要高聲地讚美主。盼望有更多的人像我一樣蒙福。

當小倩願意順服神的旨意，不管自己的顧慮，神就施行奇事。「因祂使心裡渴慕的人，得以知足，使心裡飢餓的人，得飽美物。」（詩一〇七9）人憑自己實在不能承擔什麼，但是倚靠祂的全能就可解決一切問題。記得當初我們建議她要找個愛主的先生，她很勉強，誰知在我們這小小受造之人勉強順服之後，神就能走進一步，倒下一連串美好的祝福。神的愛是多麼寬廣，凡願意聽從祂的，就能明白這愛。

5. 遵行主的帶領，作主的小驢駒

世上所有被耶穌用寶血重價買贖的人，就是屬神的子民，應當分別爲聖，作神的好兒女，讓祂管理一生，就能過得勝的生活。雖然會犯錯，但只要立時悔改轉回，主總不丟棄我們。

有一天晚上十點，佮俐和她母親來找我說：「飛筆對不起，那麼晚來，……因爲一位親戚患癌症，已到末期了，他是醫生，不能救自己，如今躺在醫院裡。她太太很憂愁，已經三天沒有吃東西，兩人都沒有信耶穌，而且有許多偶像放在家中，請妳明早去看看他們，好嗎？」我一面聽，一面在心裡對主說：「主啊，這事關乎人命，請找某某人去吧！」卻聽到裡面有句話說：「妳自己去吧！」我很慚愧！許多事上我都看見主的榮耀與能力，卻仍舊膽怯。於是，我靠著主，對他們說：「請你們明早同我一起禁食，爲這事禱告。」

次日，見到陳醫生木頭般的躺著，陳太太則在旁哭喪著臉，難免令人辛酸。我立刻向他們傳福音，陳太太當場信了，禱告完畢，主釋放她的心，她就餓了，我們便一起吃飯。之後，我又告訴她一個故事，有一個聰明的小女孩，她得到一個玩具娃娃，是被巫術的人咒詛過、在娃娃身上放了一個無知的靈。自此，她就變笨了，連醫生也找不出毛病。後來有位傳道人發現那個玩具娃娃身上寫著「愚笨」兩個字，知道這是被咒詛過的東西，當她母親燒掉這個娃娃，小女孩立刻恢復原來活潑的樣子。所以初信的人，都當把家裡潔淨、分別爲聖，一切不清淨的東西都當除去。

當天晚上六點到九點，陳太太從她家裡搜出許多與假神有關的物品，我們將它們用鐵剪與鐵鎚搗毀，放在一個大紙箱中丟掉。以後有人對她說：「你遭遇這種事是風水不對。」她回答：「我已信了耶穌，你們不要再來攪擾我吧。」她從前非常軟弱、迷信。自從信了耶穌就變得很堅強，雖然外面環境沒有變，但內心卻得到更新。

之後，我心中多次掛念陳醫生，他就要走完這一生，卻還沒有認識主，他的處境就像在火中燒著的柴，若沒有人去搶救，必然要燒成灰燼。一星期過去，心裡愈來愈著急，只好問主：「主啊，如果是祢在催促，請差人來找我一塊去。」禱告完畢，電話鈴立即響起，是另一位陳姊妹，要我陪她去看陳醫生。次日，我們一同來到病房，陳醫生睡著了，站在他後面的哥哥說：「這幾天陳醫生很辛苦，請勿驚動他。」我們就退出房間，和兩位在場的姊妹一同禱告，求主叫他醒來，我們好傳救恩給他。禱告結束再回到病房時，看見他眼睛睜大大的，我們就向他傳耶穌。感謝主，他很清醒，都聽明白，而且甘心認罪，接受了主。那天一出了門，一股無名的喜樂即湧上來，使我快樂地跳躍，不由自主地伸開雙手打起轉來。「哈利路亞」，主給我印證他已經得救，神在天上也爲他歡喜，因他離死不過一步，主卻及時拯救了他。第二天，他就被主接去了。

我能領陳氏夫婦信主，眞是神莫大的恩典。我發覺，當人在痛苦絕望時，沒有人能安慰他。若主感動我們去，就不用怕，快快讓主掌管，我們只需作主的小驢駒。因爲無論我們多軟弱，神總能透過我們，成就祂救贖的工作。

6. 傳福音又好比鬥拳，一拳打過來時，一拳再打回去

一天，有人把一位陳小姐帶到我家來，我向她傳福音，她願意信主。於是帶她跪下禱告，她說：「主耶穌，我承認我是一個罪人，現在願意接受祢作救主。但我還不清楚，不能把心門全打開，只能開一半，以後我明白了，會全打開，奉主耶穌名求，阿們。」

當我聽到這個誠懇的禱告時，我深信：主已得著她了。接著，我邀她去主日禮拜，她開車，我坐在旁邊，看見窗前掛著一個葫蘆，上面寫了假神的名號。我說：「這是不好的，……」再向她解釋一番。她說：「這是媽送我的紀念品，哥哥也有一

個。」我說：「這上面寫了假神的名號，妳現在是屬基督的人，不要再掛這個。」她雖在屬靈上軟弱無知，但我情願等她心裡有感動時才丟掉它。她說：「這只是紀念品，我不以爲有什麼妨礙。」我說：「聖經上講，除了主耶穌，不能拜其他假神。妳雖不以爲它是偶像，但製作者是當偶像假神來賣的。主耶穌要信祂的人專一跟隨祂，惟有祂才是人類的救主，除祂以外別無拯救，妳還是把它拿下來吧！」陳小姐說：「好，我就不掛它吧！」我進一步說：「但它也不能在妳這裡，應當把它丟掉……。」她說：「不，我把它藏起來，不看它就是了。媽買給我的東西，不能丟掉。」

我說：「伯母不知道，所以當紀念品買來，如今妳知道了，就有責任把它除掉，這是合神心意的作法。妳是神的兒女，應當爲神發光，照亮妳家中的人。」陳小姐說：「那我就把它送給別人好了。」她很捨不得的樣子。我再說：「這東西既然不好，送出去對別人也不好，還是丟掉吧！」最後她眞的明白過來：「好吧，我會把它丟掉。」看她語調緩和了，我說：「現在快到教堂，要丟就趁早，不要帶回去，愈早離開妳愈好。」

我們曉得偶像算不得什麼，但它所代表的惡靈卻是有害的。當叫初信的人知道眞理的絕對，基督徒要與世界有分別，與偶像無關，一切在屬靈上不潔淨的物，與神的步調不一致的東西總要棄絕，因爲全能者已收納我們。我們當全然屬主，將自己分別為聖歸基督。

我們要鼓勵初信的人，在主裡要有堅定的心跟隨主，對他們自己好，對別人也是一個好見證。當主命令我們不要碰不潔淨的物，這是為了保護我們，為我們好而說的，並非要奪去我們的財產或娛樂。因神知道這種小玩意已經被咒詛過，是害人的陷阱。神比它大，我們不用膽怯，卻也要認識眞理與聖靈的聲音，聽從祂，過聖潔的生活。

接著，又一個想法鼓勵我，我說：「如果就這樣丟掉，恐怕有人拾了會受害，不如毀掉它吧。」得了她同意，一到教堂，我就去辦公室借了把大剪刀，將它敲成碎片，她再將它拾起包好，扔在垃圾箱裡。一切作成後，我們都被喜樂充滿，印證這是神的旨意。

當天主日講台的信息是約翰福音二十一章4～12節，那是耶穌三次問西門彼得，說「你愛我嗎？你餵養我的羊」那篇道。傳道人在台上繼續說：「如果我們跟隨主，就當一心愛主，因為愛是服事主最強烈的動力。這是眞正服事主的來源，即使有人因為聖靈感動或為了國度的緣故服事主，都會有跌倒的一天。只有被主愛所激勵的服事，才能長久。所以愛主的人要專心愛主，不可三心二意，……。」

好厲害的信息，主知道萬人的心，也知道陳小姐的心，這篇道直接對她說話，就像早上她學習放棄偶像、跟隨主的功課一樣。後來，神一步一步教導陳小姐有關除掉偶像、將自己分別爲聖的眞理，爲要專一跟從主，成爲服事主的根基。就這樣，她的心與主緊緊相連。一聽完道，她就說：「這道講得眞好，我想買本中英對照的聖經，要大本的……。」

隔天晚上，她自動來找我，談了兩小時，之後她帶著希望與確信來到主耶穌跟前，禱告說：「主啊，上回我不懂，只把心門開一半，今天我全明白了，求主赦免我的罪，我現在將心全打開，請祢進來，教導我認識祢，作我救主，引導我走這一生，奉主耶穌的名祈求，阿們。」

後來她回台灣，再寫信給我見證主愛的偉大，她的信叫我很受鼓勵。她原來像一把有套子套住的劍，如今來到主的手中，劍出鞘了，主要用她。人所能作的有限，一旦被主帶領，主所能作的，永遠是超過我們可以想像的。

所以，傳福音有時像鬥拳，你一句，他一句，話不在多，但要準確，要倚靠主，不要憑血氣，否則會把人嚇跑，卻要憑愛心，關心人全盤的利益。傳福音也不在乎技術、口才，乃在乎先與主聯合，將主旨意傳開，主的心喜悅了，就必要賜福你的工作。雖然面對不同場面，主也必能使你應變合宜。即使需要長久的等待與忍耐，主也會賜力量，只要目標對準「榮神救人」，遲早會有好的收成。

7. 凡事求問主，主能擔負一切的軟弱

第一次見到陳伯母時，她已躺在床上九個月，不能坐起來。因爲她的神經中樞受損，時常心跳速度加快，造成渾身盜汗，她女兒必須隨時在旁照料，經常一日要替她更衣十餘回，並且常常要送醫院急救，最高紀錄一天送醫四回，有時心跳甚至會一分鐘一百三十多下。有次急救員下午再次看到陳伯母，竟說：「我們沒有這種規矩，同樣的病人一天救四回。」她女兒立刻跪下來爲母親求情說：「先生既然來了，就求你救救她吧！我不忍心看到媽媽死在家中。」

以後，她家備有三個七十五磅的氧氣筒。可憐她的生命爲疾病所消耗，她的年歲爲憂傷所曠廢，她的兒女雖孝順卻無能爲力，不能救她逃離這殘酷的光景。

有一天，主感動我找一位劉牧師同去探望她，神藉著牧師給她指出一條悔改、與神和好的路。原來她曾經得救，卻有四十年之久流浪在教會門外，如今她要悔改，重回主懷。何等福份能與生命之王再連接，恢復生命的交流。悔改後，主的生命重新流通在她裡頭，使她感動落淚。接著，神給我一句有關她的話：「喜樂的心，乃是良藥；憂傷的靈，使骨枯乾。」（箴十七22）她一聽到，哭得愈加哀慟，眼淚如決堤的河，這話叫她的心甦醒，使她知道問題的根源。自從她先生過世，她憂傷過度，以致成疾。於是主發命要醫治她，就吩咐我奉主名叫她起來行走。我因小信，只說：「我

奉主耶穌的名，叫妳坐起來。」說著就拉她坐起，竟然平安無恙。回家後我大大後悔，切切禱告求主赦免，不要因我的無知而限制了祂的作爲。

第二週，神果眞使她起來行走了。又過兩週，她回到教會與大家一同敬拜神。直到今天已經十二年，她從沒有離開過神的家。感謝主，只有祂能擔負一切的軟弱。求主幫助我們學習聖經中許多屬靈偉人的榜樣，凡事求問主，因主沒有難成的事。當年主怎樣帶領摩西和大衛，祂今天也要帶領我們，我們可以同樣倚靠祂，因爲：「能力不是出於人，乃是屬乎神。」（詩六二11）惟有神的智慧能傾覆一切的堅壘。

箴言十二章25節說：「人心憂慮，屈而不伸，一句良言，使心歡樂。」神的話眞是大有能力。祂總是快樂救人，祂的旨意就是要作醫治、改正、教導、保護、領導並使人身心靈都健全的無上傑作。

8. 殷勤去找漏網之魚

在一次冬令會上，侯姊妹一再叮嚀，要我傳福音給她先生請來的一位慕道朋友，是位張先生。我就找她先生張弟兄一同去，但他擔心時間太少，又怕把人嚇跑。眼看兩天過去了，只剩下一天。就在最後一天中午排隊領午餐時，我對張弟兄分享某人得救的經過，曾經比這更少的時間、更難的情況中，是主多行神蹟，叫那人信了。他就同意午飯後一起去向張先生傳福音。沒想到，主的腳步比我們都快，午飯尚未用完，他就興沖沖地跑來對我說：「我已把他帶信主了。」爲這大好的消息，我十分快樂。有人告訴我，這人現在一直在主裡，並且很認眞地學習跟隨主。

但另一方面，我又轉向主說：「主啊，這眞是一個傳福音的大好機會，若還有漏網之魚，請把機會賜給孩子，我也想有領人信主的福份呢！」說著隨外子去散步，迎面來了兩個人，一問之下他們姓邱，是夫妻。太太信了，先生還在門外。我心中默默對主說：「主啊，就是他，請用我來述說祢的偉大。」接著，對邱先生講述許多主爲我行的大事，外子對這種向陌生人傳福音的方式感到很尷尬，他說：「不要聽我太太的。」正在爲難之時，主使我有厚臉皮，我就向周圍看看，正好侯姊妹一行四人從前面來了，我就找他們助陣。其中一位長老說：「不要那樣圍攻，恐怕把他嚇跑了。」福音本是神的大能，要救一切相信的，滿心相信主要救他，就在此刻，長老說著還是跑來加入我們，大家不自覺就走起路來往營地去，那裡是熱鬧中心，又是飯廳，一群一群的人在談話。「主啊，那樣必不能專心談耶穌了。」於是心中向主發出求救信號：「主啊，求祢吩咐大家止步，因爲『義人的腳步被耶和華立定。（詩三七23）』」禱告一結束，大家就立時圍成一個半圓站住了。這更叫我信心大增，看到主已工作，預備了一切。我就問：「邱先生，這兩天你聽道有感動嗎？」他說：「有的，我每次都有感動，要把它們壓下去還眞不容易呢！」我說：「主眞愛你，祂要救你，機會難得，讓我們現在輪流爲你禱告，求天上的神賜福給你，若再有感動時，請不要壓下去，給上帝一個愛你的機會，好嗎？」沒想到他說：「好。」

於是，我們五個人手拉著手圍成一圈，一一爲他禱告。最後輪到他自己禱告，他眼淚滴滴落下，情不自禁地說：「主啊，我是罪人，求祢現在進來救我，無論是禍是福，我都要跟定祢……。奉主耶穌的名求，阿們。」哈利路亞，主實在憐愛罪人，他本來已像一把枯萎的稻草般沒有指望，如今卻成了一朵盛開的花，與生命的主連上了，眞是好得無比。

既知道傳福音是主的旨意，且能討祂歡喜，就當殷勤、放膽去作，神既然把福音的使命交託我們，就可以照眞理去行。有時人以爲愚拙的方法，也不用介意，只管照著裡面的感動與平安去行，因爲神的愚拙總比人智慧（林前一25）。是的，「屬血氣的人不領會神聖靈的事，反倒以爲愚拙，並且不能知道，因爲這些事惟有屬靈的人才能看透。」（林前二14）當神用人以爲愚拙的方法來救人，我們就無法自誇了。

此外，在各種培靈會和退修會中，基督時常把代禱良久、卻尙未信主的親朋好友帶去，這些人多數在信主的門外，是成熟的莊稼，我們當把握自由活動的時間，爲他們儆醒禱告，殷勤問主，努力尋找，因爲這是一個收成的好時光。

主在等你去傳

主內親愛的弟兄姊妹，蒙神的憐憫，我已將祂的救恩、慈愛與信實盡所能的說明了。今天所以能服事主，是蒙了祂的大恩典。雖然我是那麼無知、愚昧，主還是使用我，神救贖又提升我們，使我們都得著那在基督裡的新生命，一個有眞自由、眞平安與眞盼望的生命。好像飛鷹展翅上騰，使我們可以在祂浩瀚無邊的恩典裡，自由飛翔，時常飽享祂的慈愛與滿足。但我們不能停留在這裡，因爲還有許多人，仍在恩典的門外受苦，這些人有許多是你我的親朋好友，神要你我一起去。

如果你還沒有加入這個與主同工、發出香氣、照亮他人、爲福音飛翔的行列，請你現在加入，好嗎？如果你願意，讓我們一同來禱告：

「主啊！保羅不會忘記大馬色，彼得不會忘記提比哩亞海邊。我也不會忘記祢向我顯大能的一刻。主，求祢復興我，帶我走出這天花板的房屋，去開墾荒涼的心田，爲著神的使命，也爲著神的愛。主啊！神的兒女要起來，我也有一份。主，帶我進入成熟，不再停留不前，不再留戀世俗。主啊，留我在祢身旁，永屬祢所有。讓我常帶著主的香氣去照亮他人，使我能多領人歸信祢。願全地都認識主耶穌的榮耀，並叫我能與祢同享榮耀，奉主耶穌的聖名禱告，阿們。」

萬物的結局近了，盼望我們都能彼此相愛，快傳福音，主就必建立我們，並且恩上加恩。在小事上忠心的，主會將更大事託付給你。如果起初不習慣，或者可以從關心人開始，多多爲他們祈禱，主必會在合適的時機，給你需要的力量。當主逐漸給你更多恩典時，你的膽量就更大了。這樣，神就要使你成爲一個叫多人蒙恩的管道。就好比從飛鷹變成噴射客機，那時，你要謹愼：

1.將一切的榮耀歸給上帝，因爲枝子離了葡萄樹，自己就不能結果子（約十五4）。

2.要不斷倚靠主，與祂維持親密的關係，不要倚靠過去的經驗或勝利。

3.要繼續恩待那些困苦迷失的人，免得恩福離開你。有段時間，我以爲要寫書，就停止探訪，有天早晨醒來，口中喃喃自語的說：「感謝主，讚美主，天天打開門，福氣來你家，天天關上門，福氣關掉了。」於是我立刻問主：「主啊，是什麼意思呢？」主用一句經文回答我：「祂終日恩待人，借給人，他的後裔也蒙福。」（詩卅七26）可見，關心、探望人，領人歸主，不但叫他人得益處，連子孫也蒙福。

4.小心你的口，泉源從一個眼裡不能發出甜苦兩樣的水，不要洩漏人的密事，只要傳講神的恩言，使聽的人得建立。

5.多為你帶信主的人禱告，並為眾信徒禱告。約翰福音十七章中，主耶穌的禱告非常摸著我的心，我很喜歡用這段經文來禱告，其中有幾句是出自別的經文，讓我們一同來分享：

a.親愛主耶穌，求祢天天為這些人代求。
b.天父，求祢因耶穌的名保守他們在主裡合而為一，如同父神與耶穌合一一樣。
c.求天父因耶穌名的緣故，保守護衛他們走天路，直到永遠。
d.叫他們充滿耶穌的喜樂。
e.不叫他們遇見試探，救他們脫離那惡者。
f.叫他們不要愛世界，要完全愛祢。
g.求祢使他們明白眞理，喜愛眞理，並用眞理使他們成聖。
h.求祢使他們住在主裡面。
i.求祢將祢的愛充滿他們，使他們知道主愛他們。
j.求天父叫他們看見主耶穌的榮耀，並同享這榮耀。
k.不叫他們犯任意妄為的罪，不容這罪轄制他們，使他們走向完全，免犯大錯。
l.若有離開主的，求主將他們挽回。
m.求主叫他們不要埋怨，要為一切的事感謝主。

n.並求祢差他們去傳揚福音。

求主堅立我手所作的工，因惟有主能使他們成長（林前三6）。當你默默耕耘，有一天主要提升你，替你打開新的工場，承受從上頭來的新使命。

6.若有人本來在主裡很好，後來跌得很厲害時，不要害怕，因爲主尚未作完在他身上的工作。他雖然經過水火，主仍能使他重新站住，並且進入豐盛之地。因爲難處使人歸向主，風雨中的橡樹比溫室的花更強。經上也說：「義人雖七次跌倒，仍必興起。」（箴廿四16）我們只要與弟兄姊妹一起關心他的難處，使他不致獨自擔當，神必然扶持他重新站穩。

7.要推展這恩典的託付，神的兒女不能只蒙恩不付出，當叫多人起來同工，願主使我們這凡稱爲主名下的人，都因服事而心靈飽足。

第八章

上帝是我的力量

神是宇宙的創造者，是萬有的主宰，祂用自己的全能掌管萬物，宇宙一切都是從祂而來，也靠祂立穩。祂的名字是「我是」。祂是能力，祂凡事都能，祂是準確，從不誤事。祂也叫人喜樂滿足。祂可以衝破一切的難關，叫不能生育的成為多子之母；祂能供應你及時之需，能在曠野使磐石流出水泉，給乾渴的人喝。祂能與你談心，能擦乾人的眼淚，又抬舉傷心的貧寒人，使他們與王子同坐。祂知曉你心裡所想所求的，無論白天夜晚，祂都能與你交談。祂是全能的醫治者，能醫治各樣的病人，且能叫人從死裡復活，祂從看不見到看得見的大小事全都明瞭，而且全都掌管。祂是管理萬國的主宰，是所有君王之上的君王，有最高的智慧，萬有在祂面前，都一目了然。祂是一切的能力，是一切的供應者，也是一切美善的源頭。天地都要滅沒，祂卻要長存，天地都要改變，惟獨祂永不改變，祂的年數沒有窮盡。

弟兄姊妹，祂是慈愛的神，公義的主宰，祂有測不透的豐富，爲你、爲我預備各樣美好的禮物，都在天上應有盡有，正等著你我去支取，並且是取之不盡，用之不竭的，只要來信祂、聽從祂，就可以向祂支取。祂愛你，祂願你去領受祂的大愛與能力。

上帝的能力無限

1.上帝的能力好像救生圈，你累的時候，就可以坐上去休息

二十年前某次，我申請一所公家機關的消毒工作，當時需要一項檢定考試，考的內容是物理化學，但工作本身並不需要這等知識。考前，老闆私下來對我說：「飛筆，即使妳考不及格，我也要用妳。」他的好意是因爲我的英文太差，但是對其他人就不公平了。後來我帶著一顆矛盾的心進了考場。

在考場裡看見那麼多英文題，密密麻麻好幾頁的，心中非常沉重，拿出袖珍字典翻來翻去，卻幫不上忙。考官走過來問我在看什麼，我說是小字典，由於我是外國學生，請他特別通融，他跑去問老闆，終於准許了。後來我又要求換大字典，他再問老闆，又准許了。我就請窗外看著我的那位朋友替我跑了三條街把大字典拿來。可是大字典一樣也幫不上忙，我眞是苦啊！

後來只好瞎猜了幾題，就問考官，最晚什麼時候可以交卷，他給了我一個很好的回答：「當太陽下山的時候。」我往窗外一看，好亮的太陽，它在取笑我嗎？無論如何它提醒我：再這樣瞎猜是無用的。作了幾題之後，我呆呆的看著，完全沒有辦法。那些公式不會就是不會，這門功課我從前是最差的，過了那麼多年，更是忘光了。

於是我禱告：「慈悲的上帝啊！求祢開恩赦免我的罪，在學校裡我沒有把它們學好，如今他們討債來了。其實我也知道，在工作上並沒有這個需要，祢知道我不論考得多麼差，老闆都可以用我。主啊，如果是祢要給我這份工作，不要用老闆的方法吧！求祢使我通過這次考試，而且你還可以幫助我分數考高一點，藉此證明祢恩待了我……。

之後，我繼續看，想不到奇妙的事發生了。當我每念一題，那ABCD四個字母中的正確答案就會發暗，好像主把檔案櫃打開給我看似的。一下子重擔全都脫落，全都明白了。失敗頓時逃跑，勝利在迎接，奧祕的神出面掌管了，眞快樂啊！我的心不再憂愁，結果還得了八十分，大家都圍過來恭喜。老闆驚訝的說：「飛筆，竟給妳考通過了，眞難相信啊！」我快樂的說：「對啊！我也不相信，只因神是大能的神嘛。」

「我在急難中求告耶和華，祂就應允我，把我安置在寬闊之地。」（詩一一八5）

2.上帝加力量好像用車代步，當我們力不足時，神會藉他人加你力量

十多年前，爲了親人生病，我們將三個月前預定要去大峽谷的旅行計劃取消了。當我們再決定出發時，卻沒有預定旅館，因爲主說過：「你們要先求祂的國和祂的義，這些東西都要加給你們了。」（太六33）意思是：當我們照神的旨意行，祂就要成

就你所需要的。我們先顧念親人，這是合神旨意的，神必要供應我們這次旅行所需要的，於是就帶著平安的心去租車。

起初我們想租舊車，但那舊車店的經理建議我們去別家找新車，原因是舊車走兩千里路不安全。神就很快給我們租到一輛省油、有冷氣、有電腦控制速度、能省力又不計哩數的新車，而且一星期才一百七十元，比舊車還省掉兩百元以上呢！當車子飛越大小山岡，急速穿越人煙絕跡的大沙漠時，我就想起那位經理的話，不禁感謝上帝如此周到的安排，祂的意念高過我們的意念，祂使我們一路上充滿了信心與安慰。離開目的地十哩路之前，有家旅館是八十元一天。看來靠近峽谷，若能有五十元一天的就不容易了。我們開始禱告：「主啊，是祢讓我們來的，祢是全能的主，求祢爲我們預備一間靠近峽谷的住處，並且價格是五十元一天的，好嗎？奉主耶穌名求，阿們。」

在路口處拿到地圖，竟看不懂怎樣走進區內的旅館中心。外子就隨意開車，竟然直入中心點，若眞的照地圖走，還沒有那麼快找到。於是他一個人去登記處排隊，隨後又去了一些人，但辦事員對他後面的人說：「你們不用排了，在五十哩外的某某城還有一些空位。」感謝主，祂突然行事，事就成了。傍晚，我們在Bright Angel Lodge過夜，價格低於五十，設備舒適，並且有暖氣，距離峽谷僅三四十步路而已。晚上十點多，我們隨大夥兒在瞭望台俯瞰深邃的幽谷，享受山谷的涼風。這峽谷有二七七哩長，十八哩寬，是世界第一大峽谷，峽谷景色浩大，也吸引了許多人乘小飛機去觀賞，有人甚至爲了要觀得全景而不幸喪生。我們乘遊覽車去，走馬看花地欣賞，僅南邊的一角就一整天了。層層峽谷壯闊浩瀚，放眼遠眺，一望無際，隨車回遊，忽而令你心曠神怡，忽而令你心驚膽戰，凡賞心悅事，不勝枚舉，這一切全是天父的傑作，神眞偉大啊！我們在哪兒度過愉快的兩天，與神聯合眞是美妙，神是十分可靠的，祂也是大有權威的神。當我們盡了人當盡的份，祂定必加添你所需用的一切。

有一次，家母病了，而且一病就是七天，這是我記憶中看到她病得最久的一次。那段日子，她天天發燒，最高達華氏一零三點七度，醫生也找不出原因。七天中量溫七十八次，都不見起色。她看來好像一朵半開半謝的牡丹，天天沒精打采的，我只好找教會的姊妹們聯合禱告，媽媽自己也開始禁食禱告。第二天她讀到安德烈寫的《福音特工》，之後信心大增。那故事說到要「完全順服」，神叫安德烈去英國唸神學，他自己無法全信，原因是他只有小學畢業程度，不會英文，同時戰爭中傷了腿，行動不便，加上女朋友將因他唸神學而離開他。但他不顧一切代價，踏出完全順服的第一步時，神蹟就發生了，他的腳才跨出去，腿就痊癒了⋯⋯。

因此，母親就起身宣告：「靠主名得勝」。那天風特別大，是當地少見的大風，媽卻不顧一切地去買菜作家事，下午又去學英文。我們亦憑信心，不再替她量體溫。就這樣，神藉他人的信心，讓母親回復健康，將一切榮耀頌讚歸於神。

我們在聖經中，曾讀過許多信心偉人的事跡。然而，他們常常只停留在我們的腦子裡，成了知識，與我們的實際生活無關。神為了拿去我們的無知，有時准許我們遇到困難，藉此幫助我們用信心去倚靠神，並經歷祂的大能與保護，好使我們學習多多安穩在基督裡，這是神允許苦難的慈愛目的。祂應許給豐盛生命，但是要得到它，我們必須就近神，並且一步一步擴展我們的信心，直到我們可與保羅一起說：「我並不是因缺乏說這話，我無論在什麼景況都可以知足，這是我已經學會的。」（腓四11）和提摩太後書一章12節說的：「我知我所信的是誰，也深信祂能保全我所交託祂的，直到那日。」

3. 上帝是我的磐石，衆人都倒，依靠祂的仍可以立穩

在加州矽谷一帶，曾有一度常聽到被革職的消息，因為壓力大，所以好多家庭都是夫婦一同上班，由於上帝召我出來當義工，所以家庭生計就落在外子一人的肩頭上。其中有八年之久他曾在某某公司上班，在那裡他親眼看到公司從興盛到衰微，本來有四百多個員工，三年之後只剩下不到一百人。

失業對許多人是很大的打擊，因為工作就是他們的保障，他們的房子、車子、醫

藥保險、生活所需等等，各樣責任全倚靠它，如果失業太久，他們可能要搬家，接著困難會接連來到，因此許多人就見風轉舵地趕緊跳槽，另謀新職。這種眾人一致性的行動，情況就好像撞球台上的球，全都往一個洞裡跑一般。他們也勸我們跑，由於上帝是我們眞正的倚靠，雖有朋友相勸，我們也沒有跟從。

未信主前，我們決定事情是靠自己。但聖經雅各書四章4節說：「與世爲友的就是與神爲敵了。」神要我們倚靠祂，因祂是全地之主。在馬可福音記載一個故事，描述耶穌和門徒在海上面對風暴的情景：「突然起了暴風，波浪打入船內，甚至船要滿了水，耶穌在船尾上，枕著枕頭睡覺，門徒叫醒了祂，說：『夫子，我們喪命，你不顧麼？』耶穌醒了。斥責風，向海說：『住了罷、靜了罷。』風就止住，大大的平靜了。耶穌對他們說：『爲什麼膽怯，你們還沒有信心麼？』」（可四37～40）

我們的情況也一樣。所以，最好的答案就是「讓主帶領」。除非祂願意我們離開，否則我們不自己作任何決定。期間，我們經常爲同事和自己禱告：「主啊，我們倚靠的是祢，而非公司，求祢證明祢的信實與關懷，好叫人知道祢是主。」

一天，外子自辦公室打電話回來說：「公司要我一個半月後離開。」我感謝主，叫外子用那麼穩定的心來接受這個消息。我安慰他不要怕，你因順服主，這是好消息，你中獎了。果然，神恩待我們，因爲公司有一個額外的付給，使我們比平時的奉獻多了一千多元。叫教會管財務的人感到驚訝，因爲他們曾經想在財務上幫助我們。以後，我們誠懇地禱告，求主證明神爲等候祂的人行事，又賜福給順服祂的人。

我們大大張口說：「主啊！謝謝祢過去三年恩待我們，平安無缺，如今，因我們聽從了祢，求祢聽孩子的禱告，爲我們作七件事，好證明祢是神，是全地的主宰。好叫世人看到能信祢，都來尊榮祢。現在求祢：

・在三十天內爲外子預備一份工作，這樣，那筆大數目就眞是神所賜的大獎呢！
・工作地點要近家，因爲經上說要「愛惜光陰」。
・工作性質配合他所學的，好使他勝任愉快，又對新公司有益處。
・老闆爲人誠懇，不會高高在上，難以接近。
・辦公室要有窗戶，可以瞭望天空，或綠色植物，有助眼睛的健康。
・周圍的同事不要有人抽煙的。
・主知道我們的孩子要上大學，就順便加薪吧。

這樣禱告是奉祢愛子耶穌的名，阿們。」

結果，神七件都成就了，而且遠超過我們所求所想的。第二十三天就有了新的工作，離家只有十幾哩路，所學經歷全都合用而且有餘，老闆和氣又尊重人，沒有一個人抽煙，他天天面對三面落地窗，視野達半哩路之遠，薪水也增加了。

「神必引領你出離患難，進入寬闊不狹窄之地，擺在你席上的，必滿有肥甘。」（伯卅六16）我們的神是何等豐富的神啊！或許有人要說：「何必說那麼清楚，反正神知道，你劃了界限就限制了神的作爲。」不錯，神的確豐富又知道，但明確的禱告有明確的回應，籠統的禱告，只換來籠統的回應。你若籠統禱告說：「主啊，求祢賜福我。」答案籠統下來時，你怎麼知道呢？更怎麼告訴別人呢？但你若說清楚，答案下來時，神就使你有新的看見，也可叫他人信服。

4. 上帝幫助人又如游泳者穿上蛙人鞋，輕鬆愉快

聖經教導我們：「要凡事謝恩」。當我們遵守了，就發現愈多感謝，愈多喜樂。神喜愛感恩又讚美的人，如果只求卻不感恩，恩典就少了。

女兒剛進大學第一年，被安排住在一棟三層大樓、男女合用的宿舍中，每一層都有男生和女生隔間住著，這種安排令我很擔憂。每一層只有一個洗手間，不是男的，就是女的，結果第三樓的男生就要到第二樓去上洗手間，第二樓的女生要到第三樓去上洗手間，這樣不單不方便，更不安全，所以有兩個月我爲此憂慮到睡不好。直到有

一天晚上十點多，我先上床，外子在唸書，他突然說：「飛筆，快下床認罪吧。」我莫名其妙，原來他在唸莫林凱勒的《讚美大能》，他告訴我這本書上面說：「若我們不感謝神所賜給我們的一切，我們便不能眞正讚美神。讚美神是接受神，會爲一切發生的事負責任，讚美神也是全心接受現況，將它視爲神對我們最好的旨意。」

他是對的，我聽了就下床跪下，承認自己憂慮的罪，同時感謝神，深知祂在這件事情上有純全的旨意。立刻，重得像鉛一樣的壓力便不翼而飛了。感謝主，祂話語是眞實的，能力也是眞實的。環境雖沒有改變，我的心卻安息了，並且快樂起來：「知道向祢歡呼的，那民是有福的，耶和華啊，他們在祢臉上（同在）的光裡行走。」（詩八九15）

是的，世界雖有勞苦愁煩。但是，聖靈來了，就有自由。

很快地，主使我想到一對黃弟兄夫婦的難處。就是他們七個月大的嬰孩每天半夜要起來哭鬧許久，保姆受不了跑走了，醫生說孩子沒病，很健康，由於兩人都上班，十分辛苦。我將幾分鐘前所學會的，打電話告訴黃姊妹。她如獲至寶，立刻接受，就爲孩子哭鬧煩惱而認罪，又爲這事感謝神。當晚她孩子就不再哭鬧了，一直到四歲都如此平安。記得有一天，在路上遇到黃太太，她對我說：「眞是好啊，那次的讚美禱告，到如今孩子就一直能安睡到天亮，實在是奇妙啊！」

另有一位姊妹，一個月中，一連三次收到她房客的空頭支票，到月底才拿到一張眞實的，第二個月又給他兩次不兌現的支票，這樣的受騙，令她十分難受。當她聽到上面兩個眞實的見證，就謙卑認罪，爲自己沒有凡事謝恩、沒有全心愛主來悔改，然後獻上感謝和讚美，並且相信羅馬書八章28節的話說：「我們曉得萬事都互相效力，叫愛神的人得益處，就是按照祂旨意被召的人。」結果不到兩小時，她就拿到了全數的租金。她的眼立時發出亮光，滿心歡喜。

「耶和華的名是應當稱頌的，從今時直到永遠，從日出之地到日落之處，耶和華的名是應當讚美的。」（詩一一三2～3）我們需要禱告，也需要讚美神。如果我們誠實地聽從祂的話，我們就能明白歷代志下十六章9節所說的：「耶和華的眼目遍察全地，要顯大能幫助向祂心存誠實的人。」所以，即使遭遇逆境，只要全心相信、倚靠祂，就能欣然接受難處。這好像你一直走在馬路上，十分平穩自在，突然要走過一座懸崖大橋，你仍然相信必定安然度過，就不必懷疑害怕，也不必繞道，只須勇往直行。讚美是不顧感情和感覺，它是一個祭，一個馨香的祭獻給神。「我們應當靠著耶穌，常常以頌讚爲祭獻給神……。」（來十三15）

大衛是一個體會神心意的人，他一天讚美神七次。因爲環境改變並不能改變我們對祂的讚美。因祂永不改變，讚美祂是合宜的。

有人說：「禱告是爭戰，讚美是得勝。」使徒行傳十二章中，教會爲彼得切切禱告，主就派天使領他出監牢。使徒行傳十六章25～26節說：「保羅、西拉在監獄中唱詩讚美神，地就大震動，監門立刻全開，眾囚犯的鎖鍊也都鬆開了。」可見，讚美神會帶來莫大的能力與祝福，甚至可以釋放人，使心靈飛翔。

弟兄姊妹，你有冤屈的苦楚嗎？有難當的擔子嗎？無人可以幫助你嗎？你若願意，現在就告訴耶穌，承認自己對人對事的埋怨，爲所遇的一切人與事不感恩，來向神悔改，並對神表明願意存完全的心來相信神掌權，凡事都知道。相信神許可臨到我們的一切人事物，都是有神美好的旨意與安排，爲要叫我們得益處。我們只須獻上全力的感恩與讚美，不是爲預期的結果來讚美，乃是單純的、無條件的爲目前的情況來讚美祂，把自己交託給祂，祂是配得讚美的，當你站穩了，你遲早要看見神的榮耀。

5.上帝有醫治的大能

許多人不信神兒子耶穌有醫治的大能。從前，當我聽到傳道人在講台上報告：「你們中間有病的人，可以到台前來，我爲你們禱告，主若願意，你們憑著信就可以得痊癒……。」我就會很反感，心想：「這人那裡有這等可笑的權威呢？沒有醫學知識，沒有把脈、吃藥、打針，就憑口中幾句話，什麼病都可得醫治了，多麼荒謬啊！」

因此，我多年不能相信。直到神把我一身的潰爛治好，顯明祂大能的日子爲止（故事在〈公義的審判〉一文裡）。從此，那個蒙住我、叫我不能看明白的大霧就消失了。你讀了那故事就知道，我確實親嘗過主醫治的奇妙大能，是不可否認的。在那次經歷中神開啓了我屬靈的眼睛，使我明白並確信聖經中有關神醫治的教導是可信的。

聖經告訴我們，有三個原因關於「人爲何會生病」：

a.因著人犯罪——

在四福音書中，主耶穌在醫治病人之前常說：「小子，你的罪赦了。」又對一個得醫治的癱子說：「你已經痊癒了，不要再犯罪，恐怕你遭遇的更加厲害。」（約五14）人不好好照顧身體，比方不好好吃、睡，自然會生病。但是心裡有惡念、口中出惡言、擔心、害怕也會生病。神要我們保養自己的身體，因爲我們的身體是神的殿：「豈不知你們是神的殿，神的靈住在你們裡頭嗎？若有人毀壞神的殿，神必要毀壞那人，因爲神的殿是聖的，這殿就是你們。」（林前三16～17）祂也要我們好好照顧我們的心思。「你要保守你心，勝過保守一切，因爲一生的果效，是由心發出。」（箴四23）所以，心思和身體要保守好，免得生病。

b.因著魔鬼的攻擊——

聖經約伯記第一章說到，魔鬼（又叫撒但）攻擊約伯——一個完全正直、敬畏神、遠離惡的人。牠從神爭取許可來考驗約伯的信心，把他的產業毀壞，使他全身生瘡，又叫親友都遠離、指責他，末了約伯靠神勝過這一切，神就加倍賜福給他，雖然撒但要害他，但神的智慧將這些攻擊變成祝福。在考驗之前，約伯只是風聞有主；經過考驗之後，他就親身經歷神的信實。他在受苦前會害怕，受苦之後，他就脫離了害怕的捆綁，因爲神已帶他經過最徹底的苦難訓練，還要一直引領他，直到永遠。

撒但與神爲仇，所以喜歡攻擊屬神的兒女，好攔阻神國的發展。有次我在房裡爲許多牧師們禱告，突然，頭劇烈地疼痛起來，好像要裂開的感覺。我一邊抱著頭一邊問：「主啊，我得罪祢了嗎？」有個意念提醒我：「斥責它！」我遂大膽地舉起雙手說：「我奉主耶穌權能至高的名，叫這痛出去。」如此三次，每斥責一次痛減輕一些，到第三次後就完全正常了。神的兒女們不要怕撒但的攻擊，若我們愛神，一切打擾會成爲我們的眞利益，神許可我們受這等試煉，莫非叫我們學習屬靈戰士的技巧，學習儆醒禱告，好使我們敬畏神，敬虔度日，進而培養出屬天的品德，叫我們不但在地上得福，更要走完全人的路，將來在天上也得賞賜。

C.因為神的榮耀——

在人不能的事上神能，就叫人看見神的榮耀了。門徒向耶穌說：「拉比，這人生來是瞎眼的，是誰犯了罪……，耶穌回答說：『也不是這人犯了罪，也不是他父母犯了罪，是要在他身上顯出神的作爲來。』」（約九2～3）又有一次：耶穌知道拉撒路病了，就在所住的地方仍住了兩天，後來拉撒路死了，祂說：「……復活在我，生命也在我，信我的人雖然死了，也必復活……，你若信就必看見神的榮耀。」（約十一40）

當一輛車子壞了，人把它修好，像新的一樣，因爲車子是人造的。神造人，人病了，死了，神要治好，或叫他復活，豈不是同樣容易嗎？

我們因信耶穌而屬於神。當我們生病時，神教導我們，祂醫治的能力，使我們可以因信祂而成長。神不要我們活著沒有指望，像不認識祂的人一樣，神卻要我們得生命，並且認識祂的大能。

某次在一個數千人的醫病大會中，我的朋友廣恩有二十三年的耳鳴，經禱告後立刻痊癒了。旁邊還有一個男孩，他的右眼珠偏斜得很厲害，禱告後亦得到醫治。他母親驚奇地喊起來，那一個使他自卑的記號，已經除去了。他立刻跪下，接受耶穌作他生命的主。當我們面對神的愛，我們就歡歡喜喜地將一切獻給祂。在一個禱告會中，外子和我也親眼看過，有人右腿短三寸，經禱告後長出來，和左邊的一樣健康。

並不是每一個醫治都立刻見效的，有時人需要等待。列王紀下五章說到，亞蘭國的乃縵將軍得了痲瘋病，他照先知以利沙的吩咐，去約但河沐浴七次，之後才得醫治。

小女恩德三歲的時候，兩個膝蓋後面都長了紅疹，一直不褪。感謝主，後來有位楊牧師爲她按手禱告，我們憑著愛心與信心等了二十九天。牧師一再問我們：「你信神能醫治嗎？」「我信。」我回答。他說：「那你必要看見神的榮耀。」因他的鼓勵，終於等到第三十天，那些紅疹就消失無蹤，全然好了。

小女恩德年幼時，曾有一口雪白整齊的乳牙，非常好看。可惜到換牙後就都歪斜亂擠，好像一排沒有秩序的隊伍一樣。各個爭先恐後，叫人看了難過。其間兩顆大門牙脫落了，只長一顆出來，另外一顆禱告了一年多，卻始終不露臉。這是一件不尋常的事。天天看著那個洞，終於去問牙醫。牙醫說：「這是萬人中少有的情形，最多將來在那空位上補造一顆就是了。」他說得輕鬆，但對我卻是晴天霹靂。

回到家關上門，我即大哭一場，對主說：「主啊，謝謝祢將這麼可愛乖巧的女兒賜給我們，她眞是一個聽話、聰明又善解人意的孩子。主啊，謝謝祢，使她來到我們家中，帶給我們許多歡笑與安慰。主啊，也爲祢所賜，她的高矮胖瘦、長相一切都獻上感謝，包括那口歪斜的牙。如今孩子要向祢求的，祢早已知道，就是人人都有兩顆門牙，惟獨她只長了一顆。主啊，祢既賜她生命氣息與一切的美好，何必短缺這一顆牙齒？叫祢的作爲美中不足呢？主啊，我這樣請求並不是出於貪心，而是一個很簡單的請求。主啊，並非祢該替我作，乃是因爲祢滿有憐憫。主啊，願祢向孩子仰臉。使孩子心所願的得以知足，好叫我向人述說祢的美德與能力。主啊，祢要叫恩德長大後，因祢的恩惠愈發愛祢。主啊，這是一舉數得的事，何樂不爲呢？願祢察看孩子禱告的心是何等迫切……。」

如此我不知哭求了多久，直到一陣平安突然降臨心中，感到十分溫暖，我才起身，知道主已恩待了。

就這樣，神不但叫這兩顆門牙一樣大小，並且接著賜她一口整齊美麗的牙齒。主眞是寬大啊，祂看到我心中隱藏的願望，就一併回應我有聲無聲的祈求。何等全能的作爲，作得天衣無縫。主眞偉大啊！

今天我女兒將這故事說給她的朋友聽時，會從她的角度說：

「小時候，當媽媽告訴人：神怎麼矯正我的牙齒時，有人就會問我是否眞的。那時我太年幼，不能回答，而且已過的事也不能重演一遍。在我十幾歲時，每當媽從皮包拿出兩張照片，一個是神蹟之前，一個是神蹟之後，我都很不好意思，因爲別人會仔細比較，然後有所領悟地點點頭，再要求看我的牙，有時因爲懷疑，我就和神說：『如果這故事是眞的，請祢也使我相信並爲祢作見證。』神的答案，過幾年後就在我四顆智齒要拔掉的時候下來了。那時牙醫生看了X光片，發現兩顆牙骨頭下邊，有一顆飛到高處，就說：『我從沒見過那麼複雜的智齒，妳的牙很不平常。』如此說了幾次，就問是誰替妳矯正牙齒的，爲什麼他覺得我應該有一位這樣的醫生呢？他又問：『妳有沒有矯正過牙齒？』我說：『沒有啊。』後來，他又問了兩次，最後不敢相信的說：『妳的牙齒是非常不可思議地自己變整齊了。』」

有一天，我終於明白了，這件事只有神蹟才能解釋。根據我的基因所定的藍圖，我的智齒會不整齊，那其他的牙齒會整齊，除非是有人矯正過，否則是不可能的。」

神大方地給予恩典，既不小看我們，也不怪我們無知，又照祂的時間使女兒明白祂的傑作，使她今天能愛主，願意把生命獻給神用，都因祂當年厚待了女兒。那些聽到這故事的人，也都歡喜，歸榮耀給神。

「但願人因耶和華的慈愛，和祂向人所行的奇事，都稱讚祂，因祂使心裡渴慕的人，得以知足，使心裡饑餓的人，得飽美物。」（詩一〇七8～9）神帶領我們到絕境，我們要歡喜，因祂歡喜訓練我們不信環境，卻單單信靠祂。讓我們學習倚靠祂吧，祂可以藉醫生的手醫治，更可以親自用超自然的能力來醫治。

6. 上帝使不能成為能

神的奧祕不能被世人的智慧、知識所滲透明白。受造之物怎能明白造物之主呢？

除非人謙卑，願意承認自己有限，樂意接受神兒子耶穌的生命，才能看見神的榮耀與能力。

有天早晨，兩個孩子和鄰居四個孩子在我車上，準備去上學，車子發不動，連一點聲音都沒有，原來大燈一夜未關，電池用光了，當時若找人送上學，則孩子們都要遲到了。於是我向神疾呼：「主啊，叫它發動吧，奉耶穌寶貴的名求，阿們。」結果，八個汽缸的美國大車，居然猛烈震動，像跳了起來似的大吼一聲，比平常的聲音還要雄壯，孩子們聽到，都歡呼起來，大叫不已。

「我在急難中求告耶和華，祂就應允我，把我安置在寬闊之地……投靠耶和華勝過倚靠人，投靠耶和華勝過倚靠王子。」（詩一一八5、8～9）

另有一次，當我在一家公立大學牙科診所的消毒室上班時，某日家母和林伯母來到，並對我有一個創新和獨特的要求。林伯母說：「飛筆，妳媽和我想要合作一件事情，需要妳幫助，可以嗎？」「沒問題，請說吧，只要我辦得到，一定幫忙。」我回答她，內心正帶著一個渴望，想幫助他們。沒想到她說：「妳一定可以的，就是我們想到妳辦公室來賣春捲與炒飯，這些醫生與病人就是客人，這個消毒爐可作烤箱，窗子是外賣櫃台，一切都有了，你是這房間惟一的管理員，只要妳同意就行了。」我愣住了，「什麼？這是一個公家機關，樓上有他們自己的食物販賣部，我是被雇用的，怎麼可以作這事呢？」她說：「妳去問問老闆看。」「不用問就知道了，沒有老闆會同意的。」我很有把握的說。心想，去問這種問題，不但不批准，還要給人說笑話呢。她說：「沒關係，妳先去問，明天再回答我們吧。」

哎呀，他們怎麼丟下這樣一個難題就跑了？我腦子飛快的思索，就算兩個老闆都同意，又怎能保證全棟樓的人都同意呢？校方知道又怎麼辦呢？倘若失敗了，以後怎麼作人呢？親朋知道了又會怎麼看我們呢？事情鬧大了，外子如何承擔呢？最要緊的是，丟了上帝的臉，叫人以為基督徒都不守規矩，以後怎麼向人傳福音？往後孩子們在學校不守規矩怎麼辦呢？自己沒有好榜樣，還能教他們嗎？可是林伯母和母親都是我所愛的，林伯母是我帶信主的，又是母親的好朋友，她為主肯擺上，這是我喜歡她的原因。家母更不用說，欠她太多了，無法計算。因此心中常想，在有生之年總要抓住機會好好報答她，何況聖經上說：「要使父母歡喜，要使生你的快樂。」（箴廿三25）但不能因為這層關係就破例犯規，這些衝突在我裡面交戰起伏，難以解決。我就來到神面前，雖然覺得無理，仍要問問主。

「主啊，人的腳步為耶和華所定，人豈能明白自己的路呢？主啊，地上的老闆權威有限，智慧有限，惟有祢知道何為最好。孩子的事尚未說出，祢早已知道。主啊，祢怎麼說呢？我當如何回答他們才好呢？……。」就在這時，一個微小的聲音對我說：

「你的朋友，和父親的朋友，你都不可離棄。」（箴廿七10）只因這一句話，我就心安了，因爲耶和華是全宇宙最大的老闆，祂說一句話就夠了，祂不會叫你作一個不能成功的事。

次晨，我沒有請教任何人，就對他們說：「來吧。」他們當天中午，眞的浩浩蕩蕩來了，有炸春捲、炒飯、炒麵、餛飩等，花樣不少，他們的信心可眞單純。當食物被消毒烤箱烘熱了，香氣四溢，自然召來顧客。於是每天中午，安靜的消毒室就搖身一變，成了快食販賣部，兩個窗口，滿了人頭人手，應接不暇。連小老闆也來買了吃，她辦公室就在隔壁。我那裡沒有電話，她就自動作了消息聯絡站。我們一同工作，很開心。這個冒險的小生意，把安靜的辦公室變成有動力多了，媽和林伯母更是開心極了。我猜想，那些客人的起勁和開心的臉，以及她們的收入都令她們有莫大的成就感。豈不是嗎？兩位長者都不通英文，敢作那麼大的冒險，又那麼成功，怎麼不歡喜呢？

我們忙了一個月，沒有人來反對，若不是神在暗中幫助我們，怎麼這樣順利呢？是的，本來憑他們自己作，就像人用鐽子剷地，何等無力。如今神一動工，手鐽變成了電動耕耘機作業，一下子就把全地翻鬆了，怎麼不感謝呢？

於是我又禱告：「上帝啊，謝謝祢，好大的權威，叫孩子看到，祢眞是威風極了，我已經叫母親歡喜，又叫她的朋友林伯母歡喜，如今她們都實現了夢想，連我也分到一些錢，使我滿足心願，將它們寄給一個孤兒。孩子僅一點點的順服，竟帶來何等大的祝福。

主啊！能力的源頭啊！我愛祢，祢溫暖了我們眾人的心。如今祢若看爲好，想要關掉這個門，就請祢差小老闆今天中午十二點正來告訴我，不要再賣了，就停在這裡。我便知道這是祢的意思了，誠心獻上感謝，奉主耶穌寶貴的聖名求，阿們。」

眞的一分不差，十二點正，生意正濃，小老闆悄悄來到身邊，輕輕對我說：「就到今天爲止吧。」於是第二天一切又回到平常。這個冒險的結束和它的開始一樣突然。以後連續五個月那些客人還一直記念我們，要求再賣。

這事叫我想起耶穌的話說：「噯！這又不信又悖謬的世代阿，我在你們這裡要到幾時呢？我忍耐你們要到幾時呢？」（太十七17）「我實在告訴你們，你們若不回轉，變成小孩子的樣式，斷不得進天國。」（馬太十八3）

摩西未認識神的主權時，他手中的杖不過用來牧養羊群。當他順服神丟下手中的杖，再順服神將它拾起來，這杖就成了神的杖，滿有權柄與能力，使他可以牧養百萬民眾，領他們在曠野四十年，安然度過，一無所缺。神是全地的主，我們不倚靠祂要倚靠誰呢？所以，不論任何情況，都當以祂爲主，不論你有多少的聰明、權勢與地位，也都要在凡事上受教於祂，放下自己的打算與想法，讓祂帶領你，與主聯合，就能靠主常常得勝有餘了。

7.上帝可以將人提升，叫你信心長得特快

某個主日，正要出門去聚會，突然接到電話，對方要我去接一個叫張萍的小姐去禮拜。我說太晚了，她住反方向，接她我會遲到。但還沒等對方說話，內心有個微小的聲音說：「人得救比你晚到，哪一個要緊呢？」是的，神喜愛憐恤過於祭祀。於是我帶她去主日崇拜，過不多時，她就信了耶穌。順服聖靈在裡面的引導，就可免了許多的錯。

張萍與一家公司有三年的合同，已經作了一年，由於她想念丈夫與孩子，卻不能將他們一併申請到美國，因爲美國政府怕全家都來了，就不肯回去，所以只能申請其中一人。她問我有什麼方法可以將家人全部申請到美國來？因爲她是初信的，我就將主教過的眞理與她分享。

「在上有權柄的，人人當順服祂，因爲沒有權柄不是出於神的……，抗拒掌權的，就是抗拒神的命，抗拒的必自取刑罰。」（羅十三1～2）所以神授權給政府，我們應當聽從，除非政府制定的法律與神的眞理有牴觸，我們就當根據神的話，向神懇求，

去改變他們的思想。

由於夫妻制度是神設立的，神爲了保護這個婚姻關係，就要我們常在一起，不可輕易分開，免得給惡者有機可乘，破壞這個關係（參看林前七5）。說到兒女，他們是神所賜的產業，應當留在父母身旁，殷勤教訓，使他走眞理的道（箴廿二6）。神設立家庭，要家人常在一起，分享愛、學習眞理，這樣的家庭，就是國中最好的公民。如果一個國家的家庭都健全，這個國家就健全了。

根據這幾處的眞理原則，我跟她說：「可以放心，將他們同時申請出來，但是住滿兩年後，除非神開路給你們合法居留權，不然就當一同回國。」她就照辦了。不久，她公司加她薪水，她高興的說：「神恩待我，知道要多兩口人吃飯，所以加薪了。」我回答她：「不要憑環境判斷，要憑神的話才能站住。」可是，不久她又減薪了，心裡十分難過，說：「這樣怎麼夠用呢？」我再勸她：「要看神的話應驗不應驗，不要憑感覺，要憑神的話作你的盾牌，就能抵擋惡者一的詭計。」因爲「出於神的話，沒有一句不帶能力的。」（路一37）「愛祢話語的人，有大平安，什麼都不能使他們絆腳。」（詩一一九165）

再過不久，她失業了，眞是傷心害怕。實在也怪不得，這是她所有的一切，好像窮人手中的一捆柴，如今全被奪走了，面對這樣一個鐵面無情的歌利亞，誰能不傷痛呢？然而「你在患難之日若膽怯，你的力量就微小。」（箴廿四10）懼伯、懷疑、憂愁是惡者的三大武器，「但神所賜出人意外的平安，必在基督耶穌裡，保守你們的心懷意念。」（腓四6～7）當年大衛倚靠神打倒巨人歌利亞，我們也可倚靠神，面對難處，只要向神存完全的心，藉著禱告、等候，必能得勝。

當我們談論神的話，神榮耀的豐富就來到我們中間，祂的靈使她剛強起來，就跪下禱告說：「神啊，求祢原諒我，因我懷疑祢，求主耶穌的寶血洗清我不信的罪。現在我要根據祢的信實，相信祢的話語來感謝祢，叫這一些事發生。等答案來到的時候必顯明祢的偉大，願這事自始至終都能榮耀祢，奉主耶穌的名禱告，阿們。」

幾個月後，神將她丈夫和兒子一同帶到她面前，一家團圓、何等喜樂。之後，他們有了自己的事業，如今都合法在美國定居。感謝神，祂率領張萍在基督裡誇勝。

許多人的信心是看見了才相信，但主耶穌挑戰我們說：「那沒有看見就信的有福了。」（約廿29）有人說：神的道是先信後明白，也就是試著先有順服主的行動，而後結出好的果效，能使人有更深的相信和明白。因神的智慧太大，憑我們小小的頭腦怎能參透呢？若要叫信心長得快，只有承認自己無知有限，完全向神投降，去順服祂，給神完全的自由與機會爲你工作，你就能多看見神的榮耀和能力降臨了。「因爲神阻擋驕傲的人，賜恩給謙卑的人。」（彼前五5）所以，耶穌在諸城中曾行過許多異能，但那些城的人始終不悔改。耶穌就說：「父啊，天地的主，我感謝祢，因爲祢將這些事，向聰明通達人，就藏起來，向嬰孩，就顯出來。父啊，是的，因爲祢的美意本是如此。」（太十一25～26）

8.上帝是光，叫人不迷失

人的一生會遭遇許多難處，當難處來到，若沒有正確的引導，時常會落入誤導而迷失方向。

曾姊妹信主僅僅幾個月，是一個樂意受教的女子。當我第一次探望她，她提起想要找一份能夠替她申請綠卡的工作，就是申請美國居留證。事實上，她幾乎得到在紐約的一份工作，就是由幾個男士和她合作，想請她教芭蕾舞，給她拍錄影帶，先申請專利，再申請綠卡。

聽到這個計劃，想到她丈夫遠在國外，這行業對她不甚穩妥。同時即興的合作，有多少可靠的成份？於是我問她：「這事情妳問過神嗎？」她回答：「沒有，我想這是我惟一的路。」我說：「上帝愛妳，祂對妳一生有美好的計劃，祂也知道妳目前當走的路。因爲經上說：『人心籌算自己的道路，惟有耶和華指引他的腳步。』（箴十六9）妳因爲不認識祂而不尋求祂，以爲只有去紐約一途，其實主有更好的路爲妳預備。」她眼睛立時亮起來，笑著說：「莫非神會給我本行的工作（她是學電台廣播的），紐約好冷，能在加州多好呢？我還需要綠卡。這一切主會給我嗎？」

神不是你的搖錢樹，也不是任人使喚的工人，但祂是全地的主宰，擁有一切的榮耀與豐富，且樂意施恩與人。我回答她：「我不知道祂會給妳什麼，但祂給的總是最好的。」於是，主給我機會向她作見證，告訴她聖經上的話，可以活用在我們生活的任何層面裡……。

曾姊妹聽見這些話，幾次流淚，我就安慰她，勸她下決心放棄自己的路，尋求神的路，一面可以看些廣告消息。我們一起唱詩、禱告後就分手了。我每天和她禱告一次，到第五天有一個工作機會，我陪她去面談，半小時就成功了。上帝除了成全了她心裡所切望的三件事外，又在幾個月之後，將她丈夫也申請來美團聚。感謝主，叫她心中很快樂，因為能作本行的事，這對於她好像是已經收拾了的漁網，又重新可以下網打魚，怎麼不快樂呢？

神是眞理的光，可以照亮人一切的路，人若擁有榮華富貴，卻不認識這光，仍是貧窮，仍是乾渴。人若一無所有，卻來就這眞理的光，必要成為富有，也不再乾渴。所以經上說：「人饑餓非因無餅，乾渴非因無水，乃因不聽耶和華的話。」（摩八11）

9.上帝使我笑看風浪

張姊妹自從認識了耶穌，就成了快樂的人，雖然她整天被綁在輪椅中，但有一件事仍叫她擔心的，就是兩個兒子還未信主。她自己曾經四次中風，兩次心臟開刀，一次喉嚨開刀，變得十分虛弱，她的聲音幾乎不能與人溝通，所以當她需要第三次動心臟手術時，我帶了一個很沉重的心情去醫院看她，想到她脆弱的身體，怎能撐得住這一關呢？沒想到那眞是我們最後一次的會面，她終於告別這個多經憂患的世界，回到神那裡去了。

還記得那最後的一面，她滿心憂愁，躺在醫院的病床上，我深信她思想起伏，十分複雜。但她最關切的還不是自己，乃是站在旁邊的兩個兒子。我得到他們的許可，向他們傳講神的救恩，心中多麼渴望，他們會在母親的病床旁邊決志信主。

就在讀聖經的時候，突然間，一陣強烈的頭暈來襲，使我彎下腰站立不住，眼看情勢不對，我就向一個大約兩公尺外靠牆邊的椅子衝撞過去勉強坐著，當時心中竟然一無懼怕，只知：「我救主，凡事引導我，因祂已勝了一切。」坐了一會兒，暈眩漸消，神使我有力量再站起來，將剩下的一段經文讀完，並且禱告了，好像剛才未曾發生任何事一般。那知道，緊接著又再度強烈地發暈，逼我衝回那先前的椅子上，這時護士跑來量我的血壓，結果是八十度與六十度，護士說：「妳很幸運，這事發生在醫院裡，可以立刻住院……。」眞奇妙，雖然這種事從未曾臨到我，但心中卻依然平安穩定。經上說：「專心倚靠祢的，祢必保守他十分平安，因爲他倚靠祢。」（賽廿六3）過了十多分鐘，我感到十分平安，也感謝護士的關心，再請張姊妹用禱告托住我，就告辭出來。

讚美主，神將喜樂充滿我心，使我不停地唱：「得勝、得勝、哈利路亞，得勝、得勝、哈利路亞……。」一路從時速六十哩的高速公路上，直奔回家去，平安一路伴隨，何等自由奔放。神在敵人面前，爲我擺設筵席。他們不能綁我，都因爲主的能力來到，使我能笑看風浪。

那是多年前發生的事，以後也沒有這種暈眩的困難，我也不曾去檢查身體，因有神的平安引導我，「在黑暗中與神同行，勝過在光明中單獨行走。」（摘自《荒漠甘泉》）信徒有時遭遇非常的事，好像被綁在樹幹上動彈不得，然而只要神的能力一下來，就又活跳跳有能力了。神是我們暴風中的避難所，難怪保羅好像被打死了，第二天卻照樣去傳福音。基督眞是我們的力量啊！

「如此，人從日落之處，必敬畏耶和華的名，從日出之地，也必敬畏祂的榮耀。因爲仇敵好像急流的河水沖來，是耶和華的氣所驅逐的。」（賽五九19）弟兄姊妹，不要怕試煉來臨，就像保羅說的：「我們受患難原是命定的。」（帖前三3）雖然如此，神必有足夠的能力引領我們安然度過：「主是信實的，要堅固你們，保護你們脫離那惡者。」（帖後三3）而且凡爲主受過苦的，就可以在屬靈的生命上，作潔淨的工作。「基督既在肉身受苦，你們也當將這樣的心志作爲兵器。因爲在肉身受了苦的，就已經與罪斷絕了。」（彼前四1）

此外，當我們爲主的緣故受苦，叫信心經過試驗，神就更加要祝福我們。「叫你們的信心既被試驗，就比那被火試驗，仍然能壞的金子，更顯寶貴。可以在耶穌基督顯現的時候，得著稱讚、榮耀、尊貴。」（彼前一7）所以仇敵要傷我們，但牠註定失敗，因爲神必要救我們，並要用祂無比的智慧與大能，將一切詭計翻轉過來，成爲化裝的祝福，當我們看透這一切，就能歡喜了。所以經歷豐富、靈命進深的雅各提醒我們：「我的弟兄們，你們落在百般試煉中，都要以爲大喜樂。」（雅一2）爲主受苦的人，可以笑看風浪，原因在此。

10.上帝將深奧的事顯明，使人得引導，能明白，有能力

a.神可以甦醒人心

一位年輕人在夢中見到自己的堂兄，竟然跪在一個陰暗的地方，並且在心靈裡聽到一個聲音說：「你如果再這樣下去，你的下場就和他一樣。」一週以後，才知道作

夢的那夜，就是他堂兄死的時候。這令他非常震驚！他堂兄非常年輕，只有三十多歲，是留美醫學博士。開設了一家綜合醫院，年收入上百萬元，有學問、有名望、有錢財，這三樣正是他目前追尋的目標，他想世界上有誰那麼了解我，又那麼有能力，可以帶我到人死後的地方去呢？於是聖靈幫助他明白，惟有耶穌基督有這能力。是的「在神面前陰間顯露，滅亡也不得遮掩。」（伯廿六6）他就信了耶穌，並且敬畏祂、愛祂、聽祂，多多向人作見證述說神的偉大。

在聖經中，神藉異夢和異象，拯救了許多人：但以理三個朋友從火中被救出來。約瑟在夢中被指示逃往埃及……等。「祂將深奧的事從黑暗中彰顯，使死蔭顯為光明。」（伯十二22）是的，我們的神為大，最有能力，神的智慧無法測度，世人都當敬畏祂，遠離惡事。

b.神是公義的主宰

一天，我要求外子幫一個忙。他說：「到周末再說吧。」到了周末清晨再提起，他沒有反應，我心裡難過，就跑到車上去讀經禱告。回家時，他怪我出門沒告訴他，因為才吃過靈糧心中飽足，就和他說抱歉的話，並且去作早餐，只將一切告訴主，等祂來幫我。

那晚睡到半夜，主叫外子作了一個夢，夢到我給他一張大紙，上面用英文打字，一行行的，條例分明。第一條說：「要對飛筆動作溫和，不可急躁……。」一頁打字紙整面的提醒話，最後一條說：「要改進，求進步。」於是他溫柔地對我說：「既然妳半夜來找我，我就幫助妳吧。」我說：「是用英文打字的，就不是我給你的，乃是主給你的。」他沒有說話，感謝主，主的啓示勝過人的千言。「得力在乎平靜安穩，得勝在乎耶和華。」（參賽卅15）主是最公義公平的君王，是天上的父親，當將你的難處交給祂，祂一出面，事就圓滿解決，毫無問題。

C.神要人遠離罪惡

有一次聽到一個大屠殺新聞之後，就想看看電視的報導。於是約好次日去父母家看。心想，那麼大的事，一定會再播放。結果當夜作了一個夢，夢到我在跟人講：那電影很好看。立刻有一個聲音說：那是殺丈夫、殺妻子、殺子女的電影。當清醒過來，我知道這是主耶穌，祂不許我看那殘酷的記錄片。因爲憑收音機報導的已經夠了，多看只會將這事更深的刻印在心裡，叫我對別人的受苦麻木不仁。

撒但想要藉著謊言欺騙人說：只有犯罪的行動才是罪，而思想它是無害的。若是牠叫你能夠相信這個，牠就會藉這些惡思想來栽種你，然後腐化它們。直到你無法防範去犯罪，來造成對你的毀壞。更糟的是，人墮落的罪性是會幫助魔鬼工作的。雅各書一章15節說：「私慾既懷了胎，就生出罪來，罪既長成，就生出死來。」我們的腦筋是善與惡的戰場，這就是爲什麼神要我們在「善上聰明，在惡上愚拙」。在善上聰明的意思是好事多知道，多效法。在惡上愚拙的意思，就是少學壞樣子，少犯錯，因爲我們當「靈巧像蛇，馴良像鴿子」。命令是從腦筋開始的，「因爲他心怎樣思想，他的爲人就是怎樣。」（箴廿三7）上帝要藉著好的思想來浸透我們的腦筋，「凡是眞實的、可敬的、公義的、清潔的、可愛的……你們都要思想。」（腓四8）然而撒但要我們看輕惡事，好破壞我們的思想，這就是爭戰。

後來讀到以賽亞書三十三章15到17節，對神的心意就更明白了。「行事公義，說話正直，憎惡欺壓的財利，擺手不受賄賂，塞耳不聽流血的話，閉眼不看邪惡事的，他必居高處，他的保障是磐石的堅壘。他的糧必不缺乏，他的水必不斷絕。你的眼必見王的榮美，必見遼闊之地。」主眞是好牧人，祂願意信祂的人都有豐盛的生命。所以祂攔阻我看那次的電視報導。

神聽人禱告，也願人聽祂，我們常爲物質的東西而充滿憂慮，以致聽不到神的聲音，這是一個嚴重的問題。要避免它，我們當每天花時間到神面前安靜等候祂，專心在主面前，給祂時間作主，祂必能被你尋見。「你們尋求我，若專心尋求我，就必尋見。」（耶廿九13）答案可能不會在你等祂的時候來到，但預備好你的心，是聽到神聲音的必備條件。

11.上帝給我祝福

要先求祂的國和祂的義，你所需要的，祂都會加給你（太六33）。從前我缺少信心，又很軟弱，以爲服事主，只好一輩子作窮人。然而，祂使我家生活漸入佳境，以致慢慢認識到「主必賜福」的眞理。爲此，我要把第七章提到主賜房子的經過，加以說明。

在這件事上神叫我看到，能爲主擺上必要得更多，神的賞賜常跟在奉獻的後面。亞伯拉罕讓羅得先得地，神就叫他得東西南北四個方向的地方。以撒讓人就得著百倍的收成。我放下房子、車子，最後反而兩樣都有。

首先，有一位熱心的方姊妹告訴我：「有四位姊妹每週定期爲你們禱告，求神賜給你們一個屬於自己的房子。」接著約有七個月的時間，一位熱心的馮姊妹，一見到我就談買房子的事，她總是關心我們公寓的租金上漲太快，當計劃買一棟房子。後來有一位鄰居陳姊妹說：「神感動我，叫你們買棟房子。」我就去問神：「主啊！這是祢的聲音嗎？他們的愛心與關懷使我很感動，但是祢知道我們手邊只有數千元，怎麼能在加州這種黃金地段買房子呢？還有父母老了需要照顧，若手頭太緊，怎麼可以呢？孩子很快就進大學，學費還沒有著落呢！但是主啊！在祢沒有難成的事。現在主若定意賜福給我們，請吩咐兩個人來，都自動願意各借一萬元給我們作爲房子的頭期款。」

這禱告並沒有告訴過任何人，連我先生也不知道，奇妙的事就在幾天後發生了。我們的大嫂從東邊三千哩外，和一位張姊妹從西邊五十哩外打電話來，鼓勵我們買房子，兩人都主動要借一萬元給我們。等外子知道了也想求個證明，他對我說：「公司正在裁員，我去對老闆說，請你給我加薪，因爲要買房子。」這實在是個糊塗的請求。沒想到，老闆竟一口答應了。外子就積極起來，但想到五年要還兩萬多元，也眞是不容易啊！

後來在一個主日信息中，主藉眞道安慰了我們，信息中兩次提到：「照你的信給你成全。」既然耶穌已走在前面，我們就跟上去吧。於是，主差陳姊妹的先生，主動替我們作房屋的經紀人。由於他尙未信主，而且那年聽說陳先生爲了帶一個看風水的人買房子，看了一百多棟也沒有成功，十分洩氣。我想這是一個好機會，可以向他證明，基督徒辦事會亨通的，因爲耶穌是眞神。我就禱告說：「天父啊，求祢爲陳先生的緣故幫助我，由於經上說，無論得時與不得時，總要傳福音，又說：要叫祢的鄰舍得益處，建立德行。主啊！祢要恩待誰就恩待誰，要憐憫誰就憐憫誰，祢既然主動要恩待我們，就絕不會徒然返回。求祢幫助我們最多只看三棟房子，而且其中一棟要有以下七個條件才買：

- 離孩子學校近，不用換學校。
- 離父母家近，可以就近照顧。
- 離同工李伯母家近，便於一同探訪。
- 馬上可用，省時、省力。
- 客廳大，可以聚會，不會妨礙孩子作功課。
- 院子小，便於照顧。
- 環境如花園，舒暢人心。

感謝主，我們只看到第二棟，一切全都有了，陳先生驚喜不已，他感動得非送我們一千元不可。小姑也送錢來，並且神興起各樣的人，增添各種恩惠，使一切都水到渠成，變為美好。惟一令外子擔心的事是，答應人五年內將兩萬元還清，怕不能作到，於是要我找工作。雖然心裡明白主會負責，但卻說不出那個具體的辦法叫他安心，同時也稍能明白他的壓力，因他是個很有責任心的人。

我們商量的結果是，半天作工，半天探訪，連聖經上的保羅也帶職事奉嘛，我豈能不工作呢？但作了兩個月，有一天，我禱告：「主啊，謝謝祢賜我工作，但我太累了，回家還有家事和孩子，同時工作累了去探訪，感到很遲鈍。主啊，祢的擔子是輕省的，如今的作法，斷不是主的意思。主，請祢現在將我救出來吧，好證明主的權能與偉大，叫外子也同享安息，無話可說。因祢動了善工，祢必成全這工，因爲耶和華所賜的福，使人富足，並不加上憂慮，這樣禱告是奉主耶穌的名，阿們。」

幾天後的一個中午，我左手背、手腕、手臂、左肩直到左頸都接連地痛起來，並且心跳也好快，外子遂把我帶回家，並且自動替我辭職，之後神就在三天之內，替我辦了三件事。第一，隔天一切疼痛全消了。第二，外子的心明白過來，知道是主作的。第三，找到工作的接班人。主釋放了我。

主厚待我們，第二年我們就將兩萬元還清，並且父母健在，可以自由快樂往來。如今，兩個孩子都成績優秀地大學畢業，一切費用非但不欠一文，而且有餘。在這事上，主顯明了一個蒙福的原則：

1. 甘心爲主作工，不與祂計算，必然蒙福。

請看馬太福音二十章1～16節，那裡講得很清楚，主不看人工作的時間、先後與多少，只看重你的心。當然，作工得工價是應當的，但一切要以愛主爲優先，這樣你所需用的一切，主必看顧。

2. 既是神的工作，神會負完全的責任，並不需假手於人，不然祂會出面干預。

3.看環境就軟弱，看主必定強壯。

4.有一天，女兒對我說：「天父好像一個頑皮的孩子，想吃我手中的棒棒糖，當我眞的給了祂，祂舔了再還給我，這棒棒糖變得更甜了。」

確是如此，神是一切的第一，是萬有之主，配得我們愛祂。主說：「我實在告訴你們，人爲我和福音，撇下房屋、或是弟兄、姊妹、父母、兒女、田地。沒有不在今世得百倍的，就是房屋、弟兄、姊妹、母親、兒女、田地……。」（可十29～30）這裡清楚看見，撇下什麼就得回什麼，而且得的更豐盛。從眞理、從人的經歷都證明了主話不落空。

想一想，主正在向你要什麼，爲祂和福音的緣故撇下的，請不要再遲疑。這是最上算、最蒙福的路，你只要憑信心踏上去，主的恩惠慈愛必能叫你喜樂而滿足。「敬畏祢投靠祢的人，祢爲他們所積存的，在世人面前所施行的恩惠，是何等大呢？」（詩卅一19）「……神，是那將力量權能賜給祂百姓的，神是應當稱頌的。」（詩六八35）

第九章

聰明詭詐的魔鬼

聖經創世記三章、約伯記一章、以弗所書六章、彼得前書五章等，都講到魔鬼的可惡。魔鬼一直在等候、尋找機會殺害吞吃我們，牠有許多的計謀。牠會用問題來誘惑我們對惡事產生好奇心，把我們從正路引向歧途。當我們在困難中，牠就製造引起紛爭的事，使我們更加痛苦。當我們勤勞上進時，牠會加以破壞，令你灰心洩氣。一旦我們成功時，牠會引發你自高自大……。總之，牠有各種害人的假面具，卻都包上糖衣掩飾得很好，甚至外表看來好像閃閃誘人的金元幣，裡面卻是毒液。

所以，神的兒女們當儆醒謹守，認識屬靈的爭戰，好叫我們能靠主站立得穩，剛強作大丈夫。這屬靈的爭戰不是憑血氣，也不是與屬血氣的爭戰，乃是與空中執政掌權的惡魔爭戰。我們必須謹慎自守，儆醒禱告，倚靠萬軍之主元帥。爲了知己知彼，百戰不勝，現在讓我們來看幾個仇敵在戰爭中的計謀。

（一）仇敵隨時窺探我們——以便乘虛而入

1.在患難害怕時，當倚靠真神

約伯雖然完全正直、敬畏神、遠離惡事，但因爲怕有天會失去他的所有，魔鬼就利用這個破口來傷害他。當他眞的失去兒女、家產時，他說：「我所恐懼的臨到我身，我所懼怕的迎我而來。」（伯三25）因爲箴言二十九章25節說：「懼怕人的，陷入網羅，惟有倚靠耶和華的，必得安穩。」（箴廿四10）

2.在安逸時會放鬆，當多多禱告

亞哈王身居一國之尊，竟貪圖一塊葡萄園，以致失去神的恩。大衛王在逃難時處處倚靠神，所以事情順利，反倒在登了王位後，生活安逸，一不儆醒就犯了罪，以致禍患臨到他與他的家。這些事可作爲我們的鑑戒，所以聖經說：「自以爲站得穩的，需要謹愼，免得跌倒。」（林前十12）

3.在受屈時會生氣，當默想主話

聖經說：「生氣卻不要犯罪，不可含怒到日落，也不可給魔鬼留地步。」（弗四26～27）可見生氣是容易犯罪的，犯罪就在屬靈的擋箭牌上開了破口，給魔鬼有傷害我們的機會，這是人容易犯的錯。神願意我們逃避這種錯誤，但是能不能受苦而不犯錯呢？請看耶穌的榜樣，祂作到了，讓我們來學習祂。希伯來書十二章2～3節說：「仰望爲我們信心創始成終的耶穌，祂因那擺在面前的喜樂，就輕看羞辱，忍受了十字架的苦難，便坐在神寶座的右邊。那忍受罪人這樣頂撞的，你們要思想，免得疲倦灰心。」耶穌忍受苦難是定睛在祂將要得到的喜樂上面。同樣地，我們能忍受委屈，不發脾氣，是因著我們定睛在得勝上，爲要藉著見證，去贏得世上的靈魂。

4. 在成功時會驕傲，當將榮耀歸與神

有人告訴我，某人有一日誇他幾個孩子個個都好，很有成就，非常了不得。沒想到過了幾天，其中一個最被誇獎的孩子突然間死去。這令我想起使徒行傳十二章，當希律王把神的榮耀歸給自己時，主罰他，他就死了。

「不要爲明日自誇，因爲一日要生何事，你尚且不能知道。」（箴廿七1）我們必須從這功課上受到警惕，自誇是不好的：「耶和華如此說，智慧的人不要因他的智慧誇口，勇士不要因他的勇力誇口，財主不要因他的財物誇口，誇口的都因他有聰明，認識我是耶和華，又知道我喜悅在世上施行慈愛、公平和公義，以此誇口，這是耶和華說的。」（耶九23～24）

（二）仇敵將善與惡攪混——使人看不清真理

以賽亞書五章中，神將以色列民比作葡萄園，神爲他們作了一切美善之工，豈料

選民竟善惡、是非不分，不顧耶和華的作爲。他們又厭棄耶和華的訓誨，藐視祂的言語。因此罪追上他們，神就派亞述人侵略他們，使他們的尊貴人饑餓，群眾極其乾渴，又大又美的房屋成爲荒涼，都因他們的罪惡變爲卑下。

由於人的墮落，這樣的事今天仍到處可見。羅馬書一章20節說：「自從造天地以來，神的永能和神性是明明可知的，雖是眼不能見，但藉著所造之物，就可以曉得，叫人無可推諉」。這些人對神視若無睹：

1. 他們雖知道神，卻不當作神榮耀祂（羅一21）。
2. 他們將神的眞實變爲虛謊，去敬拜事奉受造之物（羅一25）。情願拜那不能聽、不能看、不能說、沒有氣息的偶像。
3. 他們故意不認識神，以致被各樣的罪惡抓住（羅一28）。

神造人的眼睛，祂自己豈不看見嗎？造人的耳朵，自己豈不聽見嗎？神是慈愛，但也是公義的。有一天當救恩的門關閉，耶穌基督第二次再來，祂必要按公義審判我們。那時，凡恆心行善、尋求榮耀、尊貴和永遠之福的，就以永生報應他們。反之，凡結黨不順從眞理的，就以忿怒、惱恨、患難、困苦報應他們（參羅二7～8）。

（三）仇敵叫人迷失方向

有一次小組聚會後，聖靈感動我向右邊一位男士這樣說：「人有時在十字路口，不知往東往西。」他一聽立刻驚訝的說：「我就是那人，正在十字路口，不知何去何從。」於是我向他傳福音。因爲耶穌是道路、眞理、生命，祂叫凡信從祂的人得生命，認識眞理，知道方向。他聽完，認眞的說：「我要信，我要信。」於是我們跪下一起禱告，他就歸信了主。我勸他每晚睡前先跪在主前，謝謝神這一天的生命與平安；而每早睡醒再跪在主前，謝謝祂一夜平安，並求祂帶領前面的道路，祂必會指引你當行的路。我又向他分享箴言三章5～6節：「你要專心仰賴耶和華，不可倚靠自己的聰明，在你一切所行的事上，都要認定祂，祂必指引你的路。」他如獲珍寶地說：「好，我回去試試。」這位弟兄姓陳，是電腦碩士，當時正在找工作，不知要留在聖荷西市，還是回Arizona母校去和太太在一塊，已經三個月無法決定，十分著急。

感謝主，第六天神感動他回母校去繼續深造，一年後他興奮地打電話給我：「飛箏，我眞高興妳帶我信主，現在我繼續攻讀博士。告訴妳一個好消息，我太太也信主了，而且我們一同受洗，加入了詩班，在教會服事主。此外，主還賜給我們一個孩子，我們都很快樂。」

主啊！謝謝祢，惟獨祢能吸引人、甦醒人、改變人。祢只要向人輕輕一瞥，人就要快跑來跟隨祢。主是愛，主是方向，祂的路最善、最美。祂給每一個人都有一條通達的路。

（四）仇敵妖艷誘奪人心——惟靠耶穌，才得逃脫

人的度量有限，無論是感情、時間、聰明、才智、能力、金錢、愛情盡都有限。所以人一旦被打擾，就會煩躁、生氣，甚至會恨人。正如聖經上說：「你的腳要少進鄰舍的家，恐怕他厭煩你，憎惡你。」（箴廿五17）

但有時這個打擾一直不斷地來，並非有求於人，而是有害於人。比方：大學生同寢室中，有人愛抽煙或說髒話，看不好的書等等壞習慣，使你很難躲開他。你起初雖然抗拒厭惡，久了漸能容忍、妥協，但以後就染上陋習，最後甚至和那人一樣。

仇敵用盡方法想打擾我們，但除非神許可，只要我們不入罪的領域裡，牠就無法害我們。「你們若是熱心行善有誰害你們呢？」（彼前三13）保羅被毒蛇咬住，土人以爲他必要死，哪知保羅將蛇摔在火裡，沒有受傷。否則，人若與罪爲伍，難免受到懲治，遭受各樣的破壞。聖徒在日常生活中，也難免遇到各種的打擾與誘惑。比方：

1. 異性的誘惑

教會中有人怕找不到終身伴侶，就去找外邦人，因為周圍的親朋對他說：「不要那麼固執，外邦人也會變成基督徒。」這些不體貼神、只體貼人的聲音聽多了，就會叫人跌倒。最後，討好人，討好自己，而成了「昏事」。

在韓國，有位牧師勸一位姊妹，將她對象的藍圖寫下來，每天照樣告訴神，而平時她仍可按部就班服事主，不用為此掛心。半年後神就動工，從老遠的地方，將這位準丈夫差來。教會中好些女孩子喜歡他，但他只看上這位三十歲的女孩，事就成了。我將這故事告訴幾位願意受教的姊妹，她們也照著行。如今她們都有了理想的丈夫，可愛的小家庭，沒有一個落空。有時為了要守住神的真理，等候神的安排，難免會有人說你太古板，朋友都結婚了，你要孤單到幾時呢？但若能甘心等候神，好像農夫等候地裡寶貴的出產，到了時候，報償必是大的。

2. 錢財的誘惑

中國人說，有錢能使鬼推磨，的確。

許多人拚命賺錢，討魔鬼的喜悅。因而陷入說謊、欺騙、偷竊，甚至殺人。有的人把錢當神拜，叫錢來掌握他的工作，掌管他的睡眠，消耗他的生命。錢本身是一個中性物，它對人有益，也能有害，看人怎樣使用它。人若不用正確的態度去對待它，難免受誘惑。其實神是金錢的主人，人若太看重金錢，難免將錢當神，這樣的人大難臨頭，就知道錢財非但不能救人，且是要命的絆腳石。

聖經說：「那些想要發財的人，就陷在迷惑，落在網羅，和許多無知有害的私慾裡，叫人沉在敗壞和滅亡中。」（提前六9）但我們這些屬神的人要逃避這些事，追求公義，敬虔、信心、愛心、忍耐、溫柔……。在好事上富足，甘心施捨，樂意供給人，爲自己積成美好的根基，預備將來，持定那眞正的生命（提前六11、18、19）。

聖經又教導我們錢財靠不住，神才是最可靠的：「你豈要定睛在虛無的錢財上嗎？因錢財必長翅膀，如鷹向天飛去。」（箴廿三5）「……不要自高，也不要倚靠無定的錢財，只要倚靠那厚賜百物給我們享受的神。」（提前六17）

神要我們作錢財的好管家，因祂是全地金融的統管者。我們有責任爲祂好好經營錢財，根據這個對錢的認識，有兩點需要注意：

a.忠心管理金錢，主就將更大的財富交付你手

有一個傳道人說：「Colgate牙膏公司是很出名的，創辦人Colgate十歲時因父母無力養育，他就來了美國，有人帶他信主，告訴他若要成功必須忠心於什一奉獻，並且誠實愛神。」他從開始賣牙膏，就一直謹守什一奉獻，並且多賺就多奉獻，後來主

祝福他開了店，又開工廠，因他對神不住的感恩，就更加奉獻，神也更加報償他，最後他認識到神是錢財的主人，因爲萬軍之神說：「銀子是我的，金子也是我的。」（哈二8）他便放下一切，爲主去傳福音。眞奇妙，一個人從一無所有，竟被信任能管理大財。「你若清潔正直，祂必定爲你起來，使你公義的居所興旺，你起初雖然微小，終久必甚發達。」（伯八6～7）

b.遠離不義之財，因那是魔鬼欺騙的法術

曾經有位朋友，要用他公司的福利，幫助我們買一台電腦，只須半價，可省一千元。我們知道這是魔鬼的技巧，爲了保護她，也保護自己，我們謝絕了。後來，主感動另一位要搬到別國去的朋友，將一台幾乎全新的電腦送給我們。神使我們用一個清潔的良心和喜樂的心去享用這台電腦。

另有一次在二十多年前，外子初到一家公司上班，講好試用三個月，如果誠實就可長期工作。記得才作兩星期，有一天去銀行，發現他的存款多出兩千元。他告訴銀行的人，他們說電腦不會錯，這是你的錢。第二天他又去查問，決定非將這事弄個明白不可，最後跟經理談了，發現外子是對的。沒想到第二天上班，老闆跑來對他說：「我們知道你是個誠實的人，從今以後你是正式職員。」

誠實人必多得福。有些事看來很小，但仇敵可用牠的計謀叫你向牠妥協。牠可以把圈套拉得更緊，增加你的貪心，叫你不知不覺中無法自拔，好像那些不合法得大財的人，最後一生受監禁，他們開始並沒有犯什麼大罪，不過是容許罪的增長，終至無法逃脫。猶大本是十二門徒中的一位，卻因貪財，最後出賣耶穌，成了滅亡之子。聖經警告我們：「貪財是萬惡之根，有人貪戀錢財，就被引誘離了眞道，用許多愁苦把自己刺透了。」（提前六10）又勸我們說：「然而敬虔加上知足的心便是大利了，因我們沒有帶什麼到世上來，也不能帶什麼去。只要有衣有食就當知足。」（提前六6～8）

人若常存感恩，敬畏神的心，不受不義的引誘，不貪不義之財，必多蒙福。

3. 權力的誘惑

在路加福音二十二章看到，門徒爭論誰爲大，他們用外邦人的看法來衡量地位，但主耶穌要他們知道世上的權力，和神國的權柄不能相比。因爲世上是暫時的，只有今生有指望，神國卻是永恆的。

所以保羅將自己比作一名賽跑的勇士，他說他只有一件事，就是「忘記背後，努力面前的，向著標竿直跑，要得神在基督耶穌裡從上面召我來得的獎賞。」（腓三13～14）仇敵用地上的權力迷惑我們，要叫我們失去上好的祝福，馬太福音四章中，牠曾經用萬國的榮華來試探耶穌。但主說：「撒但退去吧，因爲經上記著說：『當拜主你的神，單要事奉祂』。於是魔鬼離了耶穌。」（太四10～11）

仇敵要打擾誘惑、試探我們的目的只有一個，就是叫我們分心。但主耶穌已經給我們最好的榜樣，就是向神專一。「當拜主你的神，單要事奉祂。」在世人眼中，任何美好的成就，必須先有正確的目標，再有持續的努力，才能成功。比方：世界溜冰冠軍表演時，要有優美的姿態、靈活的進退、巧妙的運轉，一切都圓滿結束之後，才能贏得錦標。然而，他們爲得一個會朽壞的冠冕，尚且肯花多年的代價；我們事奉主，爲得從上面召我們來得的獎賞，那不能朽壞、不能玷污、不能衰殘、存到永遠的冠冕，豈不更要奮力去得嗎？所以保羅說：「我先前以爲與我有益的，我現在因基督都當作有損的。不但如此，我也將萬事當作有損的。因我以認識我主耶穌基督爲至寶。我爲祂已經丟棄萬事，看作糞土，爲要得著基督。」（腓三7～8）

聖徒有了基督的新生命，那眞理的仁義和聖潔的生命，就得脫去從前行爲上的舊生命，又當將萬事當作糞土，爲要得著基督，就是任何事，就連家人、教會服事、屬靈的恩賜等等，都不能看重過於主，意思是他們不能老在我們心中形影不離，好像黏住你的心，取代了基督的地位。因爲詩篇十六篇4節說：「以別神代指耶和華的，他們的愁苦必加增。」又說：「耶和華是我的神，我的好處不在你以外。」（詩十六2）

在神以外的好處都不及神，因爲神是最好的，求神幫助我們專一跟隨祂。

事奉主這些年，有人說你既不拿薪水，車馬費總該拿吧。又有幾個人說：「探訪時順便推銷一些日用品，一面賺錢，一舉兩得，何樂不爲呢？」這些我都沒有聽從，原因是：

a.有衣有食就當知足。蒙神保守，外子所賺的已經豐富充足，他既擔當了日用所需，使我能專心爲主和福音的緣故事奉祂，這已是我最大的福份。若想另有所求，恐怕不討主的歡喜。

b.被服事的對象會起疑惑，到底你這人來看我，是關心我的靈魂，還是關心我口袋裡的錢呢？

c.我若不將立場擺清楚，如何教導子女愛神呢？

末了，求神幫助我們除了基督，不要有別樣的愛慕。而且在神、在人面前，都要得神的心，時刻行在光明中，專一跟從主，成就祂的旨意，爲祂所用，興起發光，照亮周圍的人。若所有信徒都能如此，我們就成了一支耶和華的軍隊，將祝福帶給這世代的人了。

第十章

上帝教我學忍耐

人在打靶場學射擊時，需要對準，惟有打中紅心，才得滿分。同樣地，治理家庭，養育子女，要照神的方法與智慧，就能達到中心點了。

「敬畏耶和華，是智慧的開端；認識至聖者，便是聰明。」（箴九10）

神看重家庭，祂願意父親的心轉向兒女，兒女的心轉向父親。教會要復興，家庭先要復興，人若不知道管理自己的家，焉能照管神的教會呢？所以管理家庭、教養子女，是爲父母者義不容辭的事情。

「兒女是耶和華所賜的產業，所懷的胎，是祂所給的賞賜。」（詩一二七3）神要我們的兒女成爲有力的大軍，各個強盛，爲要承受永恆的基業，這是祂深遠的目標。由於世事多艱難，人心多險惡，所以祂用大能，叫神蹟奇事隨著凡信祂名的人，好叫我們行走世路，不致膽怯，又因祂的同在而享安穩。然而，我們因爲罪成了貧窮，辜負祂的美意，祂就用智慧，使我們恢復原來的光景，並要我們學習彼此相愛。雖然不足，也要肯分給人，好使我們能富足，可以靠祂行善事。祂要我們的生活多彩多姿，又像孩子們乘坐雲霄飛車，滿心歡喜，滿口歌頌，因祂默然的愛，就能歡欣喜樂。

有一天，神要帶我們到榮耀的天家去，與祂一起永享福樂。如今在地上，神要我們作祂大能的子民，叫瞎眼的得看見，瘸腿的能行走，被壓制的得釋放，這是神的美意，我們要相信，要歡然跟隨祂，努力工作，到了時候，那偉大的工作完成，世人就知道祂是主、祂是眞神。

一、預備等候

兩片雲靜靜等候，雲滿了水就降下雨來。新婚配偶、婦人生子也是如此，時候滿足，必然來到。

神設立婚姻

婚姻是神所設立的，爲要叫兩人成爲一體，同心合意來達成一個人生目標，使兩性相輔相成，得以完全，這聯合可以彰顯神起初照著祂的形象造男造女的完整性。正如經上記著說：「然而在主裡面，女人不可以沒有男人，男人也不可以沒有女人。因爲正如女人是由男人而出，照樣，男人是藉著女人而生；萬有都是出於上帝。」（新譯本林前十一11～12）神造男女雖然功用不同，卻都一樣重要，除非特殊原因而守獨身。如同馬太福音十九章12節上說的：有人因天然原因或環境所迫守獨身、或爲天國的好處而情願守獨身之外，神起初的意思是要男女兩性聯合，以達成人性完美的地步。婚姻是屬靈的神聖聯合，在這個親密關係中，可以略略一瞥神的愛。當婚姻在神的愛上建造時，它就穩固、牢靠、甜蜜，因爲愛的本質是給予，而不是佔有。若沒有這層神聖的根基，婚姻將是人類最大的悲劇。難怪許多人要從婚姻中逃跑出來，所以這層眞理與愛的基礎很重要。

現在，只有上帝有最穩固的愛和眞理的根基。所以在婚姻中，兩者都應將自己全部獻給神，並且順服神，神定會把他們的愛，帶到成熟的地步，即使會軟弱或失敗，但只要抓住大原則，就不會錯到那裡去，並且至終會走向美善，因爲神可以使它成爲美好。

向神求配偶

婚姻既是神設立的，神會有所預備，我們都可以向神求最適合的另一半，這是合理的事情。因爲只有神知道最好的婚姻對象是誰。

婚姻既不是由我們來選擇，就不要隨便約會，若你自己作決定，到處約會亂試，最後要自己負責任。人是從外表來判斷，但神是看透人的內心深處，你若眞有膽量，沒關係，錯了可以用自己的智慧，把它變好，但要預備付代價。

你去旅行時，絕不會隨意搭飛機，總要等候那對的一架來到。如果對的那架沒有出現，也不能因為幾十架都要起飛了，就隨便搭一架，總要等到對的那架出現。在小事上，人尚且有條不紊，何況是終身大事呢？你能把婚姻的主權交給主，是一定蒙福的。因為神是萬有全知的主宰，也是婚姻的主宰。當亞當還不知道婚姻這回事，甚至世上還沒有女人的時候，神已經關心他獨居不好，遂給他預備對象，一點不用他掛心。

那麼，我們怎能知道那位是最合適的對象呢？這就要看你與神的關係如何。祂總會有辦法叫你知道，只要你專一找祂，就能找到。所以，我們首先要預備好，作一個對的人，順服聖靈的修剪，在本位上忠心。其次，再買一些有關幸福家庭、教育子女的書來看，一方面增加知識，同時可以將想要的對象告訴神。以下可以供你作一個參考：

1. 必須是重生得救的基督徒

聖經說：「二人若不同心，豈能同行呢？」（摩三3）又說：「你們和不信的原不相配，不要同負一軛。」（林後六14）這是神的定規，是信徒當守的，不然，一個走神的路，一個走世界的路，必要起衝突，而且不信的可能叫信的遠離主。

2.同家人關係和睦相處的

家庭是一個小社團，若是第一個圈子不能和睦相處，又怎能期待第二個圈子能作得好呢？婚姻不只是兩個人的連結，更是兩個家庭的連結，所以充足的預備可以減少衝突。

3.有一個共同的目標

最好的婚姻是兩個人都有同一心志，爲共同的目標齊心努力，才能因同工而同榮、同喜樂。因神創造我們，也要我們在工作中得喜樂，而不是只爲吃喝和生存。若是神呼召你要全職事奉主，你就要有一個肯奉獻、一生爲主的對象，才能與你同負一軛。

4.愛神的人

一個愛神的人，一定會愛你和你的家人，因爲「人若不能愛看得見的弟兄，就不能愛看不見的神。」（約壹四20）那些愛神的人，也必是一個肯付出、肯負責任的人，也不會愛世界，便容易相處了。

5. 有穩定工作

一個人有正當的工作，能自立，也會是個勤勞努力的人。

6. 等候神

神說：「你們要安靜，要知道我是神。」（詩四六10）亞當作完工作，安靜睡了，主把妻子帶來。「你所作的，要交託耶和華，你所謀的，就必成立。」（箴十六3）安心等吧，主會告訴你的。水果成熟了才會甜，是你的，跑不掉；不是你的，有了也不能滿足，何必呢？

7. 兩個家庭互相接納

有人不接納對方的家人，或家人不接納對方。結婚後許多年，都要忍受彼此關係緊張的壓力。若知道是出於主的安排，就求主來證明。祂既改變你的心，也可改變對方的心。「王的心在神手中，好像隴溝的水，隨意流轉。」（箴廿一1）等到時機成熟，大家快樂再成婚，這樣就帶來更多的喜樂。

當你們因依靠主，歡歡喜喜的，從眾親友的慶賀聲中步出禮堂時，你們已不再是兩個人，乃是一體了。那時，你當抱著一顆天天捨己、愛主、愛配偶的心，來迎向你們的新生活。正如你們在神面前已宣誓過的：「無論是苦、是甜、是樂、是疾病、是健康，都願意愛對方到底。」這樣的話，說很容易，到作就忘了，為了加添記憶，這兒有一首歌，或者能幫助你在必要時，對心說話，使你可以少流一些眼淚，多有一些歡樂。詩歌說：「只有神能背你飛越苦境。只有神能為你籌算一生，當你眞實的放下自己，倚靠祂無限的膀臂時……」來，讓我們一同唱《何等的蒙福》：（見下頁）

適應新生活

兩性正當的聯合，建立美好家室，是可喜的事。若是從禱告開始，就成功了一半，再能殷勤籌劃，必能逐漸豐盛。雖然會有摩擦，免不了有神的修剪，使你會痛、會苦，但你經過了，就更美好了。有人說：「婚姻好像兩條小河會合，難免帶來許多洶湧的波浪，與吵鬧的聲音，但很快就連結為一，繼續向前，變成更寬更深，且更有用了。」所以經上說：「兩個人總比一個人好。」（傳四9）為了更美好的明天，必須謙和相待，就能同心同行，同得美好的果效。為此，以弗所書告訴我們：「妻子當順

何等的蒙福

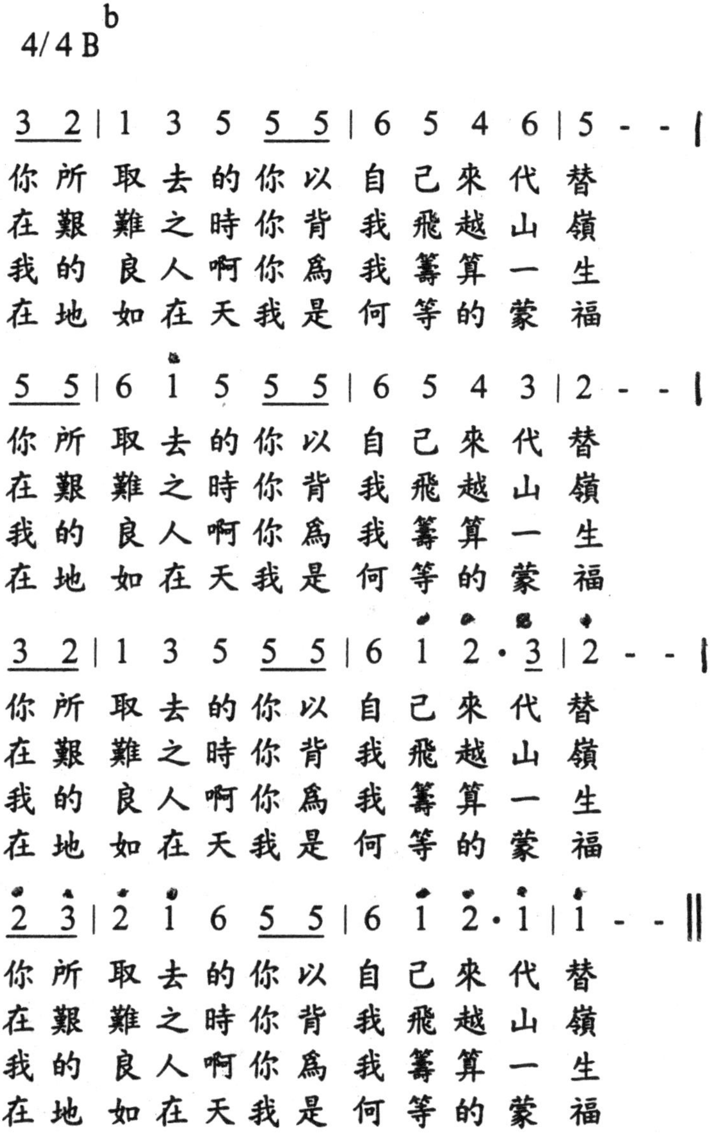

4/4 B♭

3 2 | 1 3 5 5 5 | 6 5 4 6 | 5 - - - |

你所取去的你以自己來代替
在艱難之時你背我飛越山嶺
我的良人啊你爲我籌算一生
在地如在天我是何等的蒙福

5 5 | 6 i 5 5 5 | 6 5 4 3 | 2 - - - |

你所取去的你以自己來代替
在艱難之時你背我飛越山嶺
我的良人啊你爲我籌算一生
在地如在天我是何等的蒙福

3 2 | 1 3 5 5 5 | 6 i 2̇・3̇ | 2̇ - - - |

你所取去的你以自己來代替
在艱難之時你背我飛越山嶺
我的良人啊你爲我籌算一生
在地如在天我是何等的蒙福

2̇ 3̇ | 2̇ i 6 5 5 | 6 i 2̇・i | i - - - ‖

你所取去的你以自己來代替
在艱難之時你背我飛越山嶺
我的良人啊你爲我籌算一生
在地如在天我是何等的蒙福

服丈夫，如同順服主，丈夫也當愛妻子，如同愛自己一樣。」這是神的定規，能如此行，必然和諧美滿。

神是婚姻的主宰，祂要夫妻一同承受生命之恩（彼前三7）。所以不順服就是不珍惜神的恩典，也不怕神的責備，就是不智慧了。除了兩性的差異，還有家庭背景、教育與個性的不同。故此，夫妻難免會有許多爭吵，惟有和睦的親族關係才能建立好的家庭。我們當彼此接納與敬重，總要互相謙讓，共付代價。聖經教我們：「你們作丈夫的……要敬重妻子。」（彼前三7）「妻子也當敬重她的丈夫。」（弗五33）並且又「當存敬畏基督的心，彼此順服。」（弗五21）

有一位女醫師嫁給一位工程師，她感到被虧待了。有一次，她寫下丈夫為她作的一切善事，才明白過來。原來，丈夫給她許多的好處，是憑她個人無法賺得的。從此她很敬重丈夫，並且全心感謝神。神願意夫妻彼此相愛，如此才能有眞正的幸福，若不合作就得不到，要合作的根基必須彼此敬重。神是婚姻之主，祂要幫助你。「我所說的話你要思想，因為凡事主必給你聰明。」（提後二7）所以誰先放下自己，順服主的道，誰就先蒙福，而且越早越好，不要生氣，生氣會叫你生病。主說：「生氣卻不要犯罪，不可含怒到日落。」（弗四26）故此，先道歉的人可以睡得香，睡得好。雖然你可能只錯百分之五，但為了這一點道歉也是有智慧的。

從前我愛爭鬧，但聖經教導我要遠離紛爭，因為「愚妄人都愛爭鬧。」（箴廿3）遠離紛爭是人的榮耀，我就定意要討主的喜悅。當我聽從之後，好事就經常發生，使這個小家庭滿了愛和笑容。惟有我們彼此赦免，上帝才赦免我們。

十字架是進入榮耀的路，倘若你樂意承擔婚姻的辛苦，後面就有榮耀。有位姊妹聽到這話，靈裡大得釋放。原因是：她的公婆在她家住了十五年，她心中常埋怨說：「他們為何不同其他的子女住呢？」現在她明白了，原來上帝一直給她更多的屬靈恩典，藉此訓練她的個性。這好比一個家中有兩個孩子：一個不喜歡唸書，就少唸一些；一個喜歡唸，就多唸一點，唸高深一點，機會均等，只看你選擇什麼。

基督徒在難處來臨時，有自由去選擇得勝與失敗。你若選擇十字架，就是選擇得勝，因為十字架總是在冠冕之前，受苦總是在榮耀之前，這是得榮耀的路。當你明白這個原則，就容易放下權利，等候榮耀的來臨。如果你確知你的賞賜在主那裡，你就自由了。只要感謝，讓祂掌管，你將會因神的作為驚奇，因祂的慈愛歡呼。以賽亞書三十五章8節：「在那裡必有一條大道，稱為聖路，污穢人不得經過，必專為贖民行走，行路的人雖然愚昧，也不至失迷。」你若想討主喜悅，從主得力，捷徑就是「十字架」，將一切交在主手中。

總要相信，和對方的家人相處是一種藝術。要繼續尊重對方的家長，讓他們有單獨與兒女在一起的機會。還有，要小心你的口，你若謹慎你的口，給主來用，就有金蘋果在銀網子裡，能滋養人心。但若隨意爲撒但所用，就會燒出地獄的火來毀滅人。有人說：「說話時至少有十八條肌肉在作工，三十三條神經在動作。四十五分鐘的正常生活，才能排泄出十分鐘說話所產生的廢物，可見多言有害。」仇敵要破壞家庭，常叫人想起人的惡。但神要建立家庭，要我們看別人比自己強。仇敵常在我們不注意的時候，將惡念放進我們心中。比方：你明明在上班，突然有一個壞思想說：「某人昨天眞是可惡啊。」這突如其來的惡念，就是仇敵作的，你要立刻奉主名拒絕它，並且求主祝福那對不起你的人。又要想念神的話，思想美善的事，就能得平安。如果你家時常有爭吵，當先向神承認自己的罪，靠主耶穌寶血洗淨，然後奉主耶穌的名，斥責那爭吵的靈，再爲一切的事來感恩，末了，求主竭力保守聖靈所賜合而爲一的心。

合一是很難的事，既然神要我們合而爲一，就當緊緊跟隨主。就如交響樂團，大家跟著指揮進行，必然和諧。人與人相處要天天如此。在說話之前，聽話以先，不妨先作個禱告，向神求恩典，求神賜下合宜的話和能聽的耳。求神叫我們心靈敏銳，能靠神的能力繼續合一。如此必能多多蒙福。

第一年的新婚生活最新鮮、有趣，也最困難。美國人叫第一年爲紙婚年，可見這一年多麼脆弱。所以頭一年，兩個人當多多單獨相處，多交談、溝通，不要忙別的事，對彼此的想法、作法、習慣、打算，多多了解、協調，竭力建立好的回憶。也不妨用筆記把好事、趣事寫下來，在合適的機會向對方提一提，使他快樂。總要靠主打下一個安穩快樂的基礎。神願意夫妻快樂度日，祂知道第一年最重要，所以在申命記二十四章5節說：「新娶妻之人，不可從軍出征，也不可託他辦理什麼公事，可以在家清閒一年，使他所娶的妻快活。」現在人沒有聽說有這回事，能度蜜月一個月的也不多，但神的意念高過我們的意念，總要叫對方快活。你若在新婚期，我為你感謝神，好好享受吧！把第一步走好，才能剛強壯膽，去迎接你們愛情的果子。

懷胎之甘苦

許多女人的經驗告訴我們，懷孕眞是苦。想吃要嘔，大腹便便，雙腿腫脹，夜裡難眠，腰瘦背痛，九個月的考驗終於達到頂點，還得在產房忍受許多鐘點的疼痛掙扎。所以聖經裡將一個面臨強敵、無以面對之時的痛苦，比作「婦人產難之苦」。

姊妹們，妳能想像：那驚慌慘叫、無能爲力之際嗎？那時，若有丈夫陪在身旁，該是多麼大的安慰啊！雖然丈夫心中可能更加軟弱，但是你們作丈夫的，應當在旁助陣，而且要多多禱告。聖經告訴我們爲何生孩子那麼苦，因爲自從始祖夏娃犯罪以後，神就對她說：「我必多多加增你懷胎的苦楚，你生產兒女，必多受苦楚。」（創三16）可見犯罪與受苦是有關的。

我從前不懂這些，所以多犯錯，也多受苦。懷孕前三、四個月，幾乎什麼吃的都難以下嚥，連聞都不行。餓了想吃，看了想吐，好像天天在跟丈夫作對。還記得那冰天雪地的日子，外子下班回來，要自己作飯外，還要看到我這張愁苦、噁心的臉。不但回到單身生活，還要伺候太太，爲了怕我聞味，一個人躲到遠遠去吃，一點情調也沒有。等到大腹便便，行動像隻河馬，夜間不能入眠，作丈夫的還要跟著付代價。還記得當時我想要吃台灣肉鬆，請媽媽寄來。媽說：「將肉製品私運進美國是犯法的。」我當時還生她的氣。自己不對還要怪罪別人，難怪受苦多多了。

在生產的過程中，第一胎因爲身子小，早產還容易。第二胎頭特別大，大約十小時的生死之爭，眞是苦不堪言。雖然如此，主恩實在夠用。當時候滿足，突然間疼痛停了，一個可愛的小生命從我體內出來，奇妙啊，眞奇妙啊，我彷彿是從天使的手裡接過這份榮耀的厚禮呢！相比之下，那先前的苦就不足介意了。但婦人懷孕盡都是這樣的嗎？不，也有懷孕期間，心中歡樂，口中常笑，照常作業，不慌不忙，等到生產，孩子落地，就像母雞下蛋，家常便飯，而且產後恢復神速，怎麼會有這樣大的差別呢？讓我們來看下面的說明吧。

懷胎須知

1.遵行聖經教導

提摩太前書二章15節說：「女人若常存信心、愛心，又聖潔自守，就必在生產上得救。」你若想在生產過程中順利，就要在信心與愛心上有長進，培養聖潔的生命，又持家盡責，就能在分娩中得蒙保守。還有，在提多書二章4節也說到：太太要愛丈夫、愛兒女……。所以，一個女人若能先信了主，放棄從前以自我為中心的生活型態，轉向神和眞理，她將會在懷孕和生產上蒙福。

2.讀書、上孕婦課、看一些有關的書來增加知識

我懷第一胎時，聽說散步會幫助生產，但我缺少知識去使用這項忠告。既然散步很好，外子便過於好心，帶我穿越小山坡，走了兩小時，果然見效，孩子當晚就出來了。由於只有四磅多重，所以往後的兩個月十分辛苦。因為早產兒吃不多，每兩小時要吃，三個月才八磅重，眞是欲速則不達。

3.胎教很重要

要多為腹中的孩子禱告，可以讀經唱詩給他聽。好多父母的成功秘訣在此，這樣

出來的小孩特別乖巧。你說：「胎兒不懂，不能明白。」但神聽見了，祂照你的信心給你成全。況且胎兒的靈會知道，他能感覺到愛與關懷。有人如此作，孩子出生後很快就會笑，而且與許多嬰兒放一起時，他就顯得特別安寧，連周圍的人也感覺到。

一位姊妹告訴我，某人生產時胎兒的腳是往下的，醫生說要剖腹。由於孩子的父親平時常呼喊孩子的名字，和他說話，於是他徵求醫生給他一個機會試一試，他就大膽地向腹中的孩子喊叫：「John，我兒，你媽要生你了，你方向錯了，快轉過來吧。」結果，胎兒立刻轉過來，不須開刀就順利生出，醫生和護士都很驚訝。

4. 懷孕期切忌爭吵

生氣使身體中化學反應失常，胃酸過多，易生胃病，血壓變高，一切分泌也失調，因此人對病菌的抵抗力減低，直接影響胎兒的發育。經上說：「憂傷的靈，使骨枯乾。」（箴十七22）憂傷的靈除了傷害靈魂，還傷害身體。

當你進到一個房間，看到一個生氣的人，也許他不說，表面上很安靜，但你的靈會知道，好像那個氣充滿了整個房間。然而，你是自由的，還可以離開。但你若懷孕時常生氣、憂愁，你腹中的胎兒就不能離開這消極的氣團，他是被擄了。他和你那麼近，不只在一間屋子裡，而是在一個身體裡。我們知道一個吸毒的孕婦，會生下殘廢的嬰兒。同樣，懷孕期間常生氣，也會傷害胎兒的心靈，以致生下來成了情緒不穩的孩子。

生氣惱人的情況有時是難以防範的，但是主說：「生氣卻不要犯罪，不可含怒到日落。」（弗四26）如此你生氣就不會持久，也不會報復而得罪神、受到主的處罰。當一件爆炸的事情發生時，要立刻安靜默想主的話或禱告片刻，與主連結，你就會有力量來面對困境。如果你覺得有理，不要去爭，神會保護你。你寬恕人的過犯，就得尊榮。有時人心中煩亂，言語急躁，不是要刺傷你。要禱告，神能解決問題。如果你追求平安，平安就被你追上，你就能享受平安。如果對方想勝過你，高你一等，就讓他吧，你就解了他的飢渴，他不渴了，你們就能和平相處。放下自己，背起十字架跟隨主，並不是我們的榮耀，乃是應當的。對付自己的軟弱，是帶你進入榮耀的路程，是一個當感謝的機會，成熟的基督徒都當知道怎樣爲受苦來感恩。他們知道神用此修剪他們，好使生命更豐盛。

5. 常聽美好的聖樂

音樂最能接近人的靈，美好的音樂使人心靈舒暢，壞的音樂則能使靈腐化而犯罪。所有好的音樂中，最崇高的是聖樂，它使你記念神的偉大、信實與美善。每當你唱它，就提升你的靈，進入讚美與敬拜中。進而引發你有甘美的思想、崇高的意念，叫人久唱卻不倦不厭，反而有新鮮感。這樣的聖樂當多聽多唱，因爲每次吟唱之時就是對神的敬拜和讚美，是一個嘴唇的祭，從心裡獻給神的，所以神的靈就動善工，祂會喜悅，也叫你喜悅，使你心靈更新，你的孩子也蒙福。

6. 多多祈禱

有次看到一位孕婦爲生產臨近而害怕，原來第一胎生了四十小時，第二胎再兩天就要出生了，遇見這種事，誰不怕呢？看到她的愁苦，想起自己也曾爲此受過苦，再想想主是滿有憐憫，滿有能力的神。雖沒談多久，又不認識那人，卻滿懷信心地和旁邊的陳姊妹大膽地禱告起來。情況好像當年彼得被收丁稅的人問說：「你們的先生不納丁稅嗎？彼得毫不考慮的回答說，納。」（太十七24～27）耶穌知道了並無一句責備的話，就先教導彼得眞理，讓他明白耶穌是神，不是人，不用納稅……。然後給他預備一元繳稅，使他可以向那人交代，以免出岔子。主眞有智慧能力，祂當年如何幫助彼得解難，如今也幫助我們解難。於是主大方的，照我們這赤子之心的膽量，成就了一切，向這位未信主的產婦大開恩門，只用了兩個小時，就平安生下孩子。可見神有格外的恩典，人應當祈求。

齊來相助

一個輕小的擔子自己背，日久也會疲乏，若擔子不輕，能有兩個人合抬就容易得多了。教會是一個大家庭，結婚時大家幫助，有病時大家問候。生孩子大家關心，如此合作就發揮了神家相愛的精神。在生孩子的事上，尤其是第一胎沒有經驗，遇有破腹或生雙胞胎時，眞是需要很多人的代禱和關懷啊！

有人說：「生一個孩子掉一顆牙」，這可能是在懷孕期間吃得不好。想當年我的苦況，幾個月的稀飯和醬油，竟然還保母子平安，這豈不是因母親的代禱，得天父的眷顧嗎？對新生兒的家庭除了代禱，還可以作菜作飯去慰問。回想我們生第一胎時，沒有朋友在旁，因爲那年搬了家，無人認識，我們在陌生環境中眞是難捱。外子除了負起養家的責任外，還要回家照顧我們，因爲傷口未癒，夜裡要餵孩子，我們就吃了兩星期的三明治。年輕男士們如果你還沒結婚，當趁早學兩道好菜，有備無患。回想那一段孤單疲乏的日子，外子勤勞堅強，好像一粒定心丸。第一個星期還是他替寶貝洗澡的，這眞是何等大的恩典啊！生孩子眞不是小事，若能大家相助，用愛心來澆灌這個小家庭，使他們能快樂渡過難關。這樣，他們以後也能幫助其他的人。多好呢？

生孩子是忍耐大學的第一課，兒女帶給父母的工作還多著呢！你說我們怎能不互

相幫助呢？經上說：「所以有了機會，就當向眾人行善，向信徒一家的人更當這樣。」（加六10）

生養眾多

聖經說：「子孫是老人的冠冕。」（箴十七6）老人家最珍惜和倚靠的，通常不是他們的錢財和學位，乃是上帝與家庭以及他們的子孫，這些是無價之寶，遠勝地上的一切財物，是永遠的財寶。

神爲了賜福以色列民，祂十多次告訴他們要「生養眾多」。他們聽從神，在寄居的埃及地中蒙神賜福，四百多年來生養眾多，極其強盛，甚至連埃及的法老王都懼怕他們。他們在出埃及時成了百萬大軍，而且個個強壯。這就是神祝福那些聽從祂的人。雖然埃及人用猛烈的大軍追趕他們，卻沒有成功，因祂是將窮人安置在高處，並且能救人逃脫苦難的神。

因此，人可以放心生孩子，不用怕。因爲「正直人看見，就歡喜，罪孽之輩必塞口無言。」（詩一〇七42）神話都帶著能力，凡有智慧的應當留心，也要思想神的慈愛。有人說：「這樣忙碌的世代，多生孩子誰來照應，小時難養，大了難教，最後成了一支烏合之眾，還了得嗎？」然而，若把他們從小一個個帶到神面前，教他們認識神、敬畏神，神豈能不看顧、賜福呢？

有一對敬畏神的Mr.& Mrs. South夫婦，可以作一個上好的示範。他們一共生了十個小孩，各個循規蹈矩，彬彬有禮，好像一支小軍隊。某次和女兒去他們家上一個眞理造就課時，有十多人在一起，那晚十點多才結束，大家一轉身，一件不尋常的事情擺在眼前，我們看到他們的小孩，從一歲大的嬰兒到十四歲的大哥，還有Mrs. Suoth圍個半圓，若有其事地看著我們，原來他們在等我們結束，可以吃晚飯。那天因爲情況特殊，我們到了還來不及吃飯，就延後三小時，竟然連一歲的小孩也不吵，這眞是不可思議啊！還有一次他們來我家吃晚飯之後，Mr. South帶他們大小站好，一起唱詩歌，各個站得挺直，面帶笑容，唱得歡喜，沒有人吵鬧喊叫，都很安寧和諧，我們也分享到他們的快樂。這是一個敬畏神的家庭。他們的家具雖然簡單，卻都知足感恩。從Mr. South的書架上，看到那些屬靈的書籍都被翻破了，可知他是勤學主道又善於教導的家長。Mrs. South是一個安靜順服的妻子，在孩子們中間建立了美好的榜樣，以致她大女兒說：「我有一個完美的媽媽。」

有一次，女兒發現我家冰箱雖小，但他們十二口之家的冰箱，竟然比我們的還要小，就想送一個大冰箱給他們。當Mrs. South接到女兒的電話，她說要問過丈夫，不能馬上接受這份禮物。這樣兩次，女兒對他的安靜順服深受感動，她美好的品德，不但感化家人，建立家室，也影響外面的人。他們的孩子，三個最大的，要負責照顧三個最小的，作父母的幫手與眼目，從小學作家事，學習關心人，而小的就看榜樣。全家同心，一同建立家庭。他們並非完全了，但已屬難能可貴。

雖然孩子多，與外界接觸有限，但仍有很好的人際關係，因爲家中有各種不同性格的人，可以學習恕人之道，長大了容易與各類型的人相處，而且從小學會彼此相愛，大了也互相幫助，就是一大利益。否則從小一個孩子難免孤單，被寵作王子，大了自尊心強，就不易適應，因外人不能忍耐他的作風，他就會受苦。聖經說：「少年負軛是好的。」（哀三27）一些作人之道從小開始學的確比較容易。多生子，好處多多。有人說得好：「上帝給我們孩子，叫我們同他們一起玩，可使我們恢復健康、年輕，加添我們的喜樂，使我們的生活不會單調，免得整天工作，加速老邁。」

人的危機，就是用人意來取代神的旨意。如果你有錢不能生育，不如將錢送去照顧敬畏神的窮人的孩子，將來會有回報的。不要擔心局勢險惡，要安心在主的引領與祝福中。因爲「主是謀事有大略，行事有大能，注目觀看世人一切的舉動，爲要照各人所行的，和他作事的結果報應他。」（耶卅二19）要相信管理我們生命氣息的主，祂在暗中掌管生命的舵，祂能看見遠處那美好的景象，並且渴望我們也到那裡去。當我們越發丟下自我，船隻就輕省，便能更快到達那可愛的迦南美地了。

二、爲神養子

爲神養子好像學新語文，需要多忍耐，要按部就班的作，一點一滴地跟隨主，才會有好的收成。

這又像香蕉，在皮裡面成長，順著形狀的約束，供應恰好的養分與保護。等時機成熟時，便能收到預期的果效。

兒女是耶和華所賜的產業，是很珍貴的禮物，我們必須小心地完成神的託付。我們當用愛心來養育他們，用眞理來教導他們，卻不能據爲己有。如此心能平穩，也能教養出好的孩子，並且不會得意忘形，偷竊神的榮耀。

有一天，當神選擇你的孩子往遠方去，你也能夠無憂地放他們走，知道那是主量給他們的分，那時你還能夠成爲他們的禱告同伴，分享喜樂，分擔憂患，而不是絆他們的腳、阻擋神的人。不然，若只就著自己的理想與打算，難免落入世界的網羅裡，就會自討苦吃，白費光陰了。所以當孩子來了，有幾件事需要注意：

1. 驚喜而不驕

當一個孩子哇哇落地時，作父母的是一面緊張，一面歡喜。之後新鮮快樂的事特別多，家中好像一直在放國慶煙火，令年輕的父母時常手舞足蹈，開心不已，一下子生活重點全都轉向孩子身上。客廳裡到處是孩子的照片、孩子的玩具。孩子好像一身都是寶，當然啦，神給的還有不好嗎？難怪父母總是忙個不停。什麼印手印、腳印啦，第一天出院照相啦，名堂多的得是。如果孩子特別聰明美麗，人的稱讚聲不斷，這時要小心，不要愛兒女過於愛神。孩子是神用來訓練我們捨己的。絕不是培養我們的驕傲，我們也不要把子女寵壞，更不能培養他們的驕氣。

有人把孩子當偶像，寵壞他們，生日那天要什麼就給什麼。或大開慶生會，以後又空虛又後悔！其實孩子的生日無須大花費。既然孩子本人並沒有一點出生的功勞，所以無須高抬。然而，若是大家在那天能高舉生命的創造者，一同親近主，唱唱詩，吃吃東西，或者有什麼期盼，大家爲他禱告，說點勉勵的話，旁邊坐著的親人、兄弟姊妹也可以一起數算恩典，大家快樂，豈不是又輕省、又有意義嗎？禮物不是必須的，如果要，可以買本好的書或有創意的玩具，可以增添他的智慧與想像力。這樣，父母們可以免去許多的頭痛。諸如(1)用盡心思也不知買什麼好。(2)與人比賽誰的慶生會出色，以致引起孩子們的不知足與不感恩。(3)甚至感到父母欠他們的人情與禮物。

(4)或者因這種風俗把房子堆滿了不必要的東西。故要以神為樂，教孩子知足、感恩。這樣，那沒有錢的家庭也不感到比人低一等，豈不是很好嗎？

教導你的孩子在生日那天感謝神，讓他們感到自己很特別，因為在那天被生出來，但是總要將這個次序放在神的創造與祝福的下面，把你的禮物放在沒有節期或特別的日子時送給他，卻對準他的需要，給他一個意外的驚喜。當他們在沒有期盼的時刻，禮物突然來到，便能多多感恩了。

有人為了陪伴孩子，會習慣性停止聚會，好像在說：「我們的孩子是我的神」。這種不敬虔的態度逐漸灌輸在孩子心中，是非常危險的。你可知：「以別神代替耶和華的，愁苦就必加增。」（詩十六4）祭司以利就是最好的例子，他滿足孩子的需要，卻忽視神的目標，准許他們縱情享受，吃神禁止他們吃的東西。沒有尊神為大，因此他的愁苦加增，當神的審判來臨時，處罰就落在子孫身上。另外，從亞伯拉罕的故事看到，他有許多理由可以將自己的獨一兒子當作神，因這是他老年生的，是應許得的神蹟孩子。但是，當神作了一個想不到的要求，要他把這個獨一的兒子在山上獻為燔祭時，他並沒有拒絕神的要求。因這件事，他更討神的喜悅。後來不但得回孩子，萬代也因他得福，這福更延伸到萬國萬民中。

2. 安靜能客觀

一個盒子裡若裝滿了鈔票，就不能裝金子。同樣，人的心靈裡若裝滿了主觀與緊張，就容不下客觀與安靜。用主觀來養孩子是不健康的，有時你惟一能作的只有放手，把你的情況交給神，因你是爲神養子，不是爲自己，不要期待自己萬能，樣樣包辦，謙卑倚靠神會容易得多。

外子酷愛運動，當女兒三個月大時，他想訓練她好像有特技的靈活，就把她像拋球一樣向空中丟出去，一次又一次，我看得心驚膽跳，他卻感到信心十足。誰知十次有一次失手，孩子就從七尺高的空中直墜到地，滿口是血，臉腫得好大，幸好神保護，沒有全身癱瘓變成殘廢，沒有腦震盪變成白痴，更沒有死亡。一切神都掌權，人會錯，父母會錯，但神永不會錯。神保護她長得安穩，並且還要用她。

人人都會有錯，連自己也從錯誤中長大，你若常常讓神掌權，就會比較客觀，而且不會因人的錯而念念不忘，反而因神的恩，可以給人第二次的機會。多數的錯是可以修正的，人們也能從錯中學到教訓。羅賓森說：「生命裡免不了有成串的錯誤，而錯得最少的，並非是最好的基督徒，惟獨能改正錯誤，又勝過錯誤的，才是最好的基督徒。」

生命的成長是漸進的，標準不要一下子定太高。生命有它的旋律，不能從一個角度去定它的價値，卻破壞它優美的節奏，揠苗助長只會叫它夭折。就給他們機會成長吧！別忘了神掌權，不要主觀，主已得勝。祂不喜歡我們倚靠自己的力量，我們只要倚靠、順服神，才能得福。

《讀者文摘》曾記載一個名叫來斯理的故事，他六個月大的時候，被一對愛主的基督徒夫婦領養，因他不能說、不會聽又有些痴呆，十二歲那年還要人照顧吃飯和大小便。鄰居都笑他們傻瓜，但這對敬虔的父母，一心相信神造人必有祂的美意與目的，爲的要榮耀神，所以繼續禱告，一心盼望神顯明祂在這孩子身上的旨意。到了十六歲，這對愛主的父母發現他聽音樂時能安靜坐許久，就買架鋼琴送他，又天天放音樂給他聽，不久神使他一夜之間能完整地彈出曾聽過的名家歌曲，以後那些毛病一個一個好了，新聞馬上傳開，因這對父母對神的信心與倚靠，使這孩子成爲不平凡。

其實，我們都是不平凡的，我們的子女也都是不平凡的，因神是不平凡的造物主、是傑出的創造者，祂造萬物都是美好，所以沒有兩個人的臉是長得一樣的，連我們頭髮的數量都不一樣。所以有詩歌唱說：「你的頭髮已被神數過，你的重擔主已替你擔，你不要爲前面道路去愁煩，主內有眞平安。」神看重我們，照顧我們。我們也當看重子女，照顧好他們，照神的意思去作，與主同心、同行、同工，這樣他們就都要成爲不平凡的了。

3. 溫柔非縱容

孩子幼嫩時，照顧他們好像小火煮菜，要慢慢來，要全心、全時間付出，要有耐性，不能匆忙，要耐心等候。讓他天然生命的成長與你技術的協助並進，不能感情用事而不管教，更不可縱容，叫孩子失去祝福。有一個母親把一包糖全數交給她三歲的孩子，弄得他乳牙全壞光。又有一次把一桶螃蟹裡的蟹黃全都讓這個孩子吃下去，弄到孩子耳中流血，要跑急診室。可見，愛孩子過度的父母應當留意。

幼兒吃新的東西時，要一點點、一樣樣、少量地讓他慢慢學習適應它，凡物過量都有害，大人也不例外，何況是孩子呢？孩子十二歲以下的父母爲了安全與智慧，必須替兒女作引導與保護的抉擇，但絕非縱容而引起危險，相信沒有父母願意這樣作。

有一次，有個一歲多的小孩，將父母給客人的點心，從茶几上抓起又丟下，一次又一次，那母親看了很馬虎的說：「順其自然，每個人都有他的個性，需要自由發展。」孩子不懂，這是浪費，但這不是教育，這也不是自然發展的辦法。難道他抓起剪刀又丟下，母親就可以讓他這樣作嗎？所以，當用別的東西讓他抓著玩，趁他在可塑造的時候給予正當的引導。

不要縱容孩子養成偏食的習慣，除非食物引起過敏，可用其他同等營養價值的食物取代，因爲過度偏食的人命不長久。「他們厭惡各樣的食物，就臨近死門」（參看詩一〇七18）。此外，也不要逼孩子吃過多，因爲「人吃飽了，厭惡蜂房的蜜。」（箴廿七7）所以過飽難免厭食、挑食，但當飢餓時，一切苦物都覺甘甜。所以吃八分飽是衛生健康之道。

養子眞需要謹愼，需請教主。記得有年冬天清早，天未亮，我拿著一杯熱水，無意將燈關了，頓時一片漆黑，要上樓感到十分吃力，每一步都要非常小心，別把水灑了，一面不住喊：「主啊，請幫助我。」一面也感到奇怪，這樓梯走了八年，怎麼突然間那麼沒把握呢？原來關鍵在有無燈光上。生活的許多事也是一樣，主有恩惠就容易，離了主就困難。這恩惠又像人的健康，一但失去了，何等不便。教育孩子要倚靠主，不要縱容。

走黑樓梯還有一個感想，就是：昨天的經驗不能誇口。肉體每天需要養分來供應體力，屬靈的生命也是每天需要主賜新的恩典來維持，稍微自誇，主一放手就像燈熄了，在黑暗中摸索一樣。以爲孩子很不錯時，要感謝主，但還要不住倚靠主賜新的智慧往前行。

此外，沒有光時，最好等光照亮了再前行，不要橫衝直撞，白費力氣，或白吃苦。教養子女有難題時要請教有經驗的人，更要請教主：「……祂必指引你的路。」（箴三6）

我們是受託於主管理孩子，就應當求問主。摩西領以色列民在曠野行走，百姓抱怨，他不馬上反應，總是先問主。因爲這龐大的群眾是神託付他的，他無力帶領、供養，惟有神能幫助他。所以，當他問主，就得到最安全的保護，最特別的供應，最穩妥的道路了。同樣，教養孩子也不要縱容，免得你的小天使長大，變成了妖怪，甚至成了全家的網羅。

4. 公平免忌恨

約瑟的哥哥們見父親雅各愛約瑟過於愛他們，就恨約瑟，不與他說和睦的話（創三七4）。後來哥哥們乾脆把約瑟賣掉。這悲劇是因不公平造成的，是一個顯著的例子，可作我們的警誡。

人通常喜歡誇獎或欣賞幼小的孩子。一個家若有兩個孩子長得不一樣，那一個常被人稱讚，另一個就會被人冷落。這時要小心，因爲外面的事是不能更改的，是與生俱來的，如果這個成爲他們價值的根基，就會製造紛爭。父母應當趁早教導子女內在品德的價值觀，培養手足之情，學習彼此記念，和平共處。

孩子們都同有一個活的心靈，弄傷了要快快道歉補償，好像用玻璃棒攪水，要輕聲、要公平，讓他們明白你愛他們，不能偏待，不能有兩種標準。如果父母錯了，應當道歉，不能以爲大人可以例外。如果你盼望子女遵守神的誡命，你就得作好這一點，讓他們明白你的愛。當他們看你絕對尊重神的定規，就是最有力的榜樣。

此外，又要讓孩子們知道，別人照外表判斷他們是不對的，而神是公平的，人看外表，神卻看內心（撒上十六7）。所以要教導他們，不要注重人怎樣看他們，卻要注重神的喜悅。神爲每個孩子都有最好的計劃，當告訴主你的希望與感覺，對主總要有信心，不可對孩子們粗心大意。

孩子們個性不同，都要慢慢了解，一視同仁，因爲神是智慧的神，祂不造廢物。有父母因老大很斯文，就期盼老二也如此，誰知老二像隻猴子，野得很，就常招打，眞冤枉。個性長相不同是天賜，不能作賞罰的根據。要認識子女，必須詢問造他們的主，一些不能改的事實，硬要更改是白費力氣的。一些不能改的自然現象，不要違反，只能接受，進而欣賞他們，也就能感謝神了。

中國人以爲：「萬般皆下品，惟有讀書高。」所以，父母都盼望子女讀書好，能成材。因爲這原因，家中起衝突的也特別多。基督徒父母要知道：神並沒有造每一個人都一樣的聰明，想一想，如果這樣作，世界會是多麼的單調乏味。

某次在一份教會的刊物上，讀到一則故事。就是在台灣有一位周美德女士，從小不愛上學，曾經兩次留級，但是神賜她愛看小說的嗜好，由於被父母討厭，被朋友藐視，曾經兩度自殺未遂，誰能預料她後來會成爲一位名作家呢？人以爲她是家庭的羞恥，註定失敗，但她卻三度應邀出席美國總統的早餐會，如此天淵之別，早年她的父母、朋友和她自己哪裡會料到呢？都因他們沒有認識神的恩賜。聖經說：「耶和華從灰塵裡抬舉貧寒人，從糞堆中提拔窮乏人，使他們與王子同坐，得著榮耀的座位。」（參撒上二8）

孩子聰明不一定是好，聰明人學得快，但將來在社會上工作太容易，一下子就乏味了，倒是讀書不太好的，到了上班時，因爲沒有考試的壓力，反而找到了避難所，就會甘心情願，忠心持守，因爲失敗過，就發展出謙卑的品格，老闆反而喜歡他們。也有人雖然只有小學畢業，卻能當老闆，下面且雇了好多個博士。學問並非生命中的第一。很多人是一個天才，讀書不好不一定就不行，有時學校制度不適合天才人物，要發現他們的長處何在，須禱告求神將它顯明出來。

有人重男輕女，以爲兒子可以傳宗接代，女兒嫁出去就是別人的。時下也有人以爲：女兒比較貼心，有人情味，過年過節會記念老人家，但這些都有偏見。養育兒女都一樣花工夫，何不公平看待，好好教育，至終必有善報。我家兒女各一，都很純良，這都是神的恩賜。女兒常說些話叫人開心，但兒子也一樣好，他能作姊姊不能作的粗重事，對一些突發事件也格外顯出忠誠、勇敢與周到。

有次家中來了老鼠，誰都不敢動，惟有念初中的兒子把牠們抓去丟了。另有一次，有三個小黃蜂窩在屋簷下，十分打擾，又是兒子把牠們殺了。還有一次，忠兒參加短宣，因爲當地蚊蟲特多，需要帶蚊帳，他就帶了一捆細繩子，正好幫上好些沒有帶細繩的人，可以將蚊帳掛起來。又知道當地蜘蛛如手掌大，就帶了一個大玻璃瓶，在那裡替大家抓大蜘蛛。神造男女一樣看重，我們對子女也要公平。兒女是神用來訓練父母忍耐的工具，我們不能戴上有色眼鏡，製造藩籬。

耶穌說：「我實實在在的告訴你們，一粒麥子不落到地裡死了，仍舊是一粒，若是死了，就結出許多子粒來。」（約翰福音十二24）作父母的要看自己如一粒死的麥子，向自己的私慾、老觀念以及世界的價值觀死了，讓神來更新你通往正路，才能成爲眞理的管道，正確地教導子女。作父母的也當看子女如撒在地裡的種子，是爲神種植，種子有生命，何時發芽、何時生長，人不曉得，但孩子只要有生命一定會長。我們只要照常生活、工作，照主的教訓養育、警誡他們，向神有指望，存著感謝的心去栽種，等到成熟了，自然要收成。神是智慧的神，我們要尋找神的旨意與道路，就能公平對子女，叫子女有美好的生命與盼望。箴言八章34～36節說：「聽從我，日日在我們口仰望，在我們框旁邊等候的，那人便爲有福。因爲尋得我，就尋得生命，也必蒙耶和華的恩惠。得罪我的，卻害了自己的性命，恨惡我的，都喜愛死亡。」

5. 妻子是幫手

從前神創造世界，神叫亞當在園中工作，管理動物與植物，又叫夏娃作他幫手，同心協力，沒有私心，彼此合作，建立美好的家庭。然而，在他們犯罪以後，神說：「丈夫會掌管太太，太太要戀慕丈夫。」這不是說：「神要丈夫管轄太太，太太在性上要愛慕丈夫。」神的意思是說：「因爲你們犯罪的結果，本來彼此相愛成了彼此相憎，現在丈夫的罪性，會照自己自私的慾望來控制太太，而太太的罪性是會戀慕控制丈夫。」戀慕的意思是：「想要有不正當的控制」。罪會來控制你，但你要把它制伏。

可是，神在以弗所書五章恢復了起初的婚姻秩序，祂說：「太太要順服丈夫，丈夫要愛太太。」就是要用你的意志、靠神的力量把罪性致死。丈夫若請你把拖鞋拿給他，你的罪性會自然的說：「才不幫你。」腦中可能想：「眞懶。」但藉著神的力量，你能謙卑服事他。又好比人對你說一件事，你太快下結論，或往壞處去想，這也是罪性的表現，現在當把它制伏，作相反的事。如果你太太說了一句看來不合理的話，要敬重她的看法，試著去明白它，你的罪性想要阻擋它，但可能神在用她來提醒你看不見的危險，故要敬重她是神給你的幫手。

先生們不是自然會愛太太，而是自然愛自己，所以神要他們愛太太，如同愛自己。太太則要順服丈夫，不可硬幫幫地順服，卻要樂意地隨時順服，他說什麼，你就應他，能作就作，只要不與眞理起衝突就去作，不要反向而行。作妻子的必須先順服，因爲「懇切求善的，就求得恩惠。惟獨求惡的，惡必臨到他身。」（箴十一27）你若先順服，神必爲你興起，替你征服對方的心，因爲神明白你的困苦，知道你心中的艱難，你只要順服，不要作聲。哥林多後書十章6節說：「我已經預備好了，等你們十分順服的時候，要責罰那一切不順服的人。」只要把信心建立在神話語和祂應許上，就必有神蹟出現。主的話要思想、要行，就是聰明人，就能亨通，不要愁苦，將生命消耗，不要歎息而曠廢年日，不信主就會敗壞，信靠主才能亨通，因你一生的事全在祂手中。

你當壯膽堅固你的心，只要仰望祂，主必保守你免去爭鬧。因爲耶和華保護誠實人，足足報應行事驕傲的人，你有神的生命，就必能靠主得力。所以詩篇十八篇32節說：「惟有那以力量束我的腰，使我行爲完全的，祂是神。」這樣，妻子就可以作一個好幫手，隨時配合丈夫的需要了。幫手並非弱者，聖經多次說神是我們的幫助。夫妻當互相幫助、平等相待，因神是照祂的形象造男造女。當男女同等合作，就是彰顯神的形象。

夫妻同心，才能建立美好的家，使全家快樂，連周圍的人也同享快樂。根據創世記三章的原則，丈夫在外工作養家，妻子在家生產兒女，管理家務，作好幫手，使丈夫沒有後顧之憂，是一幅家的理想圖畫。你說妻子很有才華，不上班損失可大了。是的，這樣想是很自然的。一方面，當今的女子，多數從小沒有操練面對家事，像從前那樣。一方面全力發展，用腦不用手，同時可能父母要求功課唸好第一。加上在學校唸書，壓力大，競爭激烈，無人談家務事。而且畢業後，社會潮流又看重事業、金錢與享受，而非家庭、孩子與品德。因此，不跟潮流走會被人取笑，所學不用又荒廢可惜，就更難去冒這個險了。於是，管它是否眞理，先顧眼前的再說。如此一忙十年、二十年，你的「犁」就更放不下了。

很少有優秀的妻子上班又能養育敬虔的子女，自己同時又很健康。所以，有了孩子能留在家中是比較好的。不然，若繼續上班，擔子會更重。耶穌說：「祂的軛是容易的，擔子是輕省的。」如果你感到擔子太重，背負種種的責任，隨時要倒下來，就不是出於神的了。把子女交保姆代管，讓兒女的發育生長、心靈的需要、有趣的動作，都交給一個陌生人去管理，豈不是損失太重嗎？有人交父母去管，會比較放心，不過孩子學東西很快，你怎麼待父母，他們將來也怎麼待你。父母已經盡了上一代的責任，到他們年老時，應當是你家中的顧問與貴賓，而不是你的廉價保姆。就讓他們享受金色年華吧，他們可以參加週間教會的聚會，每月出去玩玩，他們快樂，你將來就不會遺憾，且更有福，錢財夠用就好了，何必勞碌求富呢？

假若妻子精力過旺，能兩樣兼顧，或者在家有個副業也好。不然，兩人都全時間上班，就像車子有兩個油門，但沒有煞車和方向盤，何等危險。油門就像錢進來，煞車與方向盤就如管家與教育子女，缺一便失去平衡，會出毛病。人的經歷有限，不是重這個就是輕那個，總有損失。所羅門王當年高高在上，為了自己的榮耀，花費許多人的生命，累倒了老百姓。我們不要把與子女、家人相處的時間，轉去發展事業，卻忽略了孩子們的需要。多賺只有多花費，何必叫你夜間心不安，白天又緊張度日呢？

再說，爭取那一點點時間，使得身心疲憊，心急氣躁又何必呢？本來可以慢慢作，也許多花五分鐘時間，可以活健康一點，活快樂一點，多活幾年，結果還是賺更多時間，且更平安。傳道書七章8節說：「事情的終局，強如事情的起頭。」每一天都是神的日子，我們在其中要高興歡喜。當叫你的子女在成長中感到這份喜樂，何必兩個人賺一樣的「東西」呢？你聽過「滿了一把，得享安靜，強如滿了兩把，勞碌捕風」（傳四6）嗎？忽略了丈夫、孩子們的心靈需要，將時間拿去換錢，之後發現，這錢無力買回你家人的心。錢花了可以再賺，但是時光過了不能再來。孩子可以塑造的年日一旦走了，就再也回不來。彎曲的不能變直，缺少的不能足數。人太有限，米已成粥，太遲了，傷害已經成型，那時孩子不聽話，夫妻同床異夢，家中無一人滿足，都因沒有煞車，沒有方向盤，這樣的苦是何等難受啊！

妻子的角色不在於賺錢，乃在關心家人心靈的需要，叫家人日後有指望。聖經說：「你要詳細知道你羊群的景況，留心料理你的牛群，因為貲財不能永有，冠冕豈能存到萬代。」（箴廿七23～24）羊群、牛群是活的東西，貲財、冠冕是死的東西，活的總比死的強。人的生命總比金錢強，賺錢越多，到頭來都給稅務局、保姆、餐館等等拿去了。千萬別讓你的孩子要奶嘴、安全毯子、保姆和錢財，卻不要母親。

有些夫妻倆都很聰明，但孩子考大學考了三、四年才考上，由於他從小給保姆帶，保姆照顧他的身體，卻沒有給他心靈的訓練與教育，幼兒的腦子是需要刺激的，愈用就愈利。或者人以為保姆能作許多事，但她不能將最好的給子女。或者你以為自己不能作什麼，但起碼父母有從神而來的眞愛，是別人無法給的。對一個孩子來說，可以看得到媽媽在眼前，就是極大的安慰。

聖經列王記不只述說一大堆男子與國王的事，它也表明了女人作好幫手的重要性，那些好妻子就有好孩子，長大了就成了好國王，給百姓祝福。而壞妻子就養出壞國王，叫百姓受苦，可見妻子有很大的影響力。

有人愛錢過於生命，逼得丈夫只好不斷出差，甚至太太也出差，最後兩人的心也跟著愈飛愈遠，非弄到離婚不可。富足並非婚姻中的第一，愛一減少，婚姻即亮起紅燈，分多合少，愛就減少。放下你的權利吧，何必為錢財而增添煩惱呢？只有在基督裡有通路，有眞智慧，因爲神要丈夫養家，就給承擔「壓力」的能力，神要妻子生子作好幫手，就給承擔「受苦」的能力。這樣，各人擔當自己的一份，合作起來就有好成果，這是神的原則。所以夫妻要常在一起，凡持相反方向的，就是用腳踢刺，一定會痛，除非目的非爲錢財，爲著特殊的需要或神國的緣故，不然在一起是最好的。太太的角色是作丈夫的幫手，若她總不在旁邊，就難勝任了。

下面是一個特殊又眞實的故事。在一個聚會中，一位姊妹分享她的見證時，深深地痛哭。原來她是一個女強人，因自己的能幹，經常和政府要員在一起，日子久了就輕看她的丈夫，甚至把丈夫踩在腳下，長達二十年。其間，她從未作過家事，也不下廚房，也不倒茶，還要丈夫來順服她。別人以爲她好威風，稱她女強人，可是心中的苦楚只有自己知道，原來她沒有眞平安與眞快樂，更沒有眞滿足。當她聽到聖經上說：「妻子要順服丈夫」時，起初她不服這句話。直等她信了耶穌，主的生命在她裡面起了一個大翻轉，雖然才信主幾個月，就能順服眞理，順服丈夫，好好持家，作各樣點心美味，給丈夫和家人吃，她發現愈發尊重丈夫，心中愈發快樂。她說：「聖經是對的」。她恍悟到：那二十年是白過了，只有過去的幾個月才是人生的開始。順服眞理就是順服主，主必向祂的話負責，發揮祂話語的權威與功效，只有在順服中才有眞自由與滿足。

聖經說：「要以善行作裝飾，才配稱爲敬畏神的女人，女人應該安靜而又完全順服的學習，我不許女人教訓男人，轄制男人，女人總要沉靜。」（在聖經新譯本提摩太前書二章10～12節）。女人必須學順從，女人不應當教導男人或控制他們，只要安靜。眞理是女人的保護，也是男人的保護，但違反它的必要吃苦，順服它就要蒙福。神是公平的神，祂要作妻子的順服丈夫，注重內在品德，關心他人。主的話是用來遵守，並非用來研究的，一旦明白，要把主話活出來就有功效，如果活不出來，可以禱告，求聖靈加添力量，使我們能活出來。

有次讀提多書二章4～5節：「好指教少年婦人、愛丈夫、愛兒女、謹守貞節、料理家務、待人有恩、順服自己的丈夫，免得神的道理被毀謗。」我就求主改變我的個性，放下指摘人的指頭，作順服的好妻子，討主喜悅。主實在是看顧人的神：「我們立志行事都是神在我們心裡運行，爲要成就祂的美意。」（腓二13）生命不對的時候就體貼肉體，生命對的時候就體貼眞理。主賜恩給謙卑的人，抵擋驕傲的人。人一謙卑，便能嚐到順服中的喜樂，凡站在主這邊的，便能看到神蹟。

感謝主，自從祂吩咐我回家，給我兩份工作，照顧家和看顧鄰舍以來，十多年了，主使我生活得充實又有意義，滿有祝福與恩典，直到如今，孩子們大學畢業還說：「媽，你在家眞好。」

有一天，正當要寫〈妻子是幫手〉這一篇時，女兒笑瞇瞇地把一個彩牌交給我，上面寫著：「一個孩子能有一個時常留在家中的母親，他的心是多麼蒙福啊！」主恩眞大，叫我這個原來心靈瞎眼的可以看見，不明白的可以明白，不能的成爲能，都因順服了祂，豈不是嗎？若非神的看顧，怎能不早不晚，就在此刻，女兒高高興興地將這個彩牌放在你面前，這就應驗聖經上論到神的顧念說：「我用慈繩愛索牽引他們，我待他們如人放鬆牛的兩腮夾板，把糧食放在他們面前。」（何十一4）我因順服神，使生命與家庭都有了眞價值與眞意義。

神要妻子作幫手，妻子若敬重這個職分，便是榮耀神。不用擔心前途，只要甘心順服主、順服丈夫，你生活的需要神都知道。上帝看顧小麻雀，也必看顧你。

幾個蒙福的榜樣

1. 李姊妹的見證

李姊妹是學教育的，由於她珍惜兒女過於自己的事業，樂意在家教導兒女，要把神的話種在孩子們的心中，使他們到老都不偏離。她有三個孩子，最小的才幾個月大。每早晨、早飯前，她都講聖經故事給七歲的大女兒聽，並且一句句教她唸箴言、詩篇和新約，這樣經過四十五分鐘智慧的追尋後再一起禱告。其間，兩歲的老二在旁邊必須自己安靜玩，不出聲，學會自我約束。因此叫她丈夫無後顧之憂。並且滿心歡喜這個家，她遂成了丈夫的珍寶：「才德的婦人誰能得著呢？她的價值遠勝過珍珠。」（箴卅一10）

李姊妹的丈夫是作小本生意的，她支持丈夫，除了處理家務事外，又在家兼顧公司的財務工作。每天晚上飯菜準備好，丈夫什麼時候回來不一定，他若願意就請他講公司的事，不想提就不再問，因爲丈夫是一家之主。每當他回來，孩子們都熱烈歡迎，家中因無電視就多有時間，父子一同玩樂。丈夫每晚給孩子們講動物的品德故事，叫父親也清楚明白孩子們的生命長進程度。

其實，許多工作一旦弄通了，再作就近乎是機器人，何況人的生命不在乎家道豐富，夠用夠吃就好了，勤勞的人不會缺乏，加上信主的人還有天父看顧呢！所以，丈夫們當愈早回家愈好，而有小孩子的妻子當留在家中。家是愛之窩，李姊妹天天和丈夫同心合一，要把孩子們磨成神國的英才，以備爲主來用，是何等可貴。「才德的婦人是丈夫的冠冕」（箴十二4）。

2. 葉姊妹的見證

葉姊妹是學電腦的。她告訴我爲何樂意留在家中。多年前，她見過一位成功的護士學校女校長，曾問她：「基督徒姊妹在家好還是上班好？」那女校長回答說：「我寧願窮，自己帶孩子，也不願富有，將孩子交給別人來看管。」原來她是一個好母親，當他把三個子女養到高中時，才出去讀個護理碩士，就從四十多歲上班到退休，她在家庭與事業上都很滿足、很成功。神是公平的神，她尊敬神，神就報償她。「敬畏耶和華，心存謙卑，就得富有、尊榮、生命為賞賜。」（箴廿二4）

葉姊妹又聽到幾個人的見證與榜樣，加上她丈夫也建議她，即使妳四十歲開始上班到六十五歲退休，妳都會不想作了。她就決定留在家不上班，並且很滿足喜樂。「教導智慧人他就越發有智慧，指示義人他就增長學問。」（箴九9）

請聽她十多年來的感想：「當孩子們還小，丈夫回家也幫忙換尿布，很體貼。有幼兒的母親最好能參加一個姊妹會，大家分享甘苦談，互相受益，在家的零碎時間可作點創造性的手工藝品，增添生活情趣。能一直堅定不移留在家是要有遠見的，好像結婚一樣。父母要用最好的方法去爭取孩子的前途，這是他們一生的命運。故此，妻子留在家是天經地義的事。

人以為上班有成就感，孩子只要吃喝就好，這是錯的。人不像一般的低等動物，還有心靈的需要，心靈的培養需花上許多時間。所以，一分代價一分收穫。

為何值得放棄好薪水呢？因為他是放棄暫時去賺永恆的財寶。將來看見子女長大，有順從的心與敬虔的生命，就得著永恆的價值。主恩典夠用，許多人一面顧孩子，一面要上班，變得高不成低不就。一個成功的人，一定有犧牲，腳踏兩隻船很難平衡，寬路前必有窄路，其實神的路是愈走愈寬的。有人以爲，時代女性留在家不打扮，願意犧牲一切，是不可能的。但我卻很高興。如今，子女聽話，夫妻相愛，每兩個月一次帶兒女去老人中心表演唱歌、朗誦詩，陪他們聊天，眞快樂。人活著不是單爲自己，所有母親能顧好家，又看顧周圍人的需要，盡上一些心力，使社會更溫暖，生活更有意義。

奉勸作妻子的要順服，不要患得患失。聖經中眾人說：「耶穌復活了。」但多馬不信，非要看到主釘痕的手不可。人對神的事就是那麼傻，那麼彆扭。如今，我們家成了一個事奉團隊，孩子們懂得體貼人意，有同情心，成爲神更寶貴的器皿，這是我因順服而得的賞賜。

人不是機器，要留一點空間給自己，不要以爲空閒時間是浪費。其實，上帝賦予人很多的潛能，不發揮才是眞浪費。往往機械式的生活耗盡我們的精神，沒有達到神要我們發揮的最高效用，你能體會神的心嗎？求主開我們的眼能明白主的心腸，教導我們順服主，養育好自己的兒女，神就有一個管道，可以祝福你了。

神樂意賜福我們，要人內在更加進深，不要爲暫時的財寶工作，卻要憑信心走窄路。神看顧野地的花，又看顧寡婦，也必看顧你的家庭。一個討主喜悅、單純蒙福的家庭能感動人。父母和子女要成爲最好的朋友，這是天經地義的事，而且最榮耀神。撒但盡力打擊家庭，爲要拆散毀壞，我們當破除牠的詭計與欺騙，靠主大能，站在當站的崗位上，使家庭成爲耶和華榮耀的軍隊，與己與人都有利益。聖經說：「智慧婦人建立家室，愚妄婦人親手拆毀。」（箴十四1）願天下作妻子的都是丈夫的好幫手，都能建立一個榮美的家。

3. 朱姊妹的見證

朱姊妹是電腦工程師，是我忠心的禱告同伴。她結婚好幾年，尚未有子女，因看見神的路美好，就情願留在家，每天上午好好親近神、讀經、禱告、唱詩，先得著神的靈力，叫自己心田飽足，有感動就將神的話一段段記下來，作爲生命的指引。除了顧丈夫、顧家外，也常常爲許多人禱告，求神賜福。神就用她祝福許多的人。

比方：有個太太需要換肝，因害怕而三年不敢作，變得身體每況愈下，全家不安。後來我們去探望，一同禱告後，主就感動她告訴病人：「不用怕，但要悔改與親人和好，主會醫治你，並且要用你作見證。於是，這位太太謙卑下來，流淚悔改。之後她到醫院，神就醫治她了。如今她常常喜樂，到處對人說主的偉大。

另有一位先生拿到博士後，有六個月找不到工作，但家有妻兒，眞是著急，經朱姊妹禱告，告訴他不用擔心，主有預備，但先要爲停止聚會來悔改，並要把握機會，因爲主就開這一扇門而已。後來到了第五天，他就有工作了，並且年收入不少。

朱姊妹專心倚靠主，神使她手能開銅弓，她恩待人，不求自己的喜悅，神就使她原本愁苦的心變成歡笑，以後神也恩待她，給她生一個兒子。「房屋錢財是祖宗所遺留的，惟有賢慧的妻是耶和華所賜的。」（箴十九14）

神的兒女們，要留心耶和華的作爲，勇敢誇出去，在我們裡面的耶穌比那在世界上的一切大多了。世界的趨勢叫人往下滑，但神是要我們走得勝的路，爲要建立我們，使我們享福，我們當跟隨主往高處行，愈走就愈看見這條路是自由、榮耀又有盼望的。求主幫助我們，讓我們照祂的方法，用眞理親自養育子女。

三、欣賞家人

上帝要我們欣賞家中的每個人，就像欣賞不同種類的花一樣。祂又要我們欣賞家人，好像人戴了潛水鏡入海底尋寶一般。因爲每個人身上都隱藏著珍寶。

聖經說：「你要人怎麼待你，你就怎樣待人吧。」（太七12）因此，若要人關心你，就要先去關心人，若要人尊重你，就要先尊重他們。只要一心爲善，至終必有善報。

狂風只能叫人把衣服裹得更緊，陽光一出來，人自然解去外衣。同樣，過嚴就使人退避，但欣賞能開啓人的心靈。一個人若專注意自己，不會欣賞人，就不能建造他人。愛挑剔人的，他的兒女也會挑剔別人，因他從小被挑剔，自尊受傷，自卑太過，到他有點機會就要提升自己，於是就挑剔別人。這樣的靈不是從神來的，一旦家中有這種情形，當趁早奉主耶穌的名捆綁那惡靈，免得你們中間有惡性循環，造成不良後果，並求神來醫治過去的傷痕，使你能眞正的饒恕，而不是在傷痕的陰影下過活。求神的靈釋放你的家，將祂的自由與祂的愛充滿你們。

欣賞人需要耐力，耶穌能看到人以後的光景，就不著急。你只要多忍耐、等候神的作爲。

沒有人看到玫瑰去碰它的刺，都是欣賞它的美。同樣，人人都有優點，何不欣賞他一下，偏要去找他的缺點呢？聖經中拿但業聽到耶穌是拿撒勒人，就對腓力說：「拿撒勒還能出什麼好的呢？」耶穌看見拿但業就指著他說：「看哪，這是一個眞以色列人，他心裡是沒有詭詐的。」（約一47）耶穌一句對的話，就贏了拿但業的心，他就信了耶穌。還有一次有幾個人，批評馬利亞打破玉瓶，用香膏澆在耶穌頭上。但耶穌說：「…為什麼難為她呢，她在我身上作的是一件美事，她所作的，是盡她所能的：我實在告訴你們，普天之下，無論在什麼地方傳這福音，也要述說這女人所作的以為記念。」（可十四6、8～9）但是，當耶穌見到假冒為善的文士和法利賽人時，就說：「你們這些毒蛇之種啊，怎能逃脫地獄的刑罰呢？」（太廿三33）可見耶穌對拿但業的誠實與馬利亞的奉獻能夠欣賞，但祂也知道當用強烈的語氣說話。祂誠實地介入人的罪中，即使會被殺也不顧。祂是就說是，不是就說不是。祂看見人心裡的惡就責備，看到人心裡的誠實、美善就欣賞稱讚。深信拿但業和馬利亞當時一定很受安慰與鼓勵。「一句話說得合宜，就如金蘋果在銀網子裡。」（箴廿五11）人看人常憑自己的感覺和環境判斷。所以，照人來看，前面兩個人沒有人會欣賞，但耶穌是照人心裡的動機來判斷，就能欣賞且鼓勵他們。

小孩子為什麼時常開心呢？因為他們能力有限，一點點好，就得大人誇讚。難怪他們的小臉時常開花。這樣，何不在大人身上，特別是家人身上花點心，將你的欣賞眼光澆灌下來，使他們被提升，讓家中充滿喜氣呢？欣賞人是一劑良藥，能使人心靈舒暢，帶來能力與祝福。

1. 欣賞人需要細察

許多人生的道理，可以從自然現象學習。聖經告訴我們，螞蟻是無力之輩，卻在夏天預備糧食。螞蟻是很平常的小蟲，無人會看重牠們。但神要我們細察牠的動作，學習牠的勤勞。某次有人被仇敵追殺，逃到一個山間破屋中，正在灰心喪膽之餘，無意間看見一隻螞蟻，爬上牆數十次，一直往下跌，但牠不放棄，直到最後成功爲止。他就立刻矛塞頓開，力量也恢復了。

欣賞人能建立人，又建立自己。比方：孩子從車禍中回來，你要細察他的感受，問問他的安危，而不是車子的狀況，你就得了他的心。多年前有一天，兒子騎了輛新單車，被汽車撞到十字路中央，我們全家心痛他的經歷，又大大感謝神的保守，卻沒有人理會那輛全毀的車，他的心很受安慰。如今兒子長大後十分顧家，看到我洗碗累了，就去買架新的洗碗機回來。當我喜歡某人的自製麵包機出的麵包時，他就買一架回來，並且作了超過兩百多個麵包給我們吃。情人節前，他提醒爸爸不要忘記，自己又和姊姊去買花、請父母上館子。看見他們姊弟愛家，買這買那的給我們用，心中歡喜，再稱讚他們兩句，他們就對我們更好。有一次，兒子表示欣賞外公、外婆作菜請我們吃，當時他要出差，就包了兩個紅包給他們，令兩位老人歡喜異常。兒子小的時候有一次考試失敗，外子對他說：「不要緊，你已經很用功了，爸爸以前也失敗過。」

他得安慰後，以後就更加用功。

如果你聽到某人說：「昨天我沒出席，有沒有人問到我啊？」你就知道他需要你關心。愛是厲害的動力。某次，我看到女兒的衣服沒收好，就指著她說：「妳這臘肉要掛到幾時呢？」她回答說：「媽，妳眞是的，有愛心就什麼話都說得出來了。」我們好開心，目的也達到了，話不隨便，但輕鬆便有果效，仔細欣賞是很有能力的。女兒將我每餐作的飯菜作記錄，爲了將來成家時作參考。由於在家的日子不多了，就更要珍惜，因她幾分鐘的欣賞，我一切的辛勞都值得了。

欣賞人不可盲目偏失，離了眞理。但一個眞實的回答就像親吻。某次外子誇自己工作好，講多了，我媽就用溫和的口吻輕輕地說：「吃蜜過多是不好的，考究自己的榮耀也是可厭的。」他很感激岳母智慧的勸教。聖經說：「不可使慈愛誠實離開你。」（箴言三3）眞愛心是有原則的。生命還是比學問恩賜來得重要。

2. 欣賞人就能尊重

聖經教導我們，總要追求良善與和睦，惟獨彼此尊重與欣賞，才容易維持良善與和睦。有一個女孩喜歡照相，她男朋友就去上照相課，藉此討她歡喜。她需要車子，他就把車子的註冊、保險、汽油都辦妥了，供她使用。她讀書不會，他就教她。女方家人都稀奇，她怎麼有那麼好的福氣呢？原來，這女孩有一個大優點，就是很會欣賞與感謝。她給男友足夠的自尊，使他快樂，這比金子、銀子更可貴。男士們就是需要人欣賞他們，每當他問你：「看我作得怎麼樣啊？」你能說：「好棒啊！」你就餵飽了他，他就會愛你。有人研究：成功的丈夫通常背後有一位很會欣賞他的太太，以致丈夫信心長得特別快。其實，他們沒有比別人強多少。

韓國的趙鏞基牧師有七千萬會眾，是世界上最大教會的牧師，雖然得到許多人的稱讚與欣賞，但他對太太說：「我不能沒有妳的稱讚。」這是對的，一個堅固的根基，當由內向外發展，所以福音也是由耶路撒冷開始，才能往外傳。人說：「在家千日好，出門一時難。」可見家是何等重要，它供應你一切的力量。但家中再好，有時也難免有困難，家人的愛心再好，有時不一定都用對的方法打動你的心，那時你就要仰望耶穌。

記得婆婆在世時，有次得了具傳染性的肝病，當時我們同她一起吃飯。她好意挾菜給我們吃，我們尊重她的愛心，一邊笑笑接受，一邊卻切切求神治好她，並且保守我們。結果，主眞的醫治了她。我們經過醫生的診斷，也都平安無恙。聖經上長大痲瘋的病人求耶穌醫他，耶穌本來說一句話就可以，但祂動了慈心，竟用手去摸他，這樣不但治了那人的病，也溫暖了他的心。因爲耶穌的觸摸代表尊重，能醫治那人一直被別人拒絕的創傷。記得女兒早產時，許多人都同情地說：「眞可憐」，或說：「好小啊！」卻只有一個人說了一句令人難忘的話來鼓勵我們。她說：「別擔心，她以後會比妳高大。」一句積極、看重人的話叫人回味無窮，我們因這話得著盼望，也重新得力。神給人盼望，我們也要尊重人，給人有希望。

有次外子失業，有人以爲我們糟透了，要送錢給我們，我們卻謝絕了。因我們的神是活神，祂是叫我們在患難中抬起頭來的神，必叫我們在日後有指望。於是，外子請我到一家優美的餐館，慶祝了一番，吃了一尾鮮美的清蒸活石斑、芥藍菜心、八珍海味，好開心啊！以致侍者來問，說：「你們是度假嗎？」豈不是，難得的空閒與自由。結果不久，主給他更好的工作，我們的心願，主早已知道。你尊榮祂，祂就要抬舉你，我們也當彼此尊重。

3. 欣賞人能記念人

蝴蝶愛花，時常看花，輕輕端詳，左看看，右看看，總是很滿意，因爲神將牠們的生命連在一起，所以蝴蝶會常常欣賞花兒，使得花兒更艷更美。神也把家人連在一起，若是家人都像蝴蝶和花兒，彼此記念欣賞，這世界將有多麼美好啊！「看哪，弟兄和睦同居，是何等的善，何等的美。」（詩一三三1）

聖經上，大衛王是一個合神心意的人。大衛一天七次讚美神，稱頌神爲大。而神喜歡人讚美祂、欣賞祂，記念祂可稱頌的聖名，留心祂的作爲。人是照神的形像造的，所以人也喜歡別人記念他、欣賞他。可惜，人往往不懂珍惜，到了分離才知道想念。有次女兒出遠門，三日不見，突然從電話錄音帶中傳來她寶貴的聲音：「哈囉mongibu!」這是她平時對我親熱的稱呼，她喜歡語文，所以給家人都取了綽號。她是一個善解人意的孩子，記得她三歲的時候，有次看到爸爸的眼鏡放在茶几上，她說：「太危險了，小孩子會拿到。」於是她將椅子推到書架邊，再把小凳子放上去，自己爬到頂端，將眼鏡放上書架，然後把椅凳放好，就安心地搖搖小手，說：「現在小孩子就拿不到了。」每當提起這件事，總是叫人歡喜。女兒是個替人著想的孩子，大一那年，因爲吃大伙飯，比較空，爲了叫兩個室友高興，她就天天替她們倒垃圾，如此一年之久。第二年她搬到公寓，以後她的朋友看到她就說：「哎呀！我每一次倒垃圾就想到妳啊！……」旁邊的人聽見就說：「她只是爲倒垃圾才想到妳啊！」但女兒不這麼想，她說：「哈！頂不錯的，還有一件事叫她常常記念我。」

此外，她也喜歡將家人可愛的電話錄音收藏起來。她曾收藏過一段外婆的錄音，上面說：「恩德啊！聽說妳拉肚子，不知道妳好了沒有？我很想念妳，我是外婆。」愛的聲音永不嫌多，總是聽了還想再聽。我們的兒子忠兒，有一顆憐憫的心，他四歲那年，看到五歲的姊姊在哭，就賣力地把比他高的立地電扇，推到姊姊面前，意思是想用電扇吹乾姊姊的眼淚，藉此表示他的同情心，弄到姊姊笑起來。

一個家若夫妻彼此相愛，兒女才有安慰，周圍的人也會受益。妻子當記念丈夫，賺錢養家的辛苦，丈夫也當記念妻子，爲兒女和家務事勞苦。夫妻當時常溝通，不然就得花上額外的代價了。

孩子一、二歲的時候最忙碌，他們會跑來跑去，容易出事。我們孩子這個年齡喜歡在牆上畫畫。有次外子在家，讓我出去自由活動。臨走前，他說：「怎麼牆上畫成這個樣子？」我說：「眞抱歉，沒有注意就成了這個樣子。幸好，這裡有一面牆是乾淨的，希望你今天看好他們。」沒想到，下午回家，他也對我說：「唉，一直好好的，只一個不注意，這面牆也畫上了。」

夫妻眞要彼此記念，若你嘗試對方的難處，就知道感恩了。我很感謝主，讓我在葡萄園教會學會感恩的眞諦。某次下午六點多，晚餐已經預備好，外子勤樸還沒有回來，心中有感動，想親近主，操練一天七次讚美敬拜主。於是，我來到客廳，鬆開雙手向外伸，使身子輕輕轉動，雙腳慢慢跳躍著，口中不由自主地唱著即興的節拍：「哦，主耶穌，主耶穌啊，主耶穌啊。」唱啊，跳啊，轉啊，心中突然被主愛充滿，十分甜美，轉了幾個圈之後，又回到廚房，此時心中十分柔和。

突然間，想起勤樸很辛苦，天黑了還沒回來，想到將來離開世上，主再來接我們升天，就不能再作夫妻了，這樣我們當更珍惜餘下的光陰。想著，想著，突然聽到那熟悉的腳步聲。「飛筆，飛筆。」呀，他在喊我呢！他下班回來時，常常都是一面喊，一面向家門快走。奇怪，我怎麼從來沒有覺得，這聲音有那麼悅耳，忽然想到，將來有一天，我會聽不到這聲音而懷念呢！想到以往總總的方便，我真是感謝他呢！記得某次在十哩外，鑰匙鎖在車裡，他來救我。某次生病，半夜他唸詩篇給我聽，加添心力，又削蘋果給我吃。有時寫信給長輩，因他字體工整，請他代修飾加上抄寫，他不但照辦，更加上福音經句，眞叫人開心，他是何等可愛。

「忠信的使者，叫差他的人心裡舒暢，就如在收割時，有冰雪的涼氣。」（箴廿五13）如果我們能全家一同被提有多好！這豈不是因爲一天七次讚美主，才有那麼甜美的思想與喜樂呢？主說：「以神爲樂，祂就將你心裡所願的賜給你。」時常親近神、讚美神，發自內心愛慕祂，就是以祂爲樂，祂就能使你喜樂感恩，記念心所愛的人。有人說：「溫柔是一切可愛性格中的精金，是一切基督徒品格中最好的品格。」主也說：「我心裡柔和謙卑」，我們當負祂的軛，學祂的樣式，就必得享安息。我深深羨慕性格溫柔的人，因爲自己沒有。但主能把它賜給我。時光不多，我們要珍惜家裡的人啊。

某主日，牧師證道中提到邱吉爾，一位二十世紀聞名世界的英國政治家兼文學家，他生前曾爲自己安排好追思禮拜。在禮拜結束前，現場傳來由喇叭吹出「熄燈號」的號角聲，表示一代偉人也有離別的一天。到一切都結束了，就在大家準備離席之時，突然又從另一角落傳出「起床號」的號角聲，在場的人都莞爾笑了。邱吉爾向人類宣告：「主已復活，主必再來，叫凡信主的都要復活，這是勝過死亡的主，帶給我們的盼望，因爲主是萬有的主宰。」主記念我們，我們也當彼此記念。

4. 欣賞人需要捨己

欣賞人要先放下自己的想法與作法。兩個孩子兩、三歲時很會打鬧。弟弟拉姊姊的辮子，姊姊就哭；姊姊抓弟弟的手，弟弟就哭；整天互相告狀，雞犬不寧，令人很頭痛。直到有人教我一招，要多提他們的優點，我就對姊姊說：「弟弟如何喜歡妳。」又對弟弟說：「姊姊如何關心他。」即使爲一塊小餅乾彼此分享的事，也要說了又說，但對他們的錯，說過一次就夠了，這樣他們就會彼此歡喜，自然相安無事。這方法很合乎聖經所說的：「凡是眞實的，可敬的，公義的，清潔的，可愛的，有美名的，若有什麼德行，若有什麼稱讚，這些事，你們都要思念，……賜平安的神就必與你們同在。」（腓四8～9）種下好思想就建立和平，拔出壞思想就減少仇恨。我們家採用這個方式之後，的確和平得多。方法對了，發展起來就有好收成。

這是第一步，全出於神的恩典與憐憫。還有第二步，也是主的恩典，使他們如今成了最好的朋友，彼此相愛，令人羨慕。這第二步是神直接啓示女兒的。當她中學時，神對她說：「有一天，弟弟會比妳高大，還會比妳有錢，那時你要和他作好的朋友，還是仇敵呢？妳想想，你們若好好相處，讓他以後作妳的朋友，他可以對妳很有利益，可以幫助妳，而且兩個人關係好，會有尊榮。別人會羨慕你們，尊敬你們，如果長大了感情不好，就會很丟臉啊。」其實，他們那時已經很少有摩擦，只是不及現在那麼親密。她想想：「對啊！」就努力去爭取作弟弟的好朋友。她說：「我常常故意對他好，常常提醒自己不好的話不要說，故意找機會去幫助他。起先很呆板，但我以神為是，定意操練欣賞他，努力照這公式去進行，漸漸地習慣成了自然，到後來就有眞愛流出來了。」

她捨下自己，定義成全弟弟，建造、欣賞他。於是，弟弟也愛她，後來有人問弟弟：「你們家是不是很完全啊？」他說：「我們並非完全人，但我們學習欣賞對方。」他們高中畢業兩年後，化學老師還把他們當做模範，告訴學生，他們是所有學生中，最好的化學實驗同伴和姊弟。如今他們到那裡都令人羨慕，享受尊榮。

兒女相愛是神的榮耀，也是父母的喜樂。有一天，是大學返校日，姊弟倆歡歡喜喜地將弟弟的東西搬回他的住處。我在車中看見他倆手足情深，一前一後地快樂奔跑，穿越在巨大的老梅樹下，花瓣落了一地。弟弟腳步輕健，白梅花的花瓣兒不禁隨著飄起，我不期然地抬頭，看著那株美麗動人的梅花，向主唱出了即興的歌：

「主耶穌，我感謝祢，我感謝祢，我感謝祢，我感謝祢，我感謝祢，我感謝祢，我感謝祢……」這樣不住的唱，心被恩感：「主愛有多深，主恩有多大」，祂在這些事上要顯明什麼呢？祂要說一件事，就是：大家彼此欣賞並不是不可能的。

有一天，我聽到家母對爸爸喊：「寶寶來吃飯。」八十歲的爸爸開心地來了。哇，眞是耳目一新。我就回家學樣，對丈夫如法炮製一番，果然見效。他立刻跑來，興沖沖地將我抱住，搖一搖說：「妳這麼可愛啊！」可見人需要被欣賞與被愛。

種欣賞就收欣賞，並非不可能的事，神早已將善放在人心中，使我們都知道什麼是善，心中也渴望善，因這是從神來的。神造世界本來都是美好的，但因人的罪入了世界，就被弄得七零八亂，變了另一個樣子，以致神的咒詛臨到，叫一切受造之物，不能活出它被造時應有的榮美，甚至一同變爲虛空，一同歎息勞苦。但信徒是有指望的，有一天主要再來，就可以脫離那敗壞的轄制，一同享受自由的榮耀了（參羅八18～25）。

世上吸引人的東西五花八門，但最貴重的還是人，因爲人裡面有一顆心，當你使這顆心甦醒過來時，你就會得著報償。讓我們一同努力去爭取家人的心吧！欣賞他的內在動機，而不是看他表面的失敗。我們會欣賞谷中的百合花，更要懂得欣賞家人暗中作的好事。就如小朋友會看重溪流中的小圓石。我們也要特意去找到那些小小的美德，再加以稱讚一番。主耶穌也稱讚那個奉獻小錢的窮寡婦。主爲我們在十架上受辱捨身，因爲祂看重我們這個人。爲要恢復神起初創造的榮美，我們也當學主的榜樣，去建立他人。我們操練敬虔，也要操練欣賞。

四、要有彈性

我們若將全部獻給主，讓主將我們一切不好的拿走，我們在主手中就眞有用了。

當海豚受了訓練，一隻接一隻跳過鐵環，再聚攏一起吃東西時就更香，玩在一塊兒也更有趣，這是受訓和犧牲所帶來的成果。同樣地，當家中所有的成員都能因著愛而彼此付代價、肯讓、肯犧牲、肯調整時，這個家的凝聚力就更強而有力。

夫妻與家庭若想日趨進步，就當：

「不要先求對方改變，乃要先求自己改變。」

一個和諧的家，不講理由，多講愛與捨己，必然會逐漸美善。

當我們的孩子年幼時，他們常幫忙作家事。爲此，我們曾給他們一點零用錢爲報酬，藉此訓練他們勤勞，以及對錢財的責任心，就設立一個作家事與得錢的辦法來。於是，洗碗就用兩個星的標籤，貼在月曆上；倒垃圾是一個星……如此類推。一星期結束，每個星可換五分錢，四年以後工資再加一倍。此外，又每人一個存錢筒。外面都有兩個信封，一個是存放一週賺的十分之一，留作主日奉獻用；一個是存放自己零用的十分之一，剩下的十分之八留作上大學用。等錢筒太重時，孩子的爸爸說：「可以放進銀行替他們保管，他們只須用一張卡片，每次到爸爸哪兒去核對便可，方便多了。」小時候他們對錢幣看了又看，摸了又摸，如今長大，不玩了，就欣然接受這項建議。

後來，他們都想買一輛腳踏車，就從自己的存款支付，不足的以後再補還給爸爸。雖然當時我心有不忍，因他們很乖巧，這點要求，可算爲我們給他們的禮物，況且他們才小學五六年級，就要背負這麼重的擔子，未免太過了。但聖經說：「人在幼年負軛，這原是好的。」（哀三27）這話成了他們的成長根基。外子是對的，爲了愛，我們要同心建立這個家，孩子們也沒有異議，反而很有成就感，兩人都很滿意。因爲是兩人努力賺來的新腳踏車，所以學它、用它都很認眞起勁，懂得珍惜，更是快樂滿足。再說，姊姊從來不會因弟弟的腳踏車比她的貴而埋怨，因他們各人都要付自己的車錢。這樣的錢財管理法，到了高中畢業，姊姊已存了超過兩千多元，弟弟則存了一千多元，其中也包括他們從外面家教賺來的錢。爸爸說：「你們作得好，不用再算了，都進入你們大學的費用中，以後再也不需要這些卡片了，因爲你們可以開始有自己的銀行戶頭。」到了讀大學，他們才明白，多年所省下來的錢是何等的少，因此對父母的養育之恩就有了新的認識。所以從那時到如今，他們一直都主動地作各種家事。

人能接受權柄與一點壓力是好的，就算權柄有時會錯也不用怕，因爲還有神。以色列民當時在埃及作磚，法老王卻不給草，如此不合理的壓力下，當他們出埃及時，竟然個個強壯。爲此，我甚感激外子教子有方，他是一個有數學頭腦的人，也是一位稱職的父親。也感謝主，使我當時能沉得住氣，叫我今日有大喜樂。

妻子順服丈夫，眞是上好的福份。神的智慧高過我們的智慧，當你順服祂的方法，就會有意想不到的祝福。祂的優先次序永遠是爲我們好的。孩子們也學了爸爸的智慧，就是人應當勤勞努力去換取所得的。外子本身是個勤儉、忠心又知足的人。神也聽了我們的禱告，二十多年，他幾乎是不加班、不出差，也不用兼差，而所需用的一切都有了。神使他手中的事盡都順利，作事又快又好，時常比公司老闆的要求多作一些，老闆也很信任他，常常倚靠他。他在公司裡有好的見證，孩子們看在眼中，也學習爸爸的勤勞努力，所以他們不論到哪兒，都容易與人相處，而且學會手勤就會富足的眞理。

由於我身爲人妻，情願多向妻子們進一言：「不要一點不順眼就爭吵，不要教導丈夫，只要爲他禱告。因爲撒但不能趕出撒但，用血氣不能說服人，只能叫人生氣。」所以經上說：「回答柔和，使怒消退，言語暴戾，觸動怒氣。」（箴十五1）「你見言語急躁的人嗎？愚昧人比他更有指望。」（箴廿九20）「殷勤籌畫的，足致豐裕；行事急躁的，都必缺乏。」（箴廿一5）所以凡喜愛爭吵的妻子，丈夫就因妻子的囉嗦，躲在一邊，用電視、報紙來面對她。「寧可住在房頂的角上，不在寬闊的房屋，與爭吵的婦人同住。」（箴廿一9）如果妻子不趁早醒悟，反而變本加厲，恐怕丈夫要用多加班、多出差來面對她了。「寧可住在曠野，不與爭吵使氣的婦人同住。」（箴廿一19）當然這不是說所有出差、加班的先生都是落難者。

其實，神很看重妻子的角色。經上說：「智慧婦人，建立家室；愚妄婦人，親手拆毀。」（箴十四1）卻沒有說丈夫有這等威力，可見妻子很有影響力。她是家庭的心臟，神既看重作妻子的，姊妹們就要朝這方向發展。快放下自己，不要太固執。當你想不通時，仰望神吧！想到祂無限的能力，一直看顧著我們這有限的生命和家庭時，你就會感恩，因你並不孤單。主的恩典夠用，我們要心存敬畏，因敬畏神的一無所缺（詩卅四9）。「敬畏耶和華，心存謙卑，就得富有、尊榮、生命為賞賜。」（箴廿二4）某次聽到一句對我的評語，實在是無中生有，但我被主愛激勵，沒有反駁，同時悄悄求主赦免他，並稱頌神，尊主為大，心中馬上就被喜樂充滿，原來十字架是帶人進入聖靈充滿的途徑呢！

以下容我分享一點給新婚的弟兄姊妹、朋友，怎麼作一個有彈性的人，好使自己能進入更美好的婚姻生活中，在各樣突發事件，或難以面對的環境中不致失去方向，而且站立得穩？

1. 要柔軟

如果你是一根直的竿子，人家是圓的，你就不能合。但如果你是一條細軟的繩子，就可以適應他們的形狀了。人家今天若變成三角形，因你是軟的，就合了他，摩擦就會變少。你若整天硬梆梆的，就整天碰釘、受傷，故此，要改變你的觀念。觀念要先改，方法是時常看遠的地方，這樣你的丈夫掉了一百元，也不用緊張，反正比起他賺的錢，就算不了什麼。若掉了一千元，也不用焦急，反正將來到天上去，這一千元就不算一回事了。因為人比物貴重，人際關係比一百元、一千元更有價值。你開車一直想到目的地，就會緊張，若能看看路邊的景色，便享受到生活的藝術了。

有人為擠牙膏的方式不同而生氣，有人用完還是直的，有人用完就扭曲了。如果你是小心的人，用完還是直的，而你為此生氣的話，奉勸你大可不必。家是用愛和各種技巧配合，變得越來越好的，想一想自己也不完全，不如乘機包容一下，下回，他也包容你不是很好嗎？所以為了往後有好日子過，就收斂你的怒氣吧。不要說怎麼又是這副怪樣子，你可以這麼想：「嗯，眞是很好，他扭一個彎，我弄一個直，他又扭一個彎，我再弄一個直，我們好像在跳牙膏舞呢！」天天叫這支牙膏有兩個步驟，不亂腳步，而且當我用它的時候，可以感覺到：「嗯，他已經來過了。現在輪到我，我要想，又有一個機會可以服務他，把它變直，好叫他可以擠得很痛快。」到有一天你三天不在家，他就不痛快了，那時才發現，你很寶貴。這樣，你們的感情就更濃厚了。

觀念會影響行動，觀念先改，摩擦就會減少。初結婚時，丈夫送我一束艷麗的紅玫瑰，眞令我眼開、口開、心開。誰知過了幾小時，他說：「花最新鮮時送妳，現在已經舊了，可以拿去送給系裡的老闆，因為他要請我們吃飯。」嘿，哪有這種事，這個說法還沒遇過呢！從感情的觀點來看，實在無法接受，但想一想，從數學的觀點來看，何嘗不是一箭雙雕呢？反正婚姻的路還長，比較起來，這件事就微不足道了。

新婚夫婦好像探險家，天天都可以發現新大陸，突破新的難關，又得著新的知識。並且要每時每刻對自己裡面的人發表演說：「要征服『己』，才能贏得勝利的明天。」有時像在曠野行走，只要緊緊倚靠神，主已勝了曠野的試探，仰望祂必能享受長久的平安。

還記得多年前，初次給自己一項小小的測驗。由於神的命令很多，我就先從凡事謝恩作起，這句話很特別，我想試一試有多難，或有多少祝福。那天和大弟一起要辦好幾件事，就請他作裁判。結果，在五六個小時中，每件事、每句話我都拿零分，都觸犯了「凡事謝恩」的條例。在開車時，許多的爲什麼就失分了，「爲什麼前面的人開好慢」、「爲什麼後面的人跟那麼緊」，卻不知道自己有時就是那前面的人，又是那後面的人。在店裡又問：「爲什麼這些橘子不甜？」卻沒想到輪自己種種看，哪一年才有得吃？

習慣是很微妙的事，它會跟著你，好像一個影兒。有人習慣在那家買菜，就常去那家。所以新開張的店就有大減價，等到客人多了，習慣來了，減價就沒有了。在禮拜堂也一樣，習慣坐那個位置就老坐在那裡，以致你一次不來牧師就知道了。因爲很多習慣不容易改。建造一個新習慣，要重複作才行。所以不要對人太緊。反過來說，別人要你改什麼時，你能訓練自己一聽就改，就給人有好印象，又容易適應與人來往，這種立即性的訓練可使個性轉好，故要對付意志。

家母是一個柔軟的人，大家都喜歡她。偶爾女兒問：「外婆的衣服都是從哪兒來的啊？」就發現它們來自六個不同的國家，原來都是朋友愛她，送給她的，連理髮師都喜歡她，因爲她的要求只需比以前短就行了。當他們作不好，她就說沒問題，他們以後會進步的。

她常說：「人要像不倒翁，不要倒而不起。」她爲什麼會這樣呢？部分原因我想是經過了長久戰爭的苦難。戰爭把人打到谷底，把人搶奪一空。當你一無所有，再有什麼都是好。所以有人說：「苦難是化裝的祝福。」她因受苦，就多求神的恩。聖經說：「患難生忍耐，忍耐生老練，老練生盼望，盼望不至於羞恥。」（羅五3～5）所以要歡迎改變，歡迎不同的境遇，因爲一切事，主都能使它變爲美好。只有在基督裡的恩典，才能使我們不斷地長進成熟，變成柔軟有彈性，能與人好好相處。家母因多替人想、多讓人，就多得恩，變得剛強、有盼望、無牽掛，成了多享平安與喜樂的人。願主幫助我們都能作一個柔軟、能適應而多蒙祝福的人。

2. 要接納

如果配偶的個性叫你不高興，你當知道是神把他造成那種個性。神造國家公園優勝美地供你欣賞，你得開車住旅館才能看到。今天神也造他在你身旁，不必勞駕，開眼就得，與你結件。你不感謝還要怪誰呢？你豈不知這是神的精心傑作，特別爲你安排的嗎？

有次外子半夜把我喊醒，因他想通了一道數學難題。天啊！我的數學只有高中程度，哪能懂得他研究生的難題呢？何況這是半夜三更啊！看他那麼起勁的說，我兩眼半開半閉，怎樣也得裝個懂，充當臨時的聽眾。等他說完後，我也看見了，今天就算愛因斯坦也得有聽眾來接納呀。還好，當時尚沒有孩子，再發表幾次也無妨。

我家兒子是個仔細不急的人，而女兒常會因此急躁。比方，兩人出遠門，講好一點鐘啓程，到三點還沒收拾好，眞急人。其實這不全是兒子的錯，是上帝造他有仔細的個性，他的行李一定每件都數過、摺好，末了還用電腦打出來，三件內衣、兩件外衣等等，這是上帝創造的嘛，所以他作了機械工程師，他若馬虎粗心，用他產品的客戶將多麼危險呢？如果你要他作精細的工程師，又要他出門五分鐘可以上路，像姊姊一樣，就矛盾了。所以是姊姊錯了，她的觀念要改。因爲人的優點時常就是他的缺點，而缺點就是他的優點。姊姊既然明白了，就不能定幾點是幾點，那麼就定一天吧！這個一定不會錯。從她想通以後，就說：「再過四、五小時就會好了，這樣就不緊張了，可以慢慢作自己的事。」等他說差不多了，可以走了，她就開始收行李，把東西胡亂一丟一塞就出發了。結果，姊姊反而欣賞弟弟。爲什麼呢？因爲她少這個少那個，就去問弟弟：「你有牙線嗎？」「有。」「啊，剛剛好，剛剛好。」「有拖鞋嗎？」「有。」「好極了。」是的，把你的期盼放寬一點，呼吸輕鬆一點，豈不好嗎？可是姊姊的方法是：到時多買一根牙線，回家還能用，也沒什麼大礙。有時時間很重要，因爲飛機不等人，但忘了帶出國護照或機票，這也很嚴重。所以彈性是要先改自己的看法，把觀念稍微改一點，叫自己不生氣，容易適應。所以接納別人也就是善待自己了。

3. 丈夫是頭

一輛火車不能有兩個頭，同樣，一個家也不能有兩個頭。神設立一家一個頭，丈夫是頭，不是暴君，是作屬靈的頭。有引導、供應、保護的作用。神要妻子作幫手，只要順服丈夫，如此全家的步調才一致，而且一同順服在神的秩序權柄之下，就必蒙祝福。雖然丈夫可能會錯，也不要在意，反正他上面還有神掌權。妻子只要禱告和相信。從前老大出生太小，自己不敢碰，好在外子是頭，他就一把抓起如抓貓，快快替她洗把澡。我在一旁看得寒毛直立。就這麼一星期過來，孩子也長大了。

孩子小時，星期六是家庭同樂的時光。有一天我們正開心談笑，突然接到公司的電話，催外子快快去幫忙。正感到掃興之際，六歲的女兒說：「爸爸你去幫他們好了，我在家替你禱告，若成功了，別忘記告訴老闆，是耶穌給你的聰明啊！」後來事情果然很快解決了。女兒問：「你有沒有告訴人是耶穌幫你的啊！」「啊！忘記了。」可見凡事主都擔當，連小朋友都知道，主必聽眞誠的禱告。

有一天一早，先生對兒子說：「今天不用作麵包了，這個夠用了。」但兒子心中有數，知道早餐吃完就剩下不多，於是中午他從公司打電話回來：「媽，妳想晚上吃麵包嗎？」「好啊！」「我可以現在回來作一個晚上用。」「不，你太辛苦了。」「沒關係，不會的。」於是他回來作了，晚上就有一個香噴噴出籠的麵包，皆大歡喜。一件對的事，能夠善於處理就多享平安。

許多離婚的個案，據調查都是從小事開始的，小事沒有妥善地經營，就會帶來日後無法收拾的局面，所以不可輕看小事。若在小事上忠心，才能有大事的成功。若大家都能敬重家長，這個家就容易多了。容我再說一件小事。

外子拿牙刷刷牙有時會拿到女兒的，因爲兩支一綠一藍，對他來講差不多嘛！女兒覺得很噁心，因爲爸爸用完不會放回原位。女兒知道被用過了，就不舒服，她想了一個辦法，免得再生氣，就是先說服自己的心：「爸爸很辛苦，常常爲家忙，他在電腦前用眼太多，所以眼睛不好了，才會看藍綠差不多，不能怪他，我得想個辦法，叫他拔不出來，以後他就會注意了。」然後她把牙刷尾端纏上一堆橡皮筋，非轉個彎不能從插孔中抽出來，問題就解決了。人都會錯，丈夫會錯，但神不錯，順服蒙福，因神是丈夫的頭。亞伯拉罕因怕，把妻子送入法老王宮，神看撒拉順服，便救回撒拉，並賜下更多的福給他們。

4. 放下自己，得享安寧

結婚二十五週年慶那天恰好是主日，清早女兒放出《靈音之聲》的美妙旋律，頓時空氣煥然一新，我們帶著愉快的心情同去禮拜。中午我們接父母同享午餐，老少一堂，心被恩感，深得安慰。晚上則個人分享主恩，大家同樂。在基督裡一切都是新的。這天，我們彷彿一群綿羊，安臥在牧人的山巒中，寧靜美麗。想到從前過犯多多，靠主修理、修剪後，如今能有這美好的福，眞是主愛何等大，主恩何等深啊！

也許你的日子艱難，不要害怕，當你回轉向神，就有大指望。當繼續仰望神，祂時候一到，改變就要如風吹來。你要專心聽主，不要搖擺不定，當神嶄新的方法向你開啓，能力經過你的生命，復興就來了，神要祝福你。一切能力出於祂，你當爲祂作精兵，忠心服事祂，天天享安寧。

有一首短歌描述詩篇六十六篇20節：「主是應當稱頌的，主是應當稱頌的，祂並沒有推卻我的禱告，也沒有叫祂的慈愛離開我。」惟獨主能使你重新得力，主看重我們與祂的關係過於事奉，但主樂意我們經歷患難，好叫我們像主在荊棘內，還能長出百合花，雖然境遇困難，但靠主仍然放香，這是祂的美意。祂寶貝你，看中你，才給你這些的學習啊！只要順服，安舒的日子就會來到。

有天夜裡，我連續起床三次。我說：「主啊，怎麼一夜要起床三次呢？」當時主就賜下一首歌叫我唱出來：(見下方)

我眞感謝主的智慧與仁慈，祂知道：人都愛自己，但我們若能先愛祂，才眞有用，祂從不嫌棄我們。這首歌曾救我脫離許多怨言和難處，令我和來往的人都受益。歌中的信息叫我們放下自

只要愛神

6/4 c

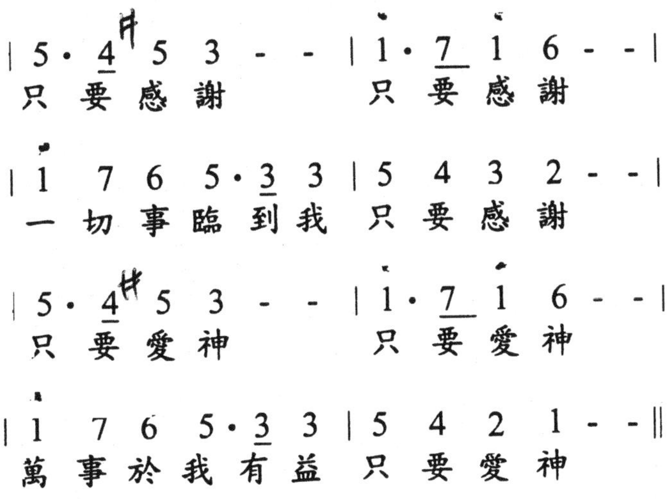

| 5・#4 5 3 - - | 1・7 1 6 - - |
只 要 感 謝 只 要 感 謝

| 1 7 6 5・3 3 | 5 4 3 2 - - |
一 切 事 臨 到 我 只 要 感 謝

| 5・#4 5 3 - - | 1・7 1 6 - - |
只 要 愛 神 只 要 愛 神

| 1 7 6 5・3 3 | 5 4 2 1 - - ||
萬 事 於 我 有 益 只 要 愛 神

己，祂裡面有眞理與智慧，有信息與能力，是一首生命詩歌，帶來新的力量。祂提醒我們，主是天天背負我們重擔的主，祂永不叫我們動搖，祂必撫養我們，因爲祂顧念我們。

放下自己必飽享安寧。約瑟被害入獄，但他不顧自己的苦，反而去關心酒政、膳長的問題。兩年後，神藉著酒政使他得見法老王，並且一躍而爲埃及的宰相（創四十41）。舊約記載以斯帖被召入宮，除了太監派定給她的，她別無所求，凡看見她的都喜悅她。當末底改升爲宰相，他爲他的同胞求好處，向他們說和平的話，得衆弟兄的喜悅。他們三人都是懂得放下自己，將主權交主手中的人，以致蒙主多多賜福。

5.背起十架逐漸豐盛

有一天早上起來，發現手臂上長了十個泡，晚上入被會熱、會癢，出被會冷，很難入睡，禱告認罪也不見效。正在不知所措之時，兩天後，我接到好朋友林伯母的信，上面說到一首詩，很摸著我的心，說：「親愛主等祢快來，來罷我主，來罷主。千人的手不能阻我，萬人的眼也不能攔我。路上荊棘不過助我忠勇前進得福。我心我靈今當復興，讓這世界過去，生命之主求祢快來。」

接著，又聽到韓國趙牧師講道錄音帶說：「我喜樂的源頭是在聖靈裡，當困難來時，只要讚美神。」次晨四點多醒來，又想起蔣姊妹說過的：「主啊，我向祢求十字架。」從前聽她這樣講很不同意，頂多順服主所給的十字架，怎麼還嫌不夠，求額外的呢？接著便想起，也許是蓋恩婦人說過的：「主啊，我親吻祢給我的十字架。」這對我眞難啊！但如今對這些說法，突然感到十分親切。無意中似乎感到主在身旁，是那麼的近，好像這是主發出的邀請。我輕輕的回應祂：「主啊，謝謝祢，我也願意親吻你許可給我的十字架，祢所量給我的，極其佳美。主，我讚美祢。」說完突然想起那十個泡。就說：「主啊！這裡就有現成的，我親吻祢給我的十字架。」於是舉起手來吻那些泡，沒想到這力量那麼大，那些礙眼煩人的泡，一下子就扁下去，也不再癢了。「哈利路亞，讚美主，讚美至高的神。」保羅、西拉在獄中讚美神，就使地震動，使鎖鍊鬆開。今天我們一樣可以支取、經歷這大能。主神眞是昔在、今在、永在，且永不改變的啊。

此時天色微亮，我想起身讚美主，外子也醒了。他叫我再躺一會兒，我就按兵不動，但因被喜樂所充滿，肚子裡一股滾水衝起，便忍不住噗哧一聲笑出來。他說妳是一個壞了的鬧鐘。我很佩服他話語的創造力，此時心中越發讚美主，又噗哧一聲笑出來，他也笑起來，等他一起身，我就立刻唱：「基督耶穌今天仍然活著：祂與我談，祂伴我走，生命窄路同過，我要傳揚，救恩臨到萬民，你問我怎知主活著，因主活在我心。」不斷的唱，心中充滿活力與生命。之後，有兩個意念出現。

在中日戰爭時，許多人在大山洞裡，因空氣不流通最後悶死了。若當時兩頭都打洞，空氣流通，人就活了。同樣，何時基督徒的生命讓主道、主靈流通經過，何時就要活了，而且豐盛。

還有一個意念：在美國晚間有電視猜謎遊戲，猜對反面有獎，那獎很大，常常是一部新車或千萬元以上的大鈔，很吸引人。這好比基督徒要相信十架後面有榮耀，不要怕，反要歡迎。主取去的，主以自己來代替。主自己豈不比世上一切萬物更顯寶貴嗎？謝謝主，這一次給我寶貴的看見。

弟兄姊妹，主的道路高過我們的道路。我們的心胸需要主來開展，需要十字架加深我們的容量，只有祂知道屬天的道路。我們太小了，根本無法承受，也不能明白，除非祂開啓我們。所以詩篇一百一十九篇32節說：「祢開廣我心的時候，我就往祢命令的道上直奔。」

今天的得勝不能保證明天的成功，必須日日捨己靠主，想到世上還有許多比我好的人，他們也靠主，我就更要靠主了。深願因這段話，叫我們彼此勸勉，同享天福。

有天女兒心血來潮，在談話間突然說了一件事情，使我很受安慰，因爲主賜福與我們家，主也使凡跟隨祂的人有好的報償。她說：「父親教子有方，孩子到老不偏離，這樣的父親老了就有福，人家買冷氣汽車給孩子用，你的孩子卻買冷氣汽車給你用。」這並不是因富足有了新車就開心了，而是因爲孩子心態健全、成熟，能使父母歡喜。

其實兒子半年前就想買新車，但外子說：「能省就省。」所以他等了半年才問父親。有了父親的同意，兩人才快快樂樂地把車子買回來，外子得意的告訴我，在買車過程中，推銷員知道是兒子付錢，就對忠誠很客氣，而且總是朝著他說話，但每一件事他都徵求父親的意見。父親說好才行，這樣作爸爸的眞是開心。兒子是工程師，不是不會作決定，也不是不許他作主，乃因他裡面有耶穌，他知道當如何行才是最好的。記得不久以前，家中廚房的水管不通，他當天就找人來修好，也不怕氣味臭。自己還陪在旁邊看，到作完才去上班。這樣當機立斷，未嘗不叫人歡喜。

後來女兒又對朋友說：「我也是家裡免費的司琴，常常彈優美的音樂叫人快樂，又作小農夫種番茄給家人吃，爲這本書也是免費的翻譯員，還是外婆每週一次的準司機，接送她和老人朋友買菜，孩子教得好，眞不錯啊！」這一切完全是主的恩典，願榮耀都歸於耶穌。孩子固然帶來許多歡喜，但我們無論生的、養的、教的，仍要靠主，才能生長得好。靠主有彈性才能彼此接納。要天天放下自己的不好，再吸收主的好，生命就能一天天豐盛起來。好像葉子爬藤，起初靜悄悄的，不知不覺間就蓋滿了整面的牆，滿有生命氣息和活力。這生命能叫人認識耶穌的美善，吸引人來信耶穌，一同經歷在基督裡的豐盛。

五、料理家務

家務事需要很多的忍耐，作了又要作。它就像大動物，天天在洞口等待捕捉小動物，當它餓了又要來等，若耐心不夠，等不及走了，就前功盡棄。

家務事極平凡，卻蘊藏著不平凡的結局。那就是你正在建立一些生命，他們有一天要貢獻給世界。如果你以爲家務事太普通，可以隨便，就不能了解它的眞正價值。

家務事說容易，確實不難，但要作得好也是很講究的。單拿作菜來講，如果妳是新娘子，從來不知廚房的事，也不必掛心，總要慢慢學會。女兒大學二年級，自己作飯。頭一星期，每天夜裡餓醒過來，原來她忘了吃肉，如今她已能作好些菜。有個新娘第一次作菜，煮一斤牛肉就放了一斤鹽，居然也養大了三個孩子。所以若有人說你作菜不及你媽好，就告訴他：「不用急，到媽的年紀也會作好吃的了。」

家務事要打理得好，眞有得忙。我們兒子十三歲那年某日，姊姊去了教會，他就在家幫忙洗廚房地板、洗拖鞋、洗廁所、吸塵。一共作了三個小時，他終於得到以下的結論：「媽，我今天才知道家事那麼多，我們應該幫妳忙啊！」孩子不要太寵，否則就不知感恩，也不用一直的罵與責備。只要分派他作一些事，他就會有責任感，也能知道父母的辛勞，而懂得敬重父母。家務事我懂得不多，就從四方面簡單來講吧！

食的方面——健康為本

中國人說：「民以食爲天。」由於中國人講究烹飪，所以餐館業很發達。傳道書說：「神也樂意我們吃喝快樂，享受我們在日光之下一生勞碌所得的。」（參傳八15）當然凡事都要有節制，吃喝到底不是生命中的全部，否則整天吃喝玩樂，醉生夢死，最後也沒有什麼意思。但太過用功，忘了吃喝，也不行。因爲空腹使人急躁，所以一個謹愼的太太，先生回來先給他餵個飽，再談其他事吧。

一日三餐天天要面對，過與不及都不妥，要把握好還眞不容易。記得剛結婚時，請一次客忙三天，客人走了吃三天。後來丈夫顧念我，想出一個「煮婦妙方」。只要把握三點就行了：1.要新鮮。2.要營養。3.要煮熟。何等簡單，何等釋放。因此二十多年來，我家大小常保健康，除了神祝福，也要感謝外子的妙方呢！由於不過分講究味道，所以大家不挑食，全家胃口好，輕鬆又愉快，省時又省錢，省力又省事，因著外子的知識叫我力上加力，這樣說實不為過。

1. 新鮮

蔬菜要挺的為妙，水果要飽滿，較硬，較重的，含水分多，這兩種若變了色或發軟起皺、發乾，都是不新鮮的記號。肉類要挺而有彈性的比較新鮮。魚類鰓要紅而清爽，不出黏液，鱗要全，眼要亮。牛奶、麵包、罐頭類等凡經人工製作的，要看它的日期標誌作參考。有人自己作麵包，買個小型製麵包機，雖然一次只作一個，但可以控制時間，且省了揉麵，經營方便。下班回家就有新鮮出爐的麵包，也是好主意。一切東西吃剩要快放回冰箱，剩下不多要換小盤，用玻璃紙包緊，如此空氣少，不易壞。麵包、乳酪等貼住包，可以保存濕度與新鮮。東西盡量不要煮過量，吃過兩天營養大減，又失口味。果菜汁要現打現吃，不要存放，否則營養會大減。一般嬰兒六個月開始吃固體食物，自己用果汁機打，一週作一次，分小包，存放冰庫，不用防腐劑，省錢又新鮮。水果當存放冰箱，保持新鮮。只要東西新鮮，就無須太多刺激品的調味料，可常保身體好，也能欣賞神的傑作。

2. 營養

天然食物比經過人工製作來得好，尤其是肝臟不好的人要多吃天然食物，因爲人工作的多數加了不必要的化學成份，需要肝臟去排除。比方最常見的例子是白糖，就不如蜂蜜好。在《Medical Training institute of America》上刊載了有關糖與蜂蜜的報導，相當珍貴。它說糖會製造很多健康的障礙，其中包括⑴糖吃多會提高心臟病，有心臟病的人，吃白糖時常比別人多兩倍。同時糖會增加體重，增加膽固醇。⑵吃糖會壞牙。⑶糖會叫人生膽結石，太多糖叫人生壞細菌，叫肝增加膽固醇。⑷糖叫人易生胃潰瘍，易拉肚子，緊張、疲累、沮喪。蜂蜜比糖好，能叫骨頭強壯，不會長太多細菌，而且可以殺死壞細菌。此外，白麵包有化學漂白。如果你想活得好，就要訓練自己吃全麥的，雖然下嚥不夠舒暢，卻對你全身有大益處。

食物要平均，各種穀類、豆類都要經常吃。如果不易煮爛，可用壓力鍋或慢鍋，也可將它泡過夜再煮。比方，紅豆補血，將泡過夜的紅豆放進電鍋中，加水超過紅豆。內鍋裡面蓋上一層不易破的、也非化學製的盤子，大小與內鍋尺寸差不多，就容易保住溫度。煮好了等一小時再吃，就都酥軟了。有時甚至粒粒都是完整的，加上一湯匙蜂蜜，一點新鮮檸檬汁，香甜營養，好看又好吃，也是易消化的一道菜。

水份很重要，每天吃各種食物前必先喝水，以助清洗腸胃。家母十幾歲時，腸胃不清，常拉肚子。自從每天清早吃飯前一小時喝一杯熱鹽水，六十年來，身體都很健壯，不再有腸胃毛病了。又有一位朋友胃潰瘍常出血，後來自從每餐前一小時喝兩、三杯白開水，不花一文，就恢復健康了。

由於多喝水會帶走許多維他命，所以要注意吸取各類自然食物，以保持維他命的充足。不要每天吞吃多種維他命丸，代替天然食物的供應，免得體內製造維他命的機能減退。只要不偏食，多吃各類水果蔬菜，維他命的供應是不會缺乏的。除非身體特別虛弱或有病、體力透支過多必須服用維他命丸，否則一般正常人並無此必要。

許多人喜歡買店裡現成的果汁或蔬菜汁。它們雖然方便可口，但因打碎的蔬果維他命與空氣接觸太久，早已破壞得差不多，而且摻了太多糖，還有防腐劑，營養價值就大不如自製的。在此建議買一架果汁機，天天使用，每天幾分鐘，各種蔬果洗淨後自由調配。用你的創造力，打出色香味營養俱全的新鮮果菜汁，打完用清水一沖就清潔了。而且趁新鮮一口口慢慢享用，既營養又純淨，容易吸收。若用牛奶或豆漿代替水份去打，外加一點蜂蜜更加可口。此外，再配上一個雞蛋，及兩片新鮮全麥麵包作早餐。麵包用冷凍保存，前一夜拿出次晨要用的量，就能保持新鮮。幾分鐘的工夫就可換來一個快樂的早晨，開始新的一天。

糙米比白米有營養，這是十多年前聽兩位醫生對腸癌病人的忠告，從那次起，我家就改吃糙米飯，不過各人有自己的生活方式，各家也有自己的格調。丈夫孩子吃慣了白米飯，一下子叫他們吃糙米，他們不喜歡，要慢慢來，可以先說明，漸漸摻入，卻不要一下子更換。

各種發芽的菜都營養豐富，如黃豆芽、綠豆芽、小麥芽等等。家中若有退休的長者與你同住，可以發展這個家業。我們的一位朋友陳弟兄，將各種豆類作實驗，除了照顧兒孫，也培養出各種的芽菜供自食與送人，增添不少生活情趣。

用來發芽的種子，必須是新鮮且沒有撒過農藥的；這類種子在一般自然食品店都可以買到，但馬鈴薯芽有毒不能吃。芽菜富含維他命E、礦物質和酵素。例如大麥剛生長時，只含少量維他命C，等發芽時維他命就增加六百倍（參《智慧婦人》一書，裡面有許多與吃相關的知識）。許多人都很懂吃，在此不再多說。

吃固然重要，但不吃也很重要。正如公廁需要定期清理，人的內臟也需要定期清理。每一天身體內的各種器官，爲吃進去的各種食物忙個不停。但禁食可作清理工作，將毒素排出去，器官也得到休息，這是一個健身的自制訓練。

有人四十年如一日，每週定期禁食一天，身體健康，六十歲如四十歲一般，與年輕人打球照樣能贏。家母三十年如一日，每週定期禁食一餐，從沒生過大病，生命充滿活力，記憶力也很好。所謂一週禁食一天，就是二十四小時內不吃食物、多喝水。

不過有糖尿病、心臟病或其他嚴重病症的人不能作，除非得醫生的許可。

禁食有什麼好處呢？曾聽到一個有權威的教導說：「首先毒素排出去，你會感到舌頭長苔，有口臭或身體氣味重，那就是去毒的記號了。」期間可以多刷牙，多洗澡清理它。此外能叫血管清潔，頭腦清楚，心情輕鬆，又可節省時間、金錢，學會節制，體重減輕，幫助月經正常，對心臟、腎臟都好，也能常保健康。禁食完了不要一下子吃太多，要先吃八分飽，或只吃蔬菜水果。第二天再恢復平常的量，就有功效了。

3. 煮熟

煮熟是不可忽略的，尤其豬肉怕有寄生蟲。煮的和蒸的，比炒的和炸的更有營養，也有助消化，以上的方法日久或許單調，有時可以參考食譜，作幾道色香味齊全可口的珍饈美味，給家人一個驚喜。有時學朋友的拿手菜作兩道，偶爾有變化，作的人不難，吃的人不驕，是折衷處理法。如此到哪兒吃飯，都胃口好，易滿足。

神願意我們享用日光之下勞碌得來的食物，因祂是慈愛的神，所以每回吃飯都要存感恩的心來享用。但要謹記：人活著不是單靠食物，乃是靠神口中所出的一切話。試想，以色列百萬大軍在曠野四十年，神怎樣餵飽他們，我們就要倚靠祂生活。就算營養不充足，只要能夠愛主，主都要賜福與你。聖經中但以理和他的三個同伴，本來可以在巴比倫王的膳食上有分，但爲了愛主，就不吃拜過偶像的食物，單單吃素菜、喝白水三年之久。神卻使他們比用王膳的少年人更加俊美聰明，被王看重、使用。

忠誠十一歲那年，我們全家出門旅遊七天，回到家，那個帶出去的水瓶卻忘了洗。過了九天，裡面長了一大堆黑黴。忠兒不知道竟然喝了它，我聽了大吃一驚。之後，主使我想起三處經文，包括詩篇三十七篇5節：「當將你的事交託耶和華，並倚靠祂，祂就必成全。」馬可福音十六章16～18節：「信的人必有神蹟隨著他們，……若喝了什麼毒物，也必不受害。」提多書一章15節：「在潔淨的人，凡物都潔淨了。」於是我告訴忠兒這三處經文，要他倚靠神的話。他說：「他要先認罪。」於是他自己私下禱告認罪完，我們一同把他交給主。晚上開車帶兩個孩子去看國慶煙火，回來兒子發燒了，但心中平安，次日就痊癒了。

人活著不是單靠食物，能夠健康活著都是神的恩典，人應當多多知足感恩。

衣的方面——正派為本

1.勿憂慮

主耶穌說：「何必爲衣裳憂慮呢？」憂慮使人眼瞎，不能專心靠主。人雖然知道，但還是爲衣裳憂慮：明天要穿什麼，見客要穿什麼，宴會要穿什麼。我們家從前也是這樣，但如今主叫我們明白這是祂的事。

在小女唸中學時，有次想要一條紅長褲，本來她那麼乖的孩子，這點要求算不得什麼，但想想她已有幾條長褲，雖不是紅的，也夠用了。於是我對她說「有衣有食就當知足」的眞理。不過爲了減輕她的失望，我們就一起禱告主，看主怎麼作。沒想到過不久，主差人送來兩條長褲，一紅一藍，指定給女兒的。並且料子、色澤款式、大小尺寸等等，全是超過所求所想的。她眞是快樂啊！以後穿了許多年都不走樣、不變色。主眞是無所不能的。從此，神開了她的眼。她說：「媽，以後不用給我買新衣了，給弟弟買就好了。」她嘗了主恩的滋味，遇見了神，神就開廣她的心胸，從顧念自己轉爲顧念他人，並且懂得將衣服分給人。結果短短幾年中，她的衣服在我們家中是最多、最好的。神用各樣的方法把衣服帶給她，可以配成許多套。

雖然如此，她初中、高中、大學三次畢業典禮，都穿同一件洋裝，因爲她不願跟著潮流走。一般人遇到特別情況就買新衣服，她願意珍愛我們買給她的那件初中畢業洋裝，且成爲一件紀念品。雖然只二十多元，卻保存得很好。她衣裳雖多，也不叫她的心轉去愛世界，這眞是神的恩典，令我們很安慰。

專心靠主，不但無憂，還享平安豐富。此外，有幾次我對主說：「某某人的衣裳很好看，不知道在那裡買的。」過不久，主就差人送來一模一樣的衣裙。這樣幾次以後，我心裡很滿足，不再問同樣的問題，因爲祂顧念我們。還有一次，兒子即將高中畢業，成績很好，不知道要買什麼禮物慶賀。再過兩星期就畢業了，丈夫忙事業，交給我處理。沒想到，主感動一位梁姊妹送來兩大包衣服，指定是給忠兒的。其中有十幾件新衣和一套新西裝，尺寸、料子、色澤、樣式都是上好的，而且很合身，眞是何等歡喜。

弟兄姊妹，主耶穌關心你，你心裡想什麼、要什麼，祂都知道；你所關心的事，祂也關心。祂完全認識你、知道你，祂何等豐富又何等恩慈啊！你當來信靠祂。

馬太福音六章30～33節說：「你們這小信的人哪！野地裡的草，今天還在，明天就丟在爐裡，神還給它這樣的妝飾，何況你們呢？所以不要憂慮吃什麼，喝什麼，穿什麼。這都是外邦人所求的。你們需用的這一切東西，你們的天父是知道的。你們要先求祂的國和祂的義，這些東西都要加給你們了。」基督徒啊！你是有天國生命的人，當有天國的使命，這是神的要求，你當與世人有分別，要先求天國的標準，日常所需用的，神都要加給你們。注重神、看重「祂的國」，學習爲主作見證，和神所看重的「義」，順服主的道，主定必把衣食賜給你。知道了這個原則，就無須爲衣裳憂慮了。

2. 要給人

路加福音三章11節中，施洗約翰告訴我們：「有兩件衣裳的，就分給那沒有的。」因爲一切都是從神領受的，我們當學習分享神的恩典。你若能信，肯爲主分給需要的人，主必不叫你缺乏，反而更加豐盛。因爲你給人就必有給你們的。約伯記二十七章16節提到，孩子們從小就要教他們學習分給人，好使他們懂得信靠主，永不缺乏。

兩個孩子十歲、十一歲那年的聖誕節，我把他們的五十元聖誕禮金送給一個窮人家，是他們同意這麼作的。誰知第二天，他們向我討禮物，我只好禱告主。那是十二月二十四日的下午，等外子回來，神就感動他帶給我五十元。飯後還剩一小時店就關門了，於是帶兩個孩子在車上禱告：「主啊！恩德要一件新洋裝，忠兒要一雙新球鞋。如果主願意，希望四十元能辦成，十元可以再買幾雙襪子送給一位老太太。」結果，女兒買了三件上衣，兩條短裙，一件背心連裙，都是大減價，加起來不到一件正常洋裝的價格，並且料子、樣式都好，有人第二天想買卻沒有了。兒子買了一雙合用的球鞋，也是大減價格，而且只此一雙，眞的只剩十元，買些襪子給王老太太。剛好一小時，事情全都辦妥。感謝主，祂不誤事。

還有一次，人送來五十元給我買新衣，我將五十元送出去，不久有七件新衣送進來給我。神感動我的心，祂也感動別人的心。有一位很會給人的夏姊妹來美國旅遊，主叫她把身邊一半的衣服給我，她照作了，看到她的順服，心裡很感動，主也必報償她。主眞是全知、全能啊！

如果你沒有這種經驗，要想一想，你是否讓聖靈來掌管你的生命？如果你願意爲主分給人，你就能經驗豐盛的生命了。

3. 勿隨便

有人穿衣太隨便，甚至變得難看。明明挺的料子，故意弄皺來穿，捨去正面好看的花樣，將反面穿在外面，好像墨水倒翻了一樣。不然就是太暴露，爲不能賣的東西作廣告。要知道，穿衣服是告訴人你的價値觀，穿太短或太暴露，會引起人的不道德。甚至男不像男，女不像女。男人留長髮、戴耳環。女人穿男裝，打領帶。男人身上刺紋，女人口上塗墨，故意與神美好的創造作對。神造萬物各從其類，神願意男女有分別，不但在形像上、身體上有分別，並且要我們在穿著上有分別。申命記二十二章5節：「婦女不可穿戴男子所穿戴的，男子也不可穿婦女的衣服，因爲這樣行都是耶和華你神所憎惡的。」因爲在迦南異教拜鬼神的儀式中，男女易服，雌雄不分，就引誘人犯同性戀的罪。

人對神的態度如何，也可從穿著打扮上看出來，事奉神的人內心與外表應是同等重要的，都不可輕忽隨便。

4. 要正派

穿衣服要正派，不要跟著時髦、潮流走。今天大家穿短裙，你也穿短裙；大家穿尖頭鞋，你也穿尖頭鞋；大家剪短髮，你也剪短髮，何等不自由。許多女人都被尖頭、高跟鞋束縛，直到回家才脫落自由。我從前也是那樣，不知花了多少冤枉錢，吃了多少苦。人之所以如此，都因沒有找到主和對自己的肯定，也不認識神多麼看重我們。自從神在這些事上一點一滴地調教我，生命才得著釋放。

神看身體比衣裳更重要，祂說：「不要爲身體憂慮、穿什麼，……身體不勝於衣裳麼？」這就像畫比畫框重要，畫框的存在是爲了畫的緣故。同樣地，身體比衣服重要，衣服的存在是爲了服事身體。許多時候，作父母的很關心孩子們吃什麼？穿什麼？但卻忽略了他們心靈的飢渴。如此捨本逐末，豈不是徒費心機嗎？

神要我們穿著正派，更要我們有善行，讓他人從我們身上可以找到基督。故此，不要太注意外面的時髦，免得入了愛世界的迷惑中。女人比男人講究穿著時髦，就容易被世界影響。所以，提摩太前書二章9～10節、彼得前書三章1～6節都說到神對女人的心意不但要正派、不以外表的辮頭髮、戴金飾、穿美衣（最流行的衣服）爲裝飾，更要注意裡面的貞節、敬畏神與長久溫柔安靜的心。因外面是人看重的，裡面卻是神看重的。所以基督徒女兒們，當以裡面的美德爲裝飾，要常存溫柔安靜，專心倚靠神，使你孕育出柔中帶剛的性情。這樣，雖然丈夫不信道，也要因妻子的品行而歸向神。

住的方面——平安為本

1. 要聽主

人往高處爬，水往低處流。人都喜歡選擇大家看爲好的地方去住。然而，人居住的疆界卻是神所定的。使徒行傳十七章告訴我們，人當住在神量給他的地界裡面，就能蒙福享平安。只要是神吩咐你住的地方，主就必看顧你。有人費許多工夫到美國，到頭來卻不能適應。試想：舉家大小換工作、搬家、換學校，甚至離鄉背井，最後發現錯了再回去，這是多大的損失啊！

從前我們住過一個很危險的地方，離家一百公尺外，白天會有人持刀搶東西，兩哩路內亦多次有人被搶，也有人被殺。我們在那兒住了三年，那時我不會開車，有時下班後，不得已要出去買菜，來回須走八條街。當冰天雪地來臨，路人稀少，拖著裝菜車獨自行走，車輪轆轆相伴，只有天父相陪。每一次我總是對祂說：「主啊，幫助我，若有人要搶，就由他拿走全部的食物，卻要保全我性命平安。」感謝天父，祂全都保住了。回想起來，何等恩典。

聖經中，先知撒母耳斷了奶，就遠離父母，在以利家中學習服事主。以利的兩個兒子是惡人，但小小的撒母耳卻蒙主保守，不但沒有受害，還被神大大使用。所以，我們不用怕環境險惡，神都能保守。

你住在山明水秀的環境中嗎？感謝主，但仍要聽主，不可自高，也不要在恩典中墮落。其實世人有再華麗的享受，也比不上當年人類始祖亞當、夏娃那純潔美麗的樂園。他們在樂園中天天有神的保護同在、看顧賜福，應有盡有，一無所缺。只因後來不聽主的話，主就將恩典收回，趕他們離開樂園，使他們必須勞苦終日，才得餬口。

當年迦南地遭遇饑荒，神對以撒說：「你不要下埃及去，要住在我所指示你的地，你寄居在這地，我必與你同在，賜福給你。」後來有一年，他得到百倍的收成，神賜福給他，他就昌大、日增月盛，成了大富戶。所以，人居住的問題不在乎那裡好，乃在乎有神的指示，同在與賜福。

2. 要簡單

我們的眼目不要定睛在世上的物資享受上，花太大的力量去買一個大房子，不如多領人信主，一同得著永存在天上的居所。不要別人有什麼，我們就要有，因爲大家都作的事不見得都是對的。

出埃及記二十三章2節說：「不可隨眾行（錯）事。」（NIV版本）買大房子，結果弄到丈夫累倒了，如果爲了面子，就更不划算。又何必落入那「網羅」呢？房子非第一，家人才是最重要，因爲人的生命不在乎家道豐富（路十二15）。

家具也是一理，爲何用兩套家具、兩套碗盤呢？讓你的小孩能自由在家中走動不好嗎？如果你保存一些太珍貴的東西，不能叫他們碰，就要藏好一點。若放在能看不能摸的地方，並且一碰就要罵，這些東西就呑去他們的生活空間與快樂，又何必呢？

某次，一個小朋友用原子筆在我家的鋼琴與沙發上亂塗，他母親看了就罵。我勸她不用這樣罵他，把他帶開就好了，給他合適的紙筆，慢慢地他就能明白。我也不用爲這事情難過，因爲我寬待他，主也要寬待我。反正東西壞了可以修理，但人受傷較難好，你怕損失就別買太貴重的物品，何必時常不安呢？家具能用就好，不必天天用布包著，等客人來了才打開，要尊重孩子。我們的家具，孩子全都可以用，如今他們賺了錢，就買新家具給我們用。當我看著它們使用的時候，我彷佛一個種樹的人，在樹下邊享受陰涼、邊吃樹上佳美的果子，眞舒服呢！

3. 要潔淨

a. 能整潔分類——

物品用完後放回原處，能增添效率又整潔，自己看了也舒服。我羨慕有的家庭這方面全作到了，隨時都可以參觀。

一個家想維持整潔，要大人、小孩一起來努力。首先把家好好整理一番，經常維持那個光景，習慣養成以後，便輕省了。以前我為客人而整理家，沒有一點喜樂；如今為了主真喜樂，這一個轉變還是因為主對我說：「神常在你營中行走，要救護你……所以你的營理當聖潔，免得祂見你那裡有污穢，就離開你。」（申廿三14）又用夢來教導、用螞蟻來提醒，遂開始徹底打掃，才發現許多的虧欠。諸如未回的信，找不到的東西。我就一面作一面認罪，而且全家總動員，雖工程不小，卻叫人喜樂。你若也想好好作一番，若暫時沒有人合作，自己先開始吧！要天天禱告，求主給你恩典，不要向家人動怒，免得好事變成苦事。先把份內的作好，自然會感動人來合作。這樣，你就不怕客人何時來你家了。再者，若你愛慕神與你同在，你的住處就當潔淨。末了要說，神喜悅住在世人中間（箴八31），我們若喜悅有神同住，我們的住處要潔淨。

b. 要去除污物——

不清潔的玩具、雜誌要丟掉，凡影響人心靈、眼目、耳朵等不好的東西，或與偶像假神有關的東西，一概要潔淨、除去，不要給惡者留下機會來傷害你的家。

有一個三十多歲的工程師，突然不能上班，神經怪異，白天躲在車子裡，晚上拔草煮來吃，弄得全家不安。我和同工多次造訪、禱告都無效。直到有一次和五位弟兄姊妹一同去看他，其中一位劉伯母說：「把牆上的三個偶像拿下來。」他母親是基督徒，就流著淚，打碎它們，並且認罪悔改。眞奇妙，不到一星期，這年輕人就恢復正常了。你是基督徒嗎？從前若拜過偶像，當向神認罪，若有偶像須除去，最好找牧師或弟兄姊妹來幫助你，不要自己單獨作。

C.要抹油禱告——

抹油是「分別爲聖」的意思。在舊約，先知、君王、祭司與祭壇都要抹油才能爲主用。如今，我們活在新約時代，有聖靈與我們同住，但抹油仍是一種宣告，是分別爲聖屬神的意思。這好像一個國家，已經是一個國，何必要用國旗呢？但這是一種表號和宣告。

讓我舉個例吧！女兒恩德唸大學時，看到一所高中的一面牆上有一幅畫是描寫魔鬼的，而這是該所學校的「校獸」，她就時常爲這所高中禱告。後來聖靈提醒她當爲自己的住處抹油禱告，初時她不懂，沒有理會。不久，一天晚上半夜三點她突然醒來，全身寒毛豎立，感到有一個邪靈站在旁邊。當時心中有個聲音說：「趕快抹油禱告。」她立刻抹油在窗子旁邊，並且向惡者宣告說：「這是屬神的地方。」立刻，那邪惡的勢力退去，她再回到神的平安裡。

有一位葉姊妹為病中的朋友禁食禱告四十天，每日一餐，四十天後她自己也病了，而且全身關節疼痛，沒有食慾。禱告同伴朱姊妹和我去看她，為她的房子與身體抹油禱告，兩分鐘後，惡者逃跑了，她全身的疼痛立刻消失。可見在屬靈爭戰中，為住處抹油、分別為聖是有必要的。抹油禱告前，要先求主耶穌的寶血潔淨，再用一點橄欖油，或其他植物油，奉主名按手禱告，叫這油分別為聖，就可用來抹油禱告了。

d.要和睦同住—

聖經說：「愚妄人都愛爭鬧。」（箴廿3）從前我和婆婆住的時候，常有爭執，回想那段日子是愚昧的。她把兒子養大，成了我的丈夫，我竟沒有看到這個大好處，卻為一些小事相爭。直到主感動我向她認罪，多多為她禱告。約有三年之久，我常常在凌晨三、四點起來為她祝福禱告，盼望神祝福她，讓過去被惡者吞吃的年日，可以奪回來。雖然她已經走了多年，但回想那三年是甘甜、平安的。人在一起相處總有一天要分離，能和睦同處就是福份，也是智慧。

一家人能和睦同處是神的恩典，大人小孩不分年齡，都要多多悔改，彼此代禱，就容易和睦相處了。某次和外子開辯論會，兒子看我們愈講愈激烈，好像要吵起來，他就和顏悅色地勸我們，並且用了三個三明治口袋，上面各畫一個像，分別代表爸爸、媽媽和生氣的臉。藉此要求我們透過它們來表達意見，將欣賞對方的事，寫字條放入對方的口袋中；再將不同的意見，投入生氣的口袋中。他要求爸爸先寫一句欣賞的話，因爸爸是一家之主，等他作了就要求我也作，女兒並且在我耳邊細語連連，叫我開心得不得了。之後，他們天天爲我們禱告，求主降下愛的靈火來澆灌我們。神聽他們禱告，叫我們很快都變成了綿羊，彼此相愛和睦，十分愉快。

經上說：「有何人喜好存活，愛慕長壽，得享美福。就要禁止舌頭不出惡言，嘴唇不說詭詐的話。要離惡行善，尋求和睦，一心追趕。」（詩卅四12～14）可見想活得好、享美福是要付代價的，而且要努力追趕，付代價去取得。

4. 要顧念人

神是平安王，我們是祂的兒女，就是平安之子，當把平安分享給周圍的人。有一位王伯母丈夫過世後，就天天失眠長達幾個月之久，安眠藥也無效，只能天天唉聲嘆氣。主感動我陪她去看一位半身不遂的姊妹，她在苦難中還能感恩，王伯母就爲自己的怨言悔改。後來我再陪她去看一位自殺未遂、已變成植物人的年輕女醫生，她就眞正悔改了。第二天家母請她去禱告會，大家爲她的失眠禱告，主就醫治她。如今她快快樂樂地生活，神顧念軟弱的人，只有祂是使人由悲轉喜、由苦變甜的神。以賽亞書二十八章12節說：「你們要使疲乏人得安息，這樣才得安息，才得舒暢。」主要我們不要單顧自己的事，也要去顧念人。如今看到王伯母快樂，母親和我也一同快樂。

有時照著神的要求去關心人，需要有很大的捨己。有一位印度的Anton Cruz牧師，過去是一位兩萬名會友的天主教神父。有一天，耶穌的靈感動他辭掉神父的職位，去收養痲瘋病人的小孩，這眞是晴天霹靂的改變啊！但他順服了，並且和他們住一起。有一次，他被人趕出去，且無情地命令他在十五分鐘內，要帶走十二名小孩，從前的會友經過，看到他和孩子們流浪在馬路邊，心有不忍，要收留他，但他不接受，因他相信神必啓示居住的地方，他解釋說：「人的好意終久不能長久，因這些是有病的孩子，雖然艱難，也不能丟棄他們。」直到第四天，有一個政府要員聽從神的感動，將他建了十一年的新屋，連同傢俱全都送給他，何等奇妙啊！他們馬上就住進去。原來神要把最好的給他，證明神要他顧念人，神就顧念他。

後來他結婚，生了兩個孩子，加上以前收養的一共十多個小孩，就訓練他們每天早上兩個兩個的，去爲不同的鄰居祝福禱告。他們奉主耶穌基督的聖名，捆綁搗亂那家的惡靈，又奉主耶穌基督的聖名，宣告那家歸主耶穌名下。其中有一家很有錢，看不起前來禱告的孩子，而且用棒打他們，次日又用燙水倒在他們身上。可是他們不害怕，也沒有受傷；仍然天天繼續禱告，使得鄰舍都很感動。六年後，街上的人都信了耶穌，還有人送四棟房子給他們。所以住哪兒要聽主，也要倚靠主去顧念人，不要爲自己劃定範圍，免得受苦，惟有神是叫我們抬起頭來的神。

孩子都是神手中寶貝的未知數，別看他們還寫不了幾個大字，臉上傻呼呼的，就替他們定一生。卻要想像他們是上帝手中的寶箭，有一天都要發射出去。我們要禱告，叫神的旨意成全，就能看見祂的榮耀了。

行的方面——安全為本

現今在北美，許多人以車代步，雖然很方便自由，卻也帶來不少副作用。諸如空氣污染與各種疾病的發生，需要格外花時間運動才能平衡。這樣，在短距離中辦事，能安步當車多好，比方去郵局或送子女上學等等。一方面操練身體，同時增加父子的感情，一方面減少空氣污染，豈不好呢？

子女十六歲就考上駕照，最好不要馬上給他們車子。等兩三年不算久，反正還有一輩子要開，這樣可以冷卻一下年輕人的衝動，以免發生嚴重的車禍。雖然父母看孩子不便心有不忍，但等他們成熟一點還是穩當的。記得兒子大四那年，我問他：「忠兒，你想有一輛汽車嗎？」他答：「媽，不用了，爸爸一人負擔這個家實在夠辛苦，我這裡騎車上學很方便。」感謝神，他比我更沉得住氣，而且他的揀選是上好的。

說到行路，聖經上說：「人的腳步爲耶和華所定，人豈能明白自己的路呢？」（箴廿24）又說：「神數算人的腳步。」（伯十四16）人有限，神無限，人能聽從主才能行走不狹窄，奔跑不困倦，因爲主賜能力是沒有限量的。但以理書十二章4節說：「在末時必有多人來往奔跑。」今日就是末時了，所以大人出差，年輕人出國留學，早已司空見慣。小心哪，這其中有些是對的，有些則是錯的，自己要問主，不要羨慕別人就跟著跑。

常聽到有十三、四歲以上的小留學生，離鄉背井，異地而居，心中甚苦，以致好的沒學到，壞的學很多。作父母的不要勉強你的孩子出國，父母的愛遠勝一切珍珠、學位，等到成熟了才離開家，有何損失呢？不要提早叫他們作大人吧！何必容仇敵如飛鷹追趕你的寶寶呢？也有大人出差，一去就一年，幼兒還不會說話就見不到父親，這是否太長了呢？有一個八歲的孩子憂愁地告訴我：他父親不久要出差一年，他很難過。我教他禱告，也請其他小朋友爲他禱告，一星期後他快樂地告訴大家，他父親不用出差了。神願意孩子們在父母的身邊長大，神實在看顧這孩子的需要。

父母出差有許多原因，如果時間不對，或是沒想到家人的感受，只爲個人的名和利，以爲是爲家庭，到頭來家人受虧損，自己還不知道。雖然父母愛兒女天經地義，父母自強勤勞、努力不懈也是可貴，不過道路應由主來定，這是不可忽略的原則。耶穌曾經對貪愛錢財的法利賽人說：「你們是在人面前自稱爲義的，你們的心神卻知道，因爲人所尊貴的，是神看爲可憎惡的。」（路十六15）所以不要爲利奔跑，要跑在神的旨意中。

有次外子被邀請和三百多位牧者去韓國，參加「國際牧長研習會」。我們不是牧師，但記得十多年前的一個夢，我們就接受了邀請。在夢中有人告訴我說：「你先生已經坐飛機去韓國，參加『國際牧長研習會』了。」我問：「爲何我不能去？」那人回答說：「你會坐下一班飛機去。」我就醒了。所以當外子被請，我就期待自己也會被請。直到還剩三天時間，陳牧師來邀請我，我得到外子的同意後，急忙去報名。可是名單已經送出去了。我就將這夢告訴陳師母。她說：「正好有一人退出，你可以補上。」我遂打聽機票。有位弟兄說：「已有十多人在排隊買票，你沒希望了。」此外我還得申請護照延期，但我大膽去辦理，知道出於主不用怕。接著神派好些人來幫助我，首先是徐牧師和弟兄姊妹爲我禱告；我的小弟馬上提供護照申請處，並將手邊現成的申請表給我。劉姊妹告訴我：帶著機票去申請，第二天就可以拿到護照。旅行社員工給我一份買機票的證明單，若申請不到護照，則機票可以不算數。在家中我找到一張舊金山市區oneway地圖，十分詳細，也是很大的幫助，因爲那裡交通十分複雜。

外子也告訴我最近的護照照相館，只須五分鐘便可照好。在我出發去舊金山之前，我的兒子自動跑來調查我的車胎氣體，發現兩個後胎都只剩下各十磅，本來應當每邊三十五磅，他就用腳踏車的打氣筒替我踩足了氣，於是一切都順利地辦成了。

神眞是幫助我。我憑信心去機場，排隊上機時，突然麥克風報告，若是飛機內有七個人願意讓位明天再飛，就給你們每人三百元，於是就有七個人從飛機裡走出來，加上好些人沒有到，我就順利起程了。所以，行路由得主，由不得自己，一點不錯。

保羅說：「我奔跑不是無定向的。」（林前九26）是的，經上說：「我們在地是客旅，是寄居的。」（彼前二11）所以我們當照永生神的指引，奔走天路，這樣才不致徒然奔跑，且能穩定。「你要謹愼你腳下的路徑，你一切所行的就必穩妥。」（箴四26新譯本）

六、要分給人

恩典要分給別人，上帝不住倒給你，你要不住倒給人。

上帝的恩典就像開著的水龍頭，向你盆中不住地傾瀉。當水泗溢向外，我們理當分給人。所以人能給是因先蒙福，是神先給你。若你大方去給別人，神會造出個祝福你的機會來，就能顯出神的豐富。然而，最大的祝福不是因爲錢乃是因爲與神的關係增加。

許多動物的生存本能和適應力都遠超過人類的嬰兒。比方說：海鰻在深海產卵後，就老死在那裡，新生的小鰻魚卻能在深洋中活得很好。有一種小蜘蛛，身體如豆子大，卻能將蚌殼舉到離地二十英呎高，並且在裡面織網產卵，爲要防止危險。蚌殼的重量對於蜘蛛，等於一個人的力量舉起十噸鋼鐵於一英哩之高空，是一個極其偉大的工程。但神卻揀選人來管理世上一切的生物。（錄自《到底有沒有神》一書）

神是萬物的源頭，神叫亞伯拉罕得福，也要他使萬國得福。因爲天下萬物都是神的，遵從祂的永不缺乏。那使亞伯拉罕吃飽喝足的神，也使我們吃飽喝足。只要我們跟從祂，不自私、不忘本、能感恩、能分給人，就能富足。

一個只知道得而不肯給出去的人，表面上看很會打算，比人聰明一等，實際上卻是一個無能的人。他一切所有的，只不過是勇士手中一把好看的弓，雖然美麗但不完全，因爲沒有箭，不能發射。同樣地，一個只顧自己的人也是如此，這種人是個不成熟又虛空的人。

以色列王所羅門雖有千萬金銀，又聰明絕頂，但因以自我爲中心，最後非常孤單，而且心靈空虛。年老時他寫下傳道書警誡世人，叫人知道只有回到神面前，爲神而活，生命才有眞正的價值與滿足。

神叫人富足的方法是要分給人，好叫你倚靠神，不再倚靠錢。倚靠錢，錢會被惡者利用來控制人心，叫人小器、愁苦而無安全感。將來到了末日，十國聯盟的經濟在敵基督的手中，要小心哪。你若用神的方法，倚靠神、分給人，神就作你的源頭、寶藏與快樂。事情照神的方法作，大家學習專注在神慈愛的看顧之下，使神得榮耀，人享平安與富足，豈不是很好嗎？這樣分給人，大致有兩方面：

（一）對神——尊榮上帝

1. 什一奉獻

將什一奉獻給平時去的教會，按照賦稅之前或之後的數目來計算都可以，因爲神會按照你的心報答你。無論我們用什麼方法，神總不會少給我們。如果每一個會友都什一奉獻給教會，教會就豐富，就有更多能力將福音傳給其他人，而奉獻的人自己也能享受豐富。

神的方法總不同於人的方法。人以爲要達到某種程度才能得救，但神給大家都有機會。以賽亞書五十五章8～9節說：「耶和華說，我的意念，非同你們的意念，我的道路，非同你們的道路。天怎樣高過地，照樣我的道路，高過你們的道路，我的意念，高過你們的意念。」

神的方法奇妙，人一得救就走上神的路。人一信主，永生就開始了，使我們不再怕死，因爲死就是天家的入口，好得無比。不但如此，祂也關心我們在地上的生活，要我們享受豐富，所以教導我們什一奉獻的眞理。瑪拉基書三章8～12節的記載說：

「人豈可奪取神之物呢？你們竟奪取我的供物，你們卻說：我們在何事上奪取祢的供物呢？就是你們在當納的十分之一，和當獻的供物上。因你們通國的人，都奪取我的供物，咒詛就臨到你們身上。萬軍之耶和華說：你們要將當納的十分之一，全然送入倉庫，使我家有糧，以此試試我，是否爲你們敞開天上的窗戶，傾福與你們，甚至無處可容。萬軍之耶和華說：我必爲你們斥責蝗蟲，不容牠毀壞你們的土產，你們田間的葡萄樹在未熟之先，也不掉果子。萬軍之耶和華說：萬國必稱你們爲有福的，因你們的地必成爲喜樂之地。」

這裡講到奪取我的供物，就是奪取屬神之物，咒詛就臨到你們。故此，要將當納的十分之一全然送入倉庫，試一試神是否爲你們敞開天上的倉庫，傾福於你們，甚至無處可容，充足有餘。而且萬國必稱你們為有福，你們的地也必成為喜樂之地。

若是信徒不遵守什一奉獻，就是偷竊神的東西。如果你將什一給神，神的天窗就要為你打開，必定使你充足有餘。那些沒有什一奉獻的人，有時受苦自己也不明白。11節說：「如果你扣留神的錢財，咒詛會臨到你，經濟上會負債或缺乏。但你若遵守什一奉獻，神可以挪去這一切的咒詛，並要敞開天窗傾福於你。」全本聖經只有這裡記載，神容許我們試試祂。

試試比不信又不動要來得好，不尋求進步可能一生淡而無味。不動就無法發現新的事物，人要恢復單純倚靠主的心，才能遇見神的榮耀。外子曾說：「什一奉獻好像訓練人學舉重，常常按時舉幾磅重，到需要用力時，就有力氣了。」此外，什一奉獻也是訓練人學習大方，使你比較容易給予需要的人。

未信主前，我們不知道什一奉獻的眞理。但我們委身，願意每月按時送錢回台灣給我的公公、婆婆。有時候，我們的經濟會比較緊。不過有一件事叫我不能忘懷的。那是外子在研究院最後一年的聖誕節，有一天我們眞的窮到沒錢買菜。豈料第二天早上，一打開門就看到兩大袋食物放在那裡，分明是為我們的需要。當時眞的驚喜交集，回想起來，這眞是首次嚐到分給人，就有神恩典的眞理。「祂的慈愛好像人放鬆牛的兩腮夾板，把糧食放在他們面前一般。」（何十一4）神的顧念常是恰到好處，不早不晚。所以當神感動我們，要快去幫助人，免得人缺乏就不好了。同時作父母的，不要說：「兒女自己都困難，還給我們作什麼。」神會報答他們，因爲神賜福給孝順的子女。此外，當他們看到父母家中有自己勞苦的成績，他們也更快樂，同時你在親友面前也有光彩。可以鼓勵人同樣去作，當好的循環愈大，社會也愈健全蒙福。

信主之後，關於「什一奉獻」還是在一個偶然的機會中開竅的。當時教會需要建堂奉獻，我心有感動，就將我最好的首飾，價値美金兩百元的金項鍊奉獻出去。沒想到過幾天，外子被請去教三堂課，就有一個六百元的額外收入，正好是兩百的三倍。我靈裡便有一個頓悟：「越給神，越多得。」於是我們開始了什一奉獻，從此二十多年來豐豐富富不再缺乏，成爲一個能與人分享的家庭。

今天不是要爲教會籌款，而是把眞理擺在你面前，爲要使你得福。你聽了可以試一試，發現實在是好，就繼續作，因爲這是眞理，眞理必叫你得自由。經上說：「屬靈人能看透萬事。」（林前二15）你順服神的旨意，可以叫你看到看不見的事。願我所蒙的恩，你也有一份。

我們孩子相差一歲，當他們先後進入加州州立大學之後，一個朋友關心地問：「你們一份收入怎麼過日子的？辛苦嗎？」我回答：「謝謝你妳，我們蒙主恩，一切平安，一直以來我都不需要關心他們怎樣付款。都因神在一切的需要上供應了我們，所以我們不需要借一文。」她驚訝地看著我。是的，因爲獎學金、助學金，加上孩子們課餘賺家教，不足的，外子補上，就這麼輕輕鬆鬆地過了，直到畢業。請看小女的一番話，有人問她應如何申請大學獎學金，她回答得很中肯：「表面上看來是因爲我成績好，但實際上是因爲神的祝福，還有些獎學金，彷彿是從天上來的，連表格都不用塡，只要簽名接受就好了。」這豈不是神的恩典嗎？

小女懂得給的眞理，就蒙神多多賜福。有次教會建堂，她想認捐一千元。因爲她在高中時已達到一百元的奉獻，但一百元爲建堂太少了，神既那麼恩待她，她要更多給神，於是心中常想：「惟願我有一千元給神。」幾個月後，她就額外收到五千元的獎學金。那時快畢業了，怎麼跑出來那麼多的錢呢？我靈裡看見就告訴她：「這是主回應你的呼求，使你可以奉獻那一千元。」

詩篇二十四篇1節說：「地和其中所充滿的、世界和住在其間的，都屬耶和華。」祂曾降嗎哪給以色列民，讓他們在曠野吃飽，祂既然豐盛，祂是造我們，將生命氣息賜給我們的主，又是慈愛的神，要我們好好活著，何必在錢上跟我們過不去呢？連我們生命的主權都在祂手中，祂可以叫人死叫人活，祂還在乎一點錢作什麼？如果你今天有十萬根頭髮，還會向人去討一根頭髮嗎？但神要的是你我的心。

馬太福音六章21節說：「你的財寶在那裡，你的心也在那裡。」神要我們給祂一點財寶，好叫我們的心也跟過去，能與祂來往，認識祂的全能。進而倚靠祂，並釋放我們脫離倚靠錢財的捆綁，那個有限的、不可靠的、會長翅膀飛走的東西。所以經上說：「祂的慈愛永遠長存。」（詩一三六12）

當女兒多多經歷主的信實，就鼓勵室友Sau守什一奉獻。因為兩人都申請一樣的助學金，但每次Sau的都會慢些收到，叫她很著急。一問之下，原來她沒有將什一奉獻給神，也不知道這個眞理，當她明白過來後，就立刻試一試。「智慧人的勸誡，在順從的人耳中，好像金耳環，和精金的妝飾。」（箴廿五12）Sau每次寫好一張二十元什一奉獻支票，就給女兒看，她眞誠得像個孩子。過了三個月，她意外的收到一張四百元的獎學金支票，是不曾申請的。這回女兒的眼就明亮了，立刻指出這是天窗開了。Sau好歡喜，以後就一直存誠實的心守著這眞理。畢業那年，許多人成績好，也找不到工作，但Sau第二天就得到一份很好的工作。如今，她也十分豐富，不再擔心錢的事了。

如果你已得救，卻還未守什一奉獻，不但會缺乏，有時還要受苦。曾經有一位主內姊妹為兩件事煩惱，一件是她女兒兩歲多還要用奶嘴，有次出門旅行忘了帶奶嘴，半夜三更孩子哭鬧，使得她先生黑漆漆到處去找奶嘴。另一件事是，樓上的洗手房地板翻起一角，門打不開，因為忙，無暇修理，一直空著，已幾個月不能使用。那天和陳姊妹去看她，談話中無意間提起什一奉獻的事。感謝神動工，當天她就將半年中欠神的七百元，交到教會辦公室去。從那天起，她女兒就不用奶嘴了，那扇門也自動打開，地板也平了，她才明白什一是神的，不歸給神是會吃苦的。「耶和華的眼目遍察全地，要顯大能幫助向祂心存誠實的人。」（歷下十六9）

神愛我們，我們理當愛祂。不但要守什一奉獻，叫我們不缺乏，更要獻上一切，由神掌管，因祂是主，我們是祂用寶血重價買贖回來，是屬祂的，所以一切屬我們的也都是屬祂。我們本來要滅亡，現在卻有了永生，成了神的孩子。聖經說：「將身體獻上，當作活祭，是聖潔的，是神所喜悅的，你們如此事奉，乃是理所當然的。不要效法這個世界，只要心意更新而變化，叫你們察驗何爲神的善良、純全可喜悅的旨意。」（羅十二1～2）詩歌也說：「神的路最美好，雖我不明瞭。」你將錢交由神掌管，你會發現祂比我們會經營，因爲祂的意念高過我們的意念。你可以由什一作起，回去試試看，祂要你信服祂，將心給祂，好使你不但無缺，而且更豐盛。

2. 獻初熟之物

「以色列人……要將初熟之莊稼一捆帶給祭司。」（利廿三10）

「神對亞倫（祭司）說，凡油中，新酒中，五穀中至好的……以色列人所獻初熟之物……都賜給你，你家中的潔淨人都可以吃。」（民十八12～13）

以上是律法規定，以色列人每年要將初熟之物獻給神，叫祭司可以吃用，凡遵守這命令的，神必傾福於他。祭司相當於今日的使徒（宣教士）、先知、傳福音的、牧師、長老、教師等等，神這樣吩咐，爲要叫神的僕人豐富，也叫樂意獻上初熟財物的弟兄姊妹們豐富。所以箴言三章9～10節又說：「你要以財物，和一切初熟的土產，尊榮耶和華，這樣你的倉房，必充滿有餘；你的酒醡，有新酒盈溢。」

弟兄姊妹，這是神應許我們一個蒙福的管道，好些人經歷過。我們也曾屢次經歷，將新工作的第一份薪水或每年第一份收入爲神獻上，祂的報償眞的是相當可觀的。主話信實，絕不落空，你們可以試試。

（二）對人——施恩與人

1. 給人會喜樂

照世人說：「錢財有進來，才有出去。」但按照屬靈豐盛的原則，你們給人，就必有給你們的。所以基督徒不應當缺乏，如果缺乏，有可能他們不知道給的原則，過自私的生活。一群自私的人就像一堆散沙，但合作才是力量。若大家都不肯給，大家辛苦；但大家願分一分就會快樂，分享是神的方法。心塞住不給人，不會喜樂；給了人，心才打通，才多有喜樂。大家給的能力大，可以作大事，喜樂就更大了。聯合是能力，打仗是浪費，自私來，罪也來，分出去，享平安，但世界沒法作到，因爲死在罪惡過犯之中；惟有基督徒可以作到，因有主的生命。我們要服在神的手下，由神安排我們的錢財；相反地，每個人的生活效率會多幾倍，再加上神賜更多福給順服神的人，就不得了。

小女自從將一台新冰箱送給Southall全家之後，她多次說：「我好喜樂，好喜樂。」因她想像他們十二口之家享用它的光景就快樂。還有一次，我兒子說：「我每個星期帶點心給主日學學生們，因這件事，我很快樂。」基督徒快樂的祕訣，不只是白白得救恩；乃是眞實經驗到跟隨神的道路上，發現主道有能力，就繼續使用這個活的能力，並存著誠實善良的心，將恩典不斷供應出去，使自己成了活水江河、湧流的通道，使神得尊榮，人得益處，所以常常喜樂。錢不能買快樂，但藉著使用神的方法來用時間與能力，就能使一個信徒常常經歷喜樂。因爲此法使神與人都喜樂，自己怎能不喜樂呢？當神給人財富，讓他們享用它，又叫他們從勞碌中得喜樂，這是神的方法與美意。「神賜人貲財豐富，使他能以吃用，能取自己的分，在他勞碌中喜樂，這乃是神的恩賜。」（傳五19）

2.給是借給神

如果你知道神的數學，想一想祂怎樣種一粒種子，就收成無數倍，人的銀行從來沒有這樣高的利息。一元買五十個番茄種子收成好大，一元放銀行每年跌價，因爲通貨膨脹，如果國家亡了，那一元就成了廢物。但一元番茄種子卻能收成無限，神的數學是一等於無限，神的銀行也是一等於無限。你若把財寶投資到神的銀行裡去，就會詫異祂的驚人力量。

神好比一個商人，他有事業要經營，若是你今天能參加祂的事業，願意給一塊錢，祂就能帶給你更多的福份。其實祂要從別的地方得一元很容易，但是祂要像一個父親和孩子在玩遊戲似的。當我們願意愉快地給一元，祂好高興，不但會還給我們，還要多給我們，祂用祂的數學方法來算，就是「一乘上許多」。所以投資到天國，就有好事不斷往你那裡去。你若借錢給人，都信他們會還你，何況借錢給神呢？箴言十九章17節說：「憐憫貧窮的，就是借給耶和華，他的善行，耶和華必償還。」箴言十四章3節又說：「欺壓貧寒的，是辱沒造他的主；憐憫窮乏的，乃是尊敬主。」使徒保羅也說：「凡恆心行善，尋求榮耀尊貴，和不能朽壞之福的，就以永生報應他們；惟有結黨不順從眞理，反順從不義的，就以忿怒惱恨報應他們。」（羅二7～8）。因爲神不偏待人。

難道神還需要向人借錢嗎？全地都是祂的，包括你我在內，連我們這個人都是祂的。可是神還謙卑地說：「你給窮人就算在我的賬上，我一定還你。」（參箴十九17）哪有這種話呢？但神已經給我們自由意志，這是神的數學，祂不勉強人。所以，當你給人的時候，要有兩種心態才能討主喜悅：

a.作給神看，非給人看

「你施捨的時候，不要叫左手知道右手所作的，要叫你施捨的事行在暗中，你父在暗中察看，必然報答你（有古卷作「必在明處報答你」）。（太六3～4）

b.要甘心給，不可愁煩

不要惡眼看窮乏的弟兄，什麼都不給他，以致他因你求告耶和華，罪便歸於你了。你總要給他，給他的時候，心裡不可愁煩，因耶和華你的神必在你這一切所行的，並你手裡所辦的事上，賜福與你（參看申十五9～10）。

給人也當謹慎。在需要來時，當問問主，因主是錢的主人。我們知道，貪心會鎖人，懶惰叫人苦，騙財會傷人，神沒有叫我們關心這樣的人，神也不要我們送錢給富人，因他們不需要或許看不上，甚至以為你有求於他，與你一點好處都沒有。要送錢給窮人，也不要期望人報答，神會報答。有時你作在這人身上，神在別處藉他人來供應你的需要，要甘心樂意的給，必蒙賞賜。提摩太前書六章17節說：「……富足的人，不要自高，也不要倚靠無定的錢財，只要倚靠那厚賜百物給我們享受的神。」

二十年前，某次在路上下雨，有位太太哭著迎面而來，因她隨丈夫剛從韓國搬來，不熟地理，找不著火車站，不知如何回家。我看她還有一哩多路，而我只有兩條街，就將路指引給她，又把手上惟一的一把破傘送給她。過幾天，有一個新娘子，因爲有好些新傘，就定意送一把很漂亮的黃傘給我。主眞是何等信實豐盛的主。路加福音五章，主向彼得借船講道，講道完了，就賜他兩船的魚，甚至滿到船要沉下去。列王紀上十七章也看到一個饑荒中的寡婦，把僅有的一點麵和一點油準備爲自己和兒子作餅，以爲吃了，死就死吧。不料先知以利亞對她說：「不用怕，你只要先爲我作一個小餅……，然後爲你和你的兒子作餅。因爲神如此說：『罈裡的麵必不減少，瓶裡的油必不短缺，直到耶和華使雨降在地上的日子。』」（王上十七13～14）當婦人眞的這麼作，果然吃了許多日子。奇妙啊！都不短缺。

神是無限公司，你願意投資在祂的國度裡嗎？你若常常問主：「要我怎麼幫助人？無論金錢、時間，都願爲主的緣故給出去。」那你就是一個眞正富有的人，因爲你與神聯合了。

3. 愈給就愈多

神要給那「肯給的人」，因爲祂是給的源頭，祂是造物主，一切的豐富在祂裡頭。所以祂給人不會計算，祂且要滿足那「肯給的人」。

「你們要給人，就必有給你們的，並且用十足的升斗，連搖帶按，上尖下流的，倒在你們懷裡。因爲你們用什麼量器量給人，也必用什麼量器量給你們。」（路六38）哥林多後書九章6～8節也說：「少種的少收，多種的多收……捐得樂意的人，是神所喜愛的。神能將各樣的恩惠，多多的加給你們，使你們凡事常常充足，能多行各樣善事。」這兩處聖經合起來看，要我們用錢去種，如種子種地一樣。你多給，就多給你；少給，就少給你。神要照你量給人的給你。但神給的總是比我們給出去的多而又多，因爲神是豐盛的神。

有次上帝感動我要立刻寄六十元給一位寡婦，我憑信心聽從了，並且附上一份禱告：「主啊！這事出於祢，請給我預備今晚和明晚全家的晚餐。如果再要給窮人，主啊！求祢把錢給我，我好去送給人。」我沒忘記本份，家人要顧到，同時只要心存誠實，事出於主，主必供應開路。因爲主不爲難人，祂向你要求，一定有好事，先順服爲妙。果然，有兩個電話來，當晚和第二晚，全家都被請吃飯。次日，有姊妹被感動要給我一千六百元，指定要作分送窮人用的，我雖是無有，卻因有主就能常常供給人。

你若滿心相信神的話並遵行出來，神的話就要發生功效。在墨西哥的提娃那城，是個極窮的城，他們看見日本大地震，幾間教會就合力奉獻美金十元救災。當韓國教會的人聽到他們在極窮之間樂捐的美事，就被感動替提娃那建了十間教堂。以後，這十間教堂的牧師都很同心相愛，都因那十元的種子憑信心、愛心撒出去，就收成百倍千倍。所以，要促進經濟成長，樂捐是最好的方法。豈不是嗎？美、英、法等國就是因爲注重宣教、幫助許多國家，所以富有、強盛。

4. 給人多蒙愛

詩篇四十一篇1～3節說：「眷顧貧窮的有福了，他遭難的日子，耶和華必搭救他。耶和華必保全他，使他存活，他必在地上享福……他病重在榻，耶和華必扶持他，他在病中，你必使他恢復健康。」（參聖經新譯本）主耶穌是憐憫人的神，是看顧孤兒寡婦的神，所以祂在馬太福音五章7節說：「憐恤人的人有福了，因爲他們必蒙憐恤。」

從前中日戰爭，家母在兵荒馬亂中，逃到一個不認識的好心人家，接待她住了許久。她問他們：「爲什麼你們對我那麼好？」那個人回答：「因爲多年來你的母親一直接濟我們，使我們渡過各種難關。我們也當對你好，你儘管安心住吧！」使徒行傳記載，多加死了，許多人爲她哀哭，因她活著時廣行善事，多多施恩與人。後來彼得禱告，主就使她從死裡復活。

用什麼量器量給人，就用什麼量器量給你們。種信心的，收信心的果子；種愛心的，收愛心的果子；主不偏待人。多加姊妹因種愛心的果子，雖然死了，人愛她，爲她哭，神也愛她，按著她手中的清潔公義報償她，使她從死裡復活，加長她的年數。

父親是一個很努力的人，一生遠避不義之財，幾十年工作中，許多人要送紅包給他，都被他拒絕。聖經說：「以貪財爲可恨的，必年長日久。」（箴廿八16）他退休後，來美居住十一年，兒孫皆在周圍，幾乎每週都可以見面，時常團聚，同享各樣美味。雖然年老，仍喜歡幫助人，作上郵局、買報紙的跑腿。他信主三十年之久，不停止聚會，時常和媽媽一起禱告。一生中雖曾三次大病，也是蒙神看顧很快痊癒。在生命的最後一週，身體無力跌倒，送醫院七小時後就被主接去了，在世旅居八十二年。

我也有一位愛主的母親，她並非完全人，但卻從她身上看到耶穌的榮光。家母頂會顧念人的，幾十年如一日，她常常說：「滋潤人的，必得滋潤。」你常想到別人的需要，耶穌就想到你的需要。由於她不住活出這個眞理，使周圍的人都喜歡她，她也不住的禱告，凡事謝恩，總相信凡事與她都有益處。人問她：「你整天作好事，作累了怎麼辦？」她回答：「要靠主重新得力。」

某次和外子談論「屬靈」，小女在一邊馬上回答起來：「媽，妳看外婆，教會主日學沒參加，禱告會沒參加，晚上的團契也不去，你說她屬靈不屬靈？我看服事多不一定屬靈，屬靈是妳所作的要從心裡作，像是給主作的，當妳裡面滿了主的生命再流露出來，才能供應人。勉強去服事，工作再多也不屬靈，凡不從心裡爲主作的，都是白作。常常親近神，比參加許多服事更重要，外婆常常一句聖經說出來，比一篇道還叫人記得清楚。」是的，服事主很重要，但要從心裡爲主作的才是屬靈。正如小女說的：「外婆只有三篇道：要感謝，要給人，要禱告，但卻很有能力。」因爲她常常說，也常常作，是個活的榜樣，天天在你面前，叫你不會忘記。

有一次，王伯母開車帶媽回家，不小心車子碰壞了，她好傷心，怕日後保險費增加。媽就給了她兩百元，並安慰她，使王伯母很高興。雖然她是一位碩士，又是在美工作到退休，卻因感謝母親的愛心，自動陪她去上ＥＳＬ的課，無意中作了她的專任司機和英文家教。爲了感謝母親的愛，此後還多次帶她去買菜，最後王伯母搬進父母住的公寓，認識好多中國朋友，兩人都很開心。小小兩百元投資，因著愛心去施行，媽就收回那麼多的愛與報償。

從前有人欠爸爸幾筆錢不還，爸爸很傷心。媽媽說：「別難過，我們欠他們福音的債還更多，爲他們禱告吧！」以後爸爸也想通了。多年後，爸爸過世，兒孫在旁看媽媽怎樣反應。雖然她傷心，但沒有哭，倒是感謝又安慰為她哭的人。父母結婚過五十年，信主三十多年，同甘苦共患難那麼久，人問為何能不哭呢？她說：「人過八十是好事，當感謝神的厚恩，在家鄉還要穿紅衣慶賀呢？」如經上說：「八十是強壯的」，爸已到天上去，好得無比，在那裡沒有病痛，只有快樂，每一天都比他在地上好，爸是有福的。

我想媽媽能常常喜樂有兩個原因。第一，天天讀經禱告，親近神。三十多年如一日不間斷。第二，常恩待人，也接受人的愛。傳道書十二章1節說：「你當趁著年幼，衰敗的日子尚未來到，就是你所說，我毫無喜樂的那些年日未曾臨近之先，當記念造你的主。」可見人在年老衰敗時，同時也會失去喜樂，但母親今天七十七歲仍然時常喜樂，我想祕訣在末了的話：「尚未衰敗之先，應當記念造你的主。」就是時常親近主，照主的旨意去關心人，也常把各種事跟主說，因此不用自己掛慮，使她可以重新得力。母親是一個心裡堅強的人，因為與主聯合，主就賜她喜樂與力量。「他不多思念自己一生的年日，因為上帝使喜樂充滿他的心。」（傳五20聖經新譯本）「靠耶和華而得的喜樂，是我們的力量。」（尼八10）喜樂是一帖良藥，你願意多蒙愛有喜樂嗎？告訴耶穌，向祂支取力量，倚靠祂去給人，不斷的作，就有喜樂了。

感謝主，死在母親身上發動，生卻在我們身上發動（林後四12）。有次為了母親的背漸漸彎了，心裡時常憂傷難過，回家就寫下這段話提醒自己，媽媽背彎見證了：「她是一個愛的母親、是一個勞苦的母親，是一個服事眾人的母親，她也是一個神所喜悅的人。」

弟兄姊妹，神有大能，祂是豐富之主，多種多收，作給神看，非給人看，求神記念，不求人報。主權交主，時候到了，凡甘心樂意給出去的人，無論是什一奉獻，是獻初熟之物，是給家人、親人、窮人，只要是爲愛主的緣故給出去的，都有報償。不但自己要作，也要勸導初信的人。主說：「凡我所吩咐你們的，都要教訓他們遵守，我就常與你們同在，直到世界的末了。」（太廿八20）主在旁邊，我們就能享受豐盛的恩典了。

七、佳作未成

小天鵝生下來很醜，長大了才漂亮。一個孩子的成長也是如此，他們都是上帝手中未完成的傑作。

不要把孩子過分寵愛，一身貴價的衣裳，弄得他們不自在，與人格格不入。也不要揠苗助長，過分期盼，好像將食物拚命塞進鳥的嘴裡。也不要過嚴，這個不能碰，那個不行動，好像用繩子勒住鳥的頸子，叫牠動彈不得。求主幫助我們，將一切出於己的作法一併摒棄，好叫他們能有個快樂的童年，讓生命自然成長到他本來的豐盛裡，才不會扭曲。

兒女是神所賜的珍寶，不關心他的成長，將來可能成爲你要命的網羅。若給予正確的栽培，長大了，就可作你最親愛的朋友。想要有好的成果，讓我們從三方面來作：

（一）要請教神

工人造房子需要工程師設計的藍圖，小心謹愼地建造，方能成功。同樣，神是最偉大的工程師，每一個小孩都是神手中的精心設計。所以作父母的應當小心謹愼地請教神，與祂合作，才會有圓滿的收成。

孩子小時都像一個機械的零件，當你把他放在對的位置上，他就活了。從前女兒很愛彈琴，於是把兒子也拉去學琴。沒想到他是不同的料，所以坐不住，連三五分鐘也要計較。比方，練琴時間還剩三分鐘，但曲子需要五分鐘才能彈一遍。他會問：「可以彈三分鐘，剩兩分鐘明天彈完嗎？或全彈完，明天少彈兩分鐘呢？」這眞叫我們頭痛。可是一到運動場上，他就如魚得水，快樂得很，這下輪到姊姊不行了。教育孩子要得法，不要在錯誤上堅持，一定要他們學什麼像什麼，而喪了子女的志氣，逼他們與你疏遠，令他們去找不成熟、沒愛心的人來肯定他們。等他往更錯的路上跑，你就要受苦了。「作父母的不要惹兒女的氣，只要照著主的教訓和警誡養育他們。」（弗六4）

孩子錯了總要從好處著眼，怎麼知道他們長大不會成器呢？應當多倚靠神，還記得女兒幼稚園畢業典禮中，老師吩咐她上台作一個數學題，16加4。她答02，弄得全場哄堂大笑。老師很有智慧地謝謝她的合作，並柔和地指正她，讓她可以歡歡喜喜地下台，使她非但沒有對數學產生反感，如今還是一名數學老師呢！她學中文，有次把修女說成了香菇，但不怕失敗，如今她的中文也學得很好了。

孩子們手腳不靈敏，偏愛幫忙，作父母的不要嫌他們，把他們推開，你願意今天忍著點，日後他們作你的好幫手呢？還是要凡事自己挑，日後讓兒女成了好吃懶作的人呢？不要小看孩子。小時候我洗碗常打破碗，媽媽總說：「沒關係，一回生二回熟，只要手沒弄破就好了。」因此我成了媽媽的得力幫手。每年大掃除，油漆粉刷，我可以連作幾天，一人包下來，也不覺得苦，直到從裡到外煥然一新為止。

還有一事，記得女兒四歲時，每次看到我寄送「台北基督之家」的週報，她就要插一手，總是叫我抱她去投郵，而且不肯一次投入，要一封一封的投，投完還要打開，看了又看，直等我一再和她說：「好了，進去就看不到了。」如今她作事比我快，有次一感動，就送來五百張郵票，並且一口氣全貼在信封上。直到今日，她仍與我同工。我們都很快樂，這樣，從前的忍耐，成了今日的報償，豈不值得嗎？

生命有時會突然改變，但成熟卻是漸進的，鼓勵總勝過責備。不要以爲孩子頑皮就不好，可能他長大了比你還能幹。兒子三歲的時候，常用頭去頂雙人沙發，從客廳這頭頂到那一頭，原來他精力過旺，沒地方活動。如今他彬彬有禮、斯斯文文的，大家都喜歡他。從前的主日學老師看到他，還眞不敢信這就是那個當年在班上最令他頭痛的孩子呢！如今他已是位機械工程師。所以有次落地窗簾拉不動，若換一個新軸要幾十元，正因他學這行，竟然用幾毛錢買個小東西，一下子就修好了。

孩子是一個未知數，發展得法與不得法都會令人驚奇。只看你願意選擇那一樣。教育子女要多多請教主，要花時間，大人小孩的差別，往往好像機械中的一個大輪子與小輪子的不同而已。孩子是小輪子，只須多轉幾下也可以達到大輪子的果效。所以，不用煩躁，多鼓勵，多給學習的機會，有一天他們會成爲你的冠冕。父母要有耐心，不看現在，要用信心的眼看將來，今天就能快樂了。

（二）愛心變通

某次在一個野餐會中，一位陌生人用驚奇的口吻對外子說：「你好瘦啊！你太太也好瘦啊！你知道嗎？有一個很瘦的人，他一跑步就死了。」他不知道我先生很會運動，也很會跑步。人有時就是這樣，不知道自己在說什麼，以致叫聽的人受傷或無奈。但外子因那人不信主，他就用愛心將話一轉。他說：「不錯，人都會死，只是有些人不知道死了往何處去。但信耶穌的人，不怕死，因爲知道自己往那裡去，也知道是去一個更美好的地方。信耶穌的人活著有盼望，死了也有安息所。」接著再向那人傳福音，把苦的變成甜的；最後兩人變成了友善的談話。

有愛心就能忍耐變通，總要叫領受的人感到安穩，許多事情都不一樣，好像你拿一個籃球，與拿一盤剝了殼的滾水蛋是不同的兩件事，要用的心思也就不同。拿籃球可以大踏步走，拿一盤滑溜溜的蛋就得小心翼翼。訓練孩子學新事也是如此，要多仰望神，使你想出妙方。有時候，孩子們精力充足，不肯睡午覺，明知道晚上要出去聚會，第二天要早起趕上學，跟他們講來講去都無用，後來神給我聰明，想到一個妙方。大家讓一步，他們不用睡著，只需閉眼就好。平時睡一小時，今天半小時就夠了，以鬧鐘爲憑，時間一到就可以起來。這樣他們很高興，好像在玩遊戲，立刻照辦了，並且呼呼大睡。半小時後眞的把他們叫起，他們很生氣，但此法用過三回以後，他們就服了，因爲你比他們精明。

唱歌比吼叫管用，叫多了孩子會嫌你煩，或當你耳邊風，你失了威風就更生氣，不如用唱的方式，隨口唱即興之辭，音調滑稽也不怕，反正唱的比吼叫的好聽得多，因爲聲調不凡，會讓他們豎起耳朵來聽，便會看見果效。有一年我替人帶孩子，那孩子比較大，自信心強，過馬路會亂跑，我們兩個孩子也就跟著跑，一下子亂成一團，幾次以後，神給我一個辦法。自己編了一首歌，把他們教會，在家中訓練一番，出門就變成一個小隊伍，一邊過馬路，一邊唱：「兩邊看，左看看，右看看，沒有車，可以過。」

這是一條最難聽的歌，卻滿有功效的。這樣四張口一起唱，四個頭一起擺，大家手拉手，好像在舞蹈，又像作遊戲，快快樂樂、平平安安地過馬路，他們也感到很有趣。三歲小孩比較難明理，你不能將好的道理一味塞給他們，你只能按著他們的程度，使他們明白。要慢慢的，不能急。

記得在小兒三歲那年的一個主日，他一早就吵著非穿姊姊的紅色長洋裝不可，怎麼說都無用。當時我想起了箴言二十六章5節的話：「要照愚昧人的愚妄話回答他，免得他自以爲有智慧。」我就用他的方法治理他。於是那天我們給他穿上紅洋裝、紅皮鞋。崇拜完了，大家找不著他，老師們也不知道他跑去哪裡，最後發現他躲在女生廁所裡。原來他聽到小朋友說：「媽咪，忠誠到底是男孩還是女孩啊？」從此他就乖乖地守本份了。

孩子看到紅紅的電爐很好奇，一定要摸一下，你不妨陪著他，一面看它變黑，一面解釋，然後叫他摸一下，他一輩子都會記得。大人看事又快又準，小孩遲鈍多錯，不要擔心，因爲他還會長大。

看到子女不聽話，父母很容易使用權威或責備，有時放慢腳步，想一想再說，效果會比較好。某次看到女兒該作的事不作而去聊天，雖然心裡急，口裡還得慢慢說。發現有人走錯房間了，誰知她立刻嘟著嘴，表示抗議。我安靜一會兒就說：「悔改就是路。」她就不好意思，馬上笑笑回房間去作事。孩子喜歡新花樣，我們有時叫兒子作哥哥，他好起勁，馬上一副大人的模樣，要負責作這個、作那個，眞是又滑稽又有趣，氣氛馬上變輕鬆，生活也顯得有力量。有愛心就能變通，能安靜就有力量。

年輕的母親們最好能互相代禱，週間彼此照應，讓大家都有自由走動的機會，不要都自己背，擔子太重了。有一天秀香打電話來，要我爲她的嬰兒夜間常醒來吵鬧禱告，我答應她，並教她一招，請她爲康康的孩子代禱，因爲我們先去解決別人的難處，自己的難處就容易度過，同時再找康康爲秀香的嬰兒禱告。掛下電話，我快樂地拍手，高呼：「哈利路亞」，謝謝主賜辦法。她們年紀相當，困難一樣，都有小孩的問題，若能互相代禱關心，大家擔子輕，又叫神歡喜，不是兩全其美嗎？「你們各人的重擔要互相擔當，如此就完全了基督的律法。」（加六2）

（三）甘心等待

養育子女需要甘心等待。你看駱駝在沙漠行走，雖然飛沙走石，太陽頂天，但仍須一步一步地走，每一天慢慢前行。因爲青草地，溪水旁彷彿在望，就能耐心行走。孩子未成熟前，又好像畫家手中未完成的水彩畫。起初畫家用大刷子大筆地塗色，看不出所以然，久了才能明白。所以父母們甘心等待吧！主不會錯的。

記得忠兒小時常要拉姊姊的辮子，弄哭她，又喜歡在床上跳來跳去，弄到有回頭上開花，血噴出來。終於三歲了，可以進托兒所去，老師教ABC，他一個音也不發，天天如此，弄得老師又好奇又失望。我們就把他交託主，有什麼辦法，反正他會說中文，不是啞巴，有一天也會說英文。大約一個月後，有一天，突然他對全班的小朋友說了一整句的英文，才打破了這個僵局。他說：「老師說現在不能吃點心，要等老師回來。」話一說完，大家都呆住了，好像影片斷了畫面一樣，統統瞪著他看，說不出話來。怎麼他一下子會說，而且說了一大堆呢？這是神的傑作，人無法解釋，只有感謝主。

他幼兒期淘氣事很多，但大了和姊姊一起唸大學，週五晚上聚會完畢，他就陪姊姊回住處，步行來回約半哩路，他總是護送姊姊上三樓，看她進了房門才離開。幾年都是一樣，甘心樂意的作，人大了很不一樣，是吧？

當然父母有時看小孩長不大，天天差不多，難免心灰意冷，不知道孩子到底明白多少。記得忠兒十三歲那年一天中午，我為他得救的事跪在床邊，痛哭流涕的說：「主啊，我眞是疲倦灰心，他六個月大就進禮拜堂了。如今快十四歲，不知聽了多少聖經和屬靈偉人的故事，今天他竟說不確知耶穌是否為他死而復活，我要怎麼辦，怎麼幫助他呢？主啊！榮耀的救主，祢怎樣使戴德生回轉，使慕勒回轉，也使忠兒回轉吧！求主光照他，使他看見自己的無知軟弱；啓示他，叫他看見主的榮耀，主的信實。求主用祢的榮光吸引他，叫他眞知道祢，他就要快跑跟隨祢。多年來，我時常為他禱告，屢次將他獻給祢，因他是頭生的兒子，他實在是屬祢的，而我只是在地上暫時替祢照顧他的母親而已。若是他交錯了朋友，或有什麼錯的想法，求主叫這些擾亂離開他。主啊！我今天再將他獻上，祢不但要救他，並且要揀選他，使他成為祢國度的人才，能向主忠心勇敢，大有信心，恆心靠主，好像摩西時代的約書亞一般。主啊！我把他交給祢了，奉主名禱告。阿們。」

我不知用了多少衛生紙擦臉，直到全身無力，也不想再禱告了。該說的已經說盡了，並且也深信這個聲嘶力竭的呼喊已經上達於天，心中感到輕鬆才站起來，後來他很快就得救。其實孩子的心很單純，一面要教導，一面要禱告，聖靈動工就很容易。哥林多前書十二章3節說：「所以我告訴你們，被神的靈感動的，沒有說耶穌是可咒詛的，若不是被聖靈感動的，也沒有人說耶穌是主的。」我對神的認識何等膚淺，豈不知只有神的靈能使人得救。不是說一大堆聖經故事就算數了。我對孩子的認識也不正確，他並沒有交什麼壞朋友，也沒有故意不信，只是不懂如何入門，而我也忘了跟他說明信主的方法，和邀請他自己接受主進入他心裡。

兒女眞需要父母的愛與忍耐，正像我們需要神的愛與忍耐一樣。想一想神怎樣待我們，我們也當怎樣待兒女。我原來是一個沒有耐心的人，所以我願意承認自己的軟弱，好叫神的能力覆庇我。

還記得許久以前，某次全家出遊到LA，講好七月一日返回。本來玩得很好，外子卻想提早一日回來，沒有什麼原因，只想早些回來，等大家同意了，他又要再提前一天。決定六月二十九日回程，只好再同意。接著他又說：「若找不到Motel 6，就直開回家。」結果只問了一次，沒有Motel 6，就一口氣，六小時開回，已是清晨兩點二十三分。我雖沒說什麼，但心中很難受，又很氣憤。「主啊！祢看他那麼專制又粗心，不如早些接我去見主吧！還要跟他住一輩子，日子好長呀！只怪自己當初不早些信主，不然就可以禱告，求主給我一個有耐心、愛心的丈夫了。」

終於回到家，孩子們開心的喊：「到家了，到家了。」惟獨我們兩個像漏了氣的皮球，沒有回應。天快亮時，我悄悄開車去一間美國教堂的停車場親近神，這樣沒有人會認出我來，希望跟主好好交涉一番，把這些壞心情對付掉：「主啊！我心情不好，求主幫助我。」後來讀到馬可福音十四章，耶穌爲我們的罪而死，當時我像木頭一般沒有反應。心想：「下午爸媽、弟弟一家來吃飯，怎麼辦呢？主啊，我要辦許多事，請幫助我拿掉這個惡心情。」我又看到《荒漠甘泉》裡說：「我們只要向那永遠的城中爲我們預備的榮耀看一眼，就能立刻得到新的力量。」「主啊！但我仍無法平靜……。」就任意翻到五〇八頁：「神不會到你身上去找講章、學位、文憑，祂卻會去找傷痕。」這話叫我舒服一些。再看第五〇九頁我自己從前寫的小字：「一把刀拿刀就切到手會痛，拿把柄就可以切肉切菜。苦難來了要用喜樂去迎接，就可有美麗的結果。」內心又舒服一些。再看四一三頁說：「我受苦是與我有益。」四一二頁：「神知道精兵是在戰爭中造成的，而非在平安中造成的。」再看四一五頁：「注意裡面的禁止（主曾給我一句話：寬恕別人的過失，便是自己的榮耀）。」「主，我無法原諒他，因他要決定一件事，就說要聽聽別人的意見，但他的意見總是最後的決定。」

我把書闔起來，聽到教堂內大聲唱：「讚美主」就走進教堂，聽到牧師說：「爲基督而作，基督要報答你。人間雖有不平，但神總有報償，在祂那裡有公平。忠心作神要你作的，要自我管束。當任何事爲基督的緣故是對的就作，不在乎感情受傷。」聽到這裡，我心中的冰塊開始融化。接著牧師又說：「不在乎人的報償，在人間有時會聽到：『喂，我比你好多了，你低於我，你應當作這個，作那個。』我們爲基督的緣故就作，請問你爲誰作，爲基督還是爲自己呢？」

因以上的話，心中終於平息了。我開始慚愧，因自己把基督忘了，也沒有替外子想一想，出遊還要負責開車，實在夠累了，於是我歡歡喜喜回家去，他也表示歉意，請我們上館子，大家就和好了。

爲了這件事，主給我指正。因我心中曾對主說：「主啊！他要提早回去，雖然掃興，由他吧！怎樣都好，他想不過夜一直開回也好，只要我得著基督，只要神在我心中被尊爲大。」結果，神爲要考驗我的心，就叫一連串的事發生。

主在我完全平息後，才提醒我這一切原來是我求來的，祂就藉此來磨練我。雖然我發怒，祂也不直接責備，卻照我的軟弱循循善誘，直到平順才叫你看見自己深處的光景，主眞忍耐我這愚妄人，祂的智慧比珍珠更美，人一切所喜愛的都不足與比較。

我們若自以爲是，不變通；若只看見人的錯，不問主，就會困難重重，淒涼又孤單。然而，主是懂得怎樣使我們成長的主，從祂的教導中，使我看到：

神藉惡事成就美好工作，人卻不能明白。

神是先有慈愛再行公義，不會感情用事。

神是溫柔良善甘心等待，雖然人是不配。

求主開啓我們的眼，叫我們作父母的也能如此善待兒女，使他們在被指正的過程中眞實受益，卻不受傷，使親子間多有愛與眞誠的回憶。求主賜下智慧使我循循善誘，甘心等待兒女長大成熟。容我再說：「我們需要有信心、愛心和甘心，仰望神賜力量來養育他們。」

由於孩子都有他的獨特性與可塑性，沒有兩個是完全相同的，連雙胞胎也不例外。經上說：「教養孩童，使他走當行的道，就是到老，他也不偏離。」（箴廿二6）意思是：使他走神要他走的道路，就是神爲他特別設計的前途。這樣他必走得愉快，也能達成神美好的旨意與安排。

這件事過了十多年，某日清晨四點多，外子醒來，就說：「細胞當爲身體活，信徒都當爲主活。」他改變了，不再那麼堅持了，神的智慧能改變人的脾氣。神也使我不再焦急，而是把重擔交託給神。花要開了才香，人要成熟才美。主給我們時間，我們也當給子女時間。主寬待我們，我們也當寬待兒女。但願我們的失敗都成了兒女的祝福。當我們甘心從錯誤中回轉、順服神，我們的兒女至終要成爲神的傑作。但願凡事引導、供應、體恤我們的神，作我們最好的榜樣。又願祂賜我們智慧與啓示的靈，使我們能與子女有正確的交往。

親愛的弟兄姊妹，兒女是神賜的產業。神願意他們個個美好，而美好的屬靈產品必須是在基督裡的時間與方法都對的時候，才能出爐的。所以，現在，請對你的心說：「佳作未成，我必須等待。」

八、按時教導

刷牆不要一次塗太多漆，免得滴下來浪費了油漆、工夫和時間。教導孩子，若能多次少量的教導，效果最好。

按時教導子女又像製造一架有用的機器，當每個部門分別造好再連在一起，便成了一架有功效的機器了。

教導孩子是一項長年累月的工作，必須用耐心恆心加上正確的價值觀，一直去作，才能有成，並無任何捷徑可尋。箴言二十一章5節提到：「殷勤籌劃的，足致豐裕；行事急躁的，都必缺乏。」一般來說，由於學校注重學問與體能活動，家中就要加上品格與行爲的操練來求得平衡。只有知識而無品德的人會驕傲自大。許多知識在短期內可以學到，但品德卻是一生之久的功課。所以教導子女的價值觀與品德愈早開始愈好。一棵彎的大樹很難變直，孩子幼小不教，大了更難。士師記每幾十年就亂一場，就是因爲沒有看到教導下一代的重要性。所以我們當教導子女，過一個德、智、體三方面平衡的生活。

我甚喜歡閱讀心理學家杜博生教授的書，他寫了許多建立家庭的書。其中一本《躲與尋》上面提到成人期責任感的訓練最好從童年開始。於是我們在孩子五、六歲的時候，便開始參考學習這方面的作業。找出他們的年齡和適應的責任給予界定，要他們學習負責任，每年修訂或增加，這樣他們長大了，才不至害怕去獨立面對人生。我們在孩子十二歲前，幾乎天天如此訓練。到了十二歲後，雖不用那麼嚴格，但他們也能聽我們口頭的教訓。他們沒有一般青少年期的問題，相信前面的作業確實奠定了好的基礎。

如今他們都各有成就，也很獨立，姊弟相愛，孝敬我們，並孝敬我們的父母，愛護我們的親人，也與朋友們有好的關係。他們時常喜樂，也能滿足神爲他們所作的一切，這眞是我們的祝福與安慰。正寫到此，今天還有人打電話來說：「飛筆啊，我看妳眞有福，我先生要我多和妳來往。」其實大家都能享有這一份天倫之樂，只要你願意倚靠主。凡事第一步難，但對的路一旦走上去，就有到達的一天。下面想與你分享一些實際的辦法，供你參考。

（一）每年一標準，每天察驗，每週結賬

拿一張大紙，上面寫下規定的標準，下面畫一幅小圖，每週換一紙，再畫上新的圖較有新鮮感。第一次要容易些，使孩子產生興趣與好感。若一下子太多，他們記不住或太難也作不到，心裡受挫折就不妙了。每一次先解釋清楚便容易上路，起先可能要幫他，帶他作，再慢慢地放手，叫他自己作。比方：玩具玩好就放回原處。頭幾次教他，陪他作，以後他就知道了。注意要多些稱讚，使他快樂與你合作。他們作得好，用一個彩色的「星」作記號，不好的行爲用一個「X」作記號，每晚帶他們一同看成績，一方面提醒這是認眞的，不是玩的，一方面建立榮譽感與責任心。除非故意反抗，要立刻處罰外，其他就從寬處罰，好使他們的路不致太難走。

稱讚與責備是管教孩子必然的兩方面。啓示錄第二章耶穌每次都不忘記那些教會的優點，而給予適當的稱讚。接下去，有需要的才責備。稱讚和責備都出於愛，但稱

讚總要在先，稱讚好像存款而責備則像提款。在我們心靈的賬上，只有當你存款充足時，你才能提款。稱讚也要著重在對方品格和行爲上，而不是他們的外貌與聰明上。因爲孩子是爲他的行爲負責任，而不是爲他的長相負責。責打孩子要讓他知道是爲他好，爲了愛他，要謹慎來作，因爲幼年時的記憶一輩子都新鮮存在腦海中，就是成熟了，幼年受傷的記憶有時還會突然顯出來，所以要用愛來傳達這個管教的信息。

在彼得三次不認主之後，耶穌安靜地看了他一眼，這肯定是一個愛的責備，以致彼得跑出去痛哭。愛的責備能帶來眞實的悔改。主對我們何等溫柔，主也痛恨罪，曾推翻聖殿裡兌換銀錢之入的桌子，免得聖殿被人輕慢。我們對子女也要有憐憫與公義，管教中要有愛與尊重。時光很快，他們轉眼就成了大人，可以作你的好朋友，也可作仇人。故此，今天就要有一個對的選擇。

我們在孩子犯錯時常耐心、愛心不夠，可以看看神對人犯錯的法則。詩篇一百零三篇9到10節：

祂不輕易發怒（就是不讓小事使他生氣）

祂不長久責備（不經常責備）

祂不永遠懷怒（不翻舊賬，一旦赦免就不再記念）

祂沒有按我們的罪過待我們（就是祂從寬懲治我們，在處罰中仍有恩典）

雖然神是大有憐憫，我們可以效法祂的方法，但我們作父母的是人，都難免犯錯，錯了就要承認，這樣孩子才能繼續孝敬、順服我們。記得十多年前有一次，家母從坐著的女兒後邊走過去，因爲路窄，女兒將椅子翹起來，好使外婆容易走過。但不小心，太早放下椅子，就壓到她的腳趾，眞是痛啊！我立刻的反應是：「啪啪！打在她背上。」但爲自己的失手快快認罪已經來不及。她淚水汪汪，我冤枉了她，爲此心裡十分難過，爲自己的愚昧只有多多求女兒的饒恕，直到她得了安慰爲止。以後我想起這件事，就跟主說：「主啊，請幫助我，不要叫這種愚昧繼續跟著我，免得傷了子女，同時老了沒有人敢接近我。」有時父母錯怪孩子，或隨便對兒女失約，或有偏心，或錯了一定不肯認錯，這是不對的，因爲孩子會知道，你雖爲了內疚送許多禮物給他，也不能挽回他的心，除非向他道歉，否則只能造成彼此的隔膜，而且孩子心中的苦，會造成日後的反叛，成了溝通上很大的障礙。要記住，不能隨便。「人的愚昧毀滅自己的道路，他的心也抱怨耶和華。」（參箴十九3新譯本）

1. 無意犯錯就多憐憫

通常因無知或軟弱或無意而犯的錯，七次才打一下，並講好只能打那不寫字的手心。星期日上午去禮拜之前，若犯錯不到七次，就可以赦免了。所以主日上午，每當他們聽到：「耶穌赦免你了。」就好高興，趕快自己換衣服、穿鞋子，興高采烈地準備出發，無意間培養了一個對主日有好感，對耶穌有愛慕的傾向，這是一項有功效又有趣的作法，這樣他們可以少挨打、多進步，家裡也可增加喜樂的情緒，少有哭鬧聲。當然有時氣不過，又不能罰，就把那根食指粗、一尺半長的桿子在門上敲兩下，以示警告，他們就會乖巧一點。

2. 故意反抗要馬上打

杖打是用在小的孩子身上，小時候不明理只能用杖。到十二歲以上的，可以用道理開導他們。當孩子故意不聽或反抗，或說謊，知道了要立刻打，每次在手心上重重打幾下，到痛爲止，目的要使他明白悔改。看他悔改了，再抱抱他，叫他知道你愛他，和他一起來禱告。把難處告訴神，求神的靈再充滿他，祝福他，然後給他吃點東西，從此就不再提了。可以談一點別的事情，不要翻舊賬，每一天要有新的盼望。總要讓他知道守規矩，作誠實的人。屢次都用一樣的方法，不可有時鬆，有時緊，要始終如一。好像切麵包，一片片很均勻，始終如一，叫買者安心接受。對孩子就要這樣，一直如此，使他容易接受，這樣他必能改變。爲了孩子好，只罵不打，不能使他甦醒，反而傷害他的心靈，無法引導他悔改，只會造成內疚感，因爲眞實的力量是用神的話責備，用杖責打。

「不忍用杖打孩子的是恨惡他，疼愛兒子的隨時管教。」（箴十三24）

「不可不管教孩童，你用杖打他，他必不至於死，你要用杖打他，就可以救他的靈魂免下陰間。」（箴廿三13～14）

教導子女守規矩，孩子雖多，你的心仍可安穩。若不好好管教，雖只養一個就弄得你天翻地覆，他將來下地獄，罪過在誰身上呢？你若用聖經的方法教導，他們就能成為你的祝福。

某次在一個大人的聚會中，有個家庭帶了五個孩子，年齡從二、四、六、八、十排列，一行坐著，兩個半小時中間，只有十五分鐘的休息，他們雖然聽不懂，但在聚會當中，這五個孩子如天使般的安詳寧靜。會後，我問這個母親有什麼祕方。她說從第一個孩子一歲開始，就帶他參加大人主日的崇拜，每次坐不住就帶去廁所，在屁股上打兩下，再帶回教堂聽道，如此多次他就學會守規矩，以後每個都如法炮製，所以各個聽話，從小就學了順從的品格。

我見過幾個這樣的家庭，孩子雖多，因用此法，所以家中常常充滿喜樂平安。如此教子法，彷彿路邊小樹，有鐵圈栓在木柱上，起初雖然刻板一點，一旦長大了，卻是個個優秀，大大有用。

當然各家孩子不同，或者你的孩子看一眼就懂得了，能這樣最好，但制定規矩也是可以考慮的。不要跟別人的孩子比，要照自己的孩子可吸收的程度前行，不要使他們感到緊張或有壓力，也不要叫他們相互間產生嫉妒與紛爭，因爲在那裡有嫉妒與紛爭，就在那裡有擾亂和各樣的壞事。切記，總要按著個人的力量前行。在美國，常看到青少年在路邊人行道上踩滑板，先用一隻腳慢慢滑，一旦熟了，再用兩隻腳一起滑，漸漸地就能優美了。神也同樣給我們力量去明白孩子們的獨特性，只要努力尋求，造人的神必定幫助你。殷勤觀察，小心行使，必然增添信心與力量，容易向前邁進。方法對了，麵包出籠，個個香噴噴，因此教養子女也是一理，方法要對。

3. 力不能勝，須多禱告

孩子長大不能體罰，講也無用，就減少一些權利吧。少花零用錢，或週末不許出去，如果有些無法防範的錯，孩子也承認無法勝任，就禱告吧。可以教導，但不要一直說，可以求聖靈來更新他，因爲眞正能改變人心的是聖靈。「你們立志行事都是神在你們心裡運行，爲要成就祂的美意。」（腓二13）禱告讓聖靈工作是一個美好的方法，這就好像海中的蚌殼，用珍珠去代替沙粒的作業方式一樣，是金銀寶石的工作，雖然緩慢，卻是堅固牢靠，歷久不衰。

記得兒子十四歲那年，有一次他獨個兒在家，看了一個十八歲以下不當看的節目，事後他後悔地告訴我們，與我們商量對策，怎樣可以不再犯規。我們建議他將電視送到外婆家去，或鎖起來，他都不同意。於是我們天天禱告，求神幫助，使我們有約束力，不然求主拿走它。經過一年禱告，全家一致通過可以不再用它了。回想這十二年，不但我們不後悔，還要爲這大恩典來感恩呢！讓我與你分享它的好處：

a.電視雖是一個中性的大眾傳播工具，善用它將給人類帶來莫大的好處，若放許多惡的思想與動作進去，就會殘害人類，污染人心，爲著不能防範惡溜進來，只有捨棄一途。

b.至於教育性的資料，可以從書本去取得；新聞的知識，可以由收音機代替，拿走電視不久，神爲我們預備了一部電腦，增添孩子們學習的功效。外子是電腦專家，給予良好的教導，家庭的向心力就增加了。

c.電視看多會減少專心與深思的力量，也會減低創造力。

d.孩子的同學們本來詫異與責怪，後來仍然接納他們，當他們靠近時，同學們就不談電視，還是一樣作好朋友。

e.日子久了，孩子們自然有一個分別爲聖的傾向，不喜歡與話語卑下、思想污穢的人來往，就更不會去不好的地方了。

f.兩個孩子定意，將來他們的家庭，也不要看電視。

g.一些靠近的朋友也學效此法，並且也得著好的反應與成果，使我們備受安慰，更加喜樂。

以上走過的路程我們沒有一人叫苦，反而平靜安穩。相信你只要不愛人的榮耀，愛神的榮耀，耶穌就要接納你，給你夠用的恩典，使你甘之如飴，愉快勝任。當然，有時在親朋家裡吃飯，偶然遇上電視節目在介紹風景名勝、動物奇觀，或者名人演講，也會引人入勝，都能拿得起放得下，實在是主的恩典哪！

我們不是只求自己多福就好了，作爲神的兒女們，也應當爲電視製作禱告，使他們有智慧，多多製作眞實的、可敬的、有美名的、良善的、能激發人行善的節目。也求神釋放祂的百姓不要經常沉迷在電視中，免得他們因這微妙的欺騙而疏遠家人，同時遠離眞理，失去了上好的祝福。

有位大學生偶然來我家，正遇到我們在吃晚飯。他看見就大哭起來，弄得我們莫名其妙，原來他家每晚用餐除非有客人，否則都是每個人對著自己的電視吃飯的，因此他嚮往全家一同吃飯的日子已經很久了。當他看見我們全家和樂，圍坐吃飯的光景，他飢渴的心頓時如山洪爆發，不能忍耐而哭起來，眞是可憐，我們雖不能了解，卻可以想像他是多麼難受啊！

想到電視之害，有人家中常為著看不同的節目而爭吵，有一個丈夫每週六要看八小時的電視，不許家人吵他。更有許多孩子為了看電視不好好讀書，許多廣告叫人多花費、起貪心、暴力的節目更叫孩子作惡夢。

仇敵魔鬼專門破壞家庭合一，又製造紛爭。弟兄姊妹，你察覺到嗎？你也有類似的苦嗎？讓我們求耶穌幫助我們，除去破壞家庭的障礙，不要對孩子發怒，因為孩子已被惡者欺騙利用，不能分辨，他錯了只要指正過幾次，再不住禱告，要信你的禱告，每一次就像對準仇敵發射子彈。當你的禱告足夠了，你的仇敵必定千瘡百孔，就會倒下，那時你就贏了，而且那個贏是眞勝，徹底的勝，因不是憑自己血氣作的，乃是靠著主的名作成的。

我們應當求主，將心靈有病的子女從仇敵手下救回來，也要為其他的年輕人禱告，求主保守孩子們的眼不要看那惡的東西，因眼睛是身上的燈，眼睛若瞭亮（單純、熱愛主道），全身就光明。眼睛若昏花（愛看污穢東西，有病），全身就黑暗，你裡頭（心靈深處）的光若黑暗了，那黑暗是何等的大呢（太六22～23）？不但如此，也要求主保守他們的口，不要去傳講壞的東西，求主保守他們的心，不但外面不受壞的影響，內心也要常思念美善的事，因心會影響一生的前途。孩子大了不愛聽教，我們感到力不從心，多禱告交託主吧，因主沒有難成的事。

如果你家年紀大的孩子問題嚴重，不要用毒打的方法，只要禱告，因打他會叫他的心更加反叛，毫無用處。有次聽到那位印度Sadhu牧師作見證說：他弟弟加入幫派非常悖逆，他打斷了桿子也無用，以後就每週一次禁食禱告，直到半年後，有次弟弟在外唸書，她母親在家作飯，聖靈感動她母親禱告。她就迫切爲兒子禱告，雖然她不明白爲什麼負擔愈來愈重，原來剛好兒子在外正與一個幫派打架，一個比他強的人把他壓倒在地，正要用一支長矛向他胸膛刺去，神就感動他母親禱告，於是這矛到心臟一吋遠的時候就停住了，怎樣都無法動彈，那兇手就放棄，命令他弟弟快跑，照他們幫派的規矩，打架時不是你死，就是我亡，沒有放生的，這是神蹟。他一口氣跑了十幾哩路，直到家門口就跪下來信了耶穌。神聽禱告，父母迫切的禱告，神尤其會聽，所以不要怕，只要把問題告訴神，神必爲你爭戰。

（二）每天一小時快樂時光

父母應當每天按時花一段時間和孩子們分享主的恩典與眞理，這是快樂的時光，時間不在乎長短，但最好每天都要有，不能間斷，才可見效。沒有速成班，連忙於聖工的傳道人也不能例外，花時間在孩子們身上是首要的工作。

有人父母愛神，子女不愛神。原因是他們沒有時間和孩子們在一起，沒時間教導他們，和他們作朋友，和他們玩，建立感情。只有吩咐他們去聚會，去作這個，去作那個，結果父母所愛的就不易傳遞。這時父母可能會對神不滿。本來父母最能影響子女，父母愛什麼就傳遞什麼，有人愛玩股票，子女就玩股票，有人愛打球，子女就愛打球，因父母是兒女的榮耀，兒女喜歡學父母，但若父母不能傳遞眞理，孩子就不易明白眞理，也不曉得神的大能，長大後自然就得不著這一份珍寶了。先知撒母耳一生教導以色列民認識耶和華，卻忽略自己的兒子，當他老了，以色列的長老們對他說：「看哪，你的兒子不行你的道路。」眞是莫大的遺憾。

說到這裡，我們當爲傳道人的家和他們的子女禱告。此外，他們的妻子也是常被忽略的，求神使他們夫妻相愛，兒女凡事端莊、敬畏神，叫他們全家同蒙主恩，使傳道人更有能力將主道傳開。

感謝主，因神的感動，與丈夫的支持，使我有許多時間與孩子們在一起玩、一起學習，回想起來眞是甘甜。容我再分享那段快樂的時光。

每天，當孩子放學回家，桌上會預備好簡單的點心飲料，再播放一些優美的聖樂，用笑臉相迎，抱抱他們，所以回家是他們一天中最喜樂的時刻。我甚歡喜《靈音之聲》錄音帶第一卷，十多年來，仍是那麼新鮮有力，叫人心靈舒暢爽快，屢次我將之送人都受歡迎，尤其是新懷孕或有新生兒的母親們，對他們很受益。聖經告訴我們，大衛是一個很會彈琴的人，當他彈琴，就將掃羅身上的惡魔趕出去，使掃羅舒暢爽快。孩子們在學校中，難免聽到不好的言語，沾染污穢，使他們受攪擾，這時正是美好的一刻，用正確的聖樂，將他們的心靈帶回正常的光景裡。

順便一提，好的音樂固然是人生重要的一環。相對的，壞的音樂也可以傷害人的心靈，目前流行的搖滾樂，其中許多內容與節拍，正是撒但用來叫人墮落、放縱情慾、反抗父母的工具。注重刺激性的奇裝異服，要小心，不可叫它進入你的家。（參考自《Institute in Basic Life Principles》一書）求主幫助我們，當放美妙的聖樂，讓其中的詞和曲都是反應神的榮美與眞理的，好甦醒人心，更新人的靈。

在他們吃喝的同時，一方面問問學校的情形，也聽聽他們的感受。是好的感謝神，不好的就與他們一同禱告，或開導他們，好像作他們的同盟或戰友，又像是一位司令官。聖經告訴我們，摩西除了教導，還有天天聽訟。

男孩子小時較喜歡胡鬧，有時變成打鬥，有些父母聽到自己的孩子被人欺負，就叫他們打回去，結果造成更大的傷害。聖經說：「通達人見禍躲藏，愚蒙人前往受害。」（箴廿二3）「愚忘人的怒氣全發，智慧人能忍氣含怒。」（箴廿九11）感謝神，也賜給我們一個好動的兒子，在初中時，他因爲個子小被人欺負，他就躲開，不去計較，幾次以後人就不來找他了。雖然好久一段日子，他變得稍微膽怯，但也有好的發展。如今他的性格比較敏銳，也懂得關懷人，人們都要與他作朋友。比方說：他在大學時曾有一個大家都躲著、怕相處的同房朋友，他卻能與他好好相處，人們都驚奇。還有一位公司裡的同事，每個人都遠離他，兒子卻能與他好好合夥工作，以致老闆非常歡喜忠誠。當他離開時，老闆還爲他寫了一封十分感人又有力的推薦信。

所以，遇見不義的對待可以告訴孩子，主也看見了，主說：「伸冤在我，我必報應。」（羅十二19）我們不用動手，只要討主喜悅。當一個人的行爲討主歡喜，主也使他的仇敵與他和好（箴十六7）。不要和他一樣，主不喜悅，你若饒恕他，主必賜福與你，教導子女從小倚靠神，一生都受用。人生難免遭到不平的待遇，寬大一點是好的。有一位林師母，她到外地旅行，往往多帶一些錢，算爲上當費，這樣她遇到了人多收她的錢，她也笑笑接受，使旅途繼續愉快前行，不受攪擾，並且叫聽見的人都快樂，豈不很好嗎？

在孩子成長過程中，不能防範外力的破壞，只要不是一擊不起，則家中的生活教導與外面各種可能的風浪，合起來都是健全人格發展不可或缺的因素。

等孩子們吃喝、說笑完了，那時他們就樂意聽你。你可以將已經預備好的聖經眞理，配合信心偉人的故事講給他們聽。有時再加一些科學奇觀，動植物的奧妙，不久這些真人真事與自然奇觀，都成了我們的喜好，這樣除了週末假日，每天都帶著孩子們，到神偉大的領域裡走一走，使基督那測不透的豐富，無形中一點一滴地種植在孩子們的心田裡，打下一個牢靠的根基，叫他們一生受用不盡，這也是我們留給他們一份珍貴的產業，使他們一生無所懼怕，無所缺乏。

基督教書店經常可以提供各種豐盛的屬靈教材。多年前，因著許多人的禱告，神感動容牧師夫婦從香港遠道而來，開設了天道書室。頓時好似從高天開了一道恩門，源遠而流長，供應我們很多屬靈教材。多年來，藉著他們與眾同工們忠心辛勞擺上，帶給灣區與北美眾教會，和不信的朋友們莫大的好處。

作父母的早點起來靈修，特別有用。你吃飽了，就順便餵孩子，並不用太花力氣去預備屬靈教材。比方有天讀猶大書，求主開我眼能看得清楚。主就給了我話語。我便在吃早飯時轉告孩子說：「私下說閒話、發怨言，隨從自己的情慾而行，口中說誇大話的，爲得便宜諂媚人的，這種人要受苦、受審判，基督徒應當喜歡聖經，倚靠聖靈，彼此建造，在神的愛中成長。」等他們聚精會神地聽完之後，忠兒就說：「原來神很不喜歡我們發怨言哪。」「是啊！忠兒，要小心啊！」我回答他。雖然他只領受了一點點，也就夠了。

如果你的孩子們小，不要擔心他們不明白眞理，神有能力使他們明白。當女兒六歲時，聽說教會要送聖經給凡一年之內讀完一遍聖經的會友，她就想參加。我怕她辦不到，就說：「妳可以跳過利未記、民數記、申命記不讀。」因我認爲那是超越她明白的範圍。話才說完，我的頭就左右搖擺不停，無法控制，立刻心裡著急，呼求主。主就指示我要爲方才的話悔改，當我一悔改，頭就不搖了。主在告訴我一個信息：祂是全能的神，不用怕難，神有特權來解釋祂的話語，使人明白。以後證明神是對的。如今神使女兒從這三卷書中得著許多寶貴的看見。

常聽人說：「青少年問題是免不了的」，意思是許多的頑梗悖逆，在這段時間常常發生。我想會這麼說：「是因爲自己太忙；或沒有照神的方法去引導他們；或自己根本不認識眞神耶穌，又或者你信這種說法，在你家中也會發生，它就發生了。」但我們要信神說的，才能「教導孩童使他走當行的道，就是到老也不偏離。」（箴廿二6）只有用平安穩妥的方法，才能開出平安穩妥的路。耶穌是平安王，惟有祂能領我們走安穩的道路。凡拒絕走祂的道路，或不在乎、不信的，就不能經驗祂。

按時教導孩子不是頂難的事，乃是一件有趣的計劃。比方：你稍微安排，把故事的精彩處放在時間快結束的片段，當你看到他們那張渴望的小臉時，眞有趣呢！然後宣布明天再講，那麼他們爲了聽故事，就容易守本份，用功聽話了，不是很好的辦法嗎？這處方連大人也很管用。電視連續劇就是用這個方法，所不同的是，我們給的是屬靈的珍貴。孩子們天天來拾取，當信心種子蒐集多了，他們就要長出像神的生命來，不然等他們長大了，沉在世界的深海裡，你雖用大把大把的眼淚，要換他們回來也是難啊！樹枝不是一日曬彎的，要扳回來也非一日的事。善美的追尋一旦培養好了，十二歲之後他們對各種好書胃口大開，那時我們只稍從旁提供資料，甚至可以聽他們的心得分享，這樣他們好像起帆的船，可以邁向水深之處了。

（三）養成寫日記的習慣

起初我鼓勵他們寫日記眞是困難，好不容易寫幾個又大又醜的字就不想寫了，接著就是流水賬，千篇一律，眞乏味。好在當時我母親和我們住了一年，她寫日記的榜樣女兒看見了，就學著外婆天天寫，管它有沒有進步，如今十多年過去，感謝主的保守，女兒還繼續在寫。有一天問她有什麼心得，她看著我想一想，就說：「嗯，寫日記的價值可眞不小哪。它訓練你能表達自己，能使你的思想有條理，訓練你能思想集中，由於思想集中，寫的時候往往會有好的內容出來，累積起來，寶物就多了，它又訓練你能夠有恆心，訓練你能自我反省。日記好像鏡子，又像照片，回頭再看看是垃圾就是垃圾，是清泉就是清泉，再看就知如何改善，也訓練你能多多感恩。」

當她一面說時，我想起了一個貼在日記中的書籤，正面有華神師生的同禱圖與感恩的話，反面有幾行愛心的短信，就是前任中華福音神學院院長林道亮牧師在他就職時，從他們的校刊上常看到華神的消息。我爲他們的忠心愛主獻上感恩外，也與孩子們分享他們的異象。有一次，女兒受到鼓勵，給林院長寫了一封信，沒想到當時七十多歲的林院長，竟在百忙中回信給女兒，爲他敬業愛主的精神十分感動，那短信上說：「主內親愛的恩德平安：雖然我沒有寫信給您，可是我記得您，也求主加添您智慧、能力，爲主多多結果子，您所說的那兩位朋友，有沒有信耶穌，他們似乎是日本人，是嗎？

您們快要放暑假了，我暑假時要去耶路撒冷教書三個禮拜，希望您能爲我祈禱，旅途平安，教這些猶太人和阿拉伯人的學生，能造就他們的靈性，祝您在主內喜樂，在主內愛您的公公。林道亮手寫一九八六年五月十四日。」老人家那麼多神學生及院務事，加上他以前牧養的千人教會，還能給一個十多歲的孩子寫那麼好的信，令我們深深感動，這就是爲什麼我將那書籤信，收藏在日記中。願主幫助我們，總不忘記神的恩惠與人的愛心。

當我回顧這一件褪色的記憶，就聽到女兒繼續說：「寫日記讓你去找到以往總總新鮮的事跡，可以提醒你記得一些微妙的情節，而去關心他人。寫日記也可以解開煩悶的心，傷心時看看以前開心的事，可以感恩提神，又如看影片歷歷如繪。當你走過一年，將整年的事全盤大略一看，會令你特別感恩。只用一個下午，就可重活全年的高潮，多麼喜樂啊！」主喜歡我們追念祂公義的作爲，日記是最能幫助你看看自己小學的事，就不會嫌你的學生或孩子幼稚而煩躁了，反而感到他們很不錯，甚至超越你當年的光景！你就會對他們說和平話，使你對他們有合理的期盼。

聽完她寶貴的收穫，我問她：「是什麼力量使妳能一直寫到現在的？」她的回答令我很驚訝。她說：「媽，妳曾告訴我寫日記的人，以後會作偉大的人。」唷，我眞不記得有講過這樣的話，原來只一句話，能給孩子帶來那麼大的影響力，眞是何等的安慰與警惕啊！父母在言語上眞要小心啊！

末了，還有一個好處値得一提的。當你的孩子們上大學，他們需要寫許多文章，那時，他們已經有豐富的寫作能力了。至於我，從來沒有料到，今天女兒會成爲本書的編輯，何等的收穫呢？

相信你們也有許多珍貴的故事，値得寫下來回味的。我們喜愛珍藏照片，也可珍藏日記，每天將收支作準確的記錄是健康的。同樣，將神的恩典與犯錯以後得到的智慧作記錄，也是有價値的。你可曾留意在博物館中，人們慢步前行、欲步又止、不住觀賞、頻頻點頭的情景嗎？那些巧匠的傑作，各色玉器珍寶，令人讚歎，不是眾所熟悉的嗎？今天你我的努力，加上神的恩惠，也同樣可以塑造我們的孩子們，將來成爲一群美麗柔和的器皿，在這時代興起爲主發光，我們切不要奔跑無定向，徒受神的恩惠，連同子女也跟著瞎跑一場吧！

（四）每餐感謝主，睡前禱告

吃飯感謝主，吃得快樂平安，同時養成感恩的習慣。睡前禱告也很重要，每晚上床前同他們一起禱告，告訴他們總要倚靠主，不可忘記祂的恩惠，在離開他們床邊時，親他們的小臉，再把他們交給主，使他們可以安然入睡。我們天天如此行，就好比他們是神從天上帶來的神聖種子，有王子、公主的地位，我們則是受託於王的臣僕，要將他們栽培好、教養好，一旦日子滿足，他們會去見王，那時我們要向王交賬。我們若在交賬的時候快樂，就要看今天所下的工夫了。

九、仔細建造

汽車開快或亂開都會出危險，牧養子女也是一理，不可急促，爲了安全，須有眞理作規範，才能教出好的孩子來。

神的話

管教子女的標準，眾說紛紜，若跟著時代走，恐怕每況愈下，成了放任主義，不負責任。若根據自己的經驗，恐怕所知有限，孩子的潛力不能達到充分發揮的地步，實爲可惜。若父母各說各話，孩子又要聽從誰呢？若不定好規矩，問題來了隨便打罵，豈不辜負上天的託付嗎？這樣良心何安。今天，神的話千古不變，滿有權能、智慧與美善，祂使宇宙萬物井然有序，比金子可貴，比蜜甘甜，是無可比擬的。故此，管教子女用聖經作爲標準，當爲最上策之舉。

聖經滿了神的智慧，祂好像一本豐盛的生命手冊，凡聽而行的人，就因這本手冊得著許多指引，能叫你凡事得智慧、有聰明，是最貼身又最好的老師，得到祂眞是莫大的祝福。神的自然律最安穩，祂不會叫地心吸力今天強一點，明天弱一點，也不會叫太陽今天靠近地球很多，明天離得老遠，使我們感到不安。反而因爲神在掌管，所以一切安穩。同樣，神自己所默示的話，也是一樣安穩有能力。

因此，我們若讓孩子的心充滿神的話，使他們明白什麼是眞實的、美善的、可敬的、可愛的、清潔的、公義的、正直的，這樣遇有不好的的影響力來到時，他們自己就能分辨好歹，懂得防範，恨惡假道了。「我藉著你的教訓得以明白。所以我恨一切的假道。」（詩一一九104）神喜歡我們在善上聰明，在惡上愚拙（羅十六19）。這樣就不必告訴孩子許多負面的事，因爲「神本性一切的豐盛，都有形有體的居住在基督裡面，使我們在祂裡面也得了豐盛。」（西二9～10）我們只管教導他們認識神的話。

聖經就是神的話，一個有智慧的人，當尋求認識基督，遵行祂的話，世上再無一本書如聖經，能使人知道萬物的來源與結局，說預言像聖經那麼明確與眞實，給人眞生命，眞自由。聖經的話是活的，能給人生命，指引道路與方向。一句神的話能叫你活，叫你回味無窮。

1.為何神的話寶貴？

a.神的話能潔淨人心，「少年人用什麼潔淨他的行爲呢？是要遵行神的話。」（詩一一九9）

b.神的話能給人美容，使人眼目明亮，心靈開通，叫人心喜樂。「神啊！我得著祢的言語就當食物吃了，祢的言語是我心中的歡喜快樂。」（耶十五16）

c.神的話加增記憶力。小兒在大學一年級時，每天背聖經一小時，讀書變得好輕省。後來沒有背，讀書就難起來。神對他說：「你唸書的記憶力退後，是因爲停止背聖經。」

d.神的話可使人減肥，每天背記又默想神的話，自然會對食物有節制力，不需要痛苦節食了。

e.神的話使人有智慧：「祢的命令常存在我心裡，使我比仇敵有智慧。我比我的師傅更通達，因我思想祢的法度。我比老年人更明白，因我守了祢的訓詞。」（詩一一九98～100）

f.神的話能使人歸正：「聖經都是神所默示的，於教訓、督責、使人歸正、教導人學義，都是有益的，叫屬神的人得以完全，預備行各樣的善事。」（提後三16～17）某次在一排空的停車場上，我將車子停在兩個停車位上，因爲我想只停一會兒，不會有妨礙。但主提醒我：「凡事都要規規矩矩的按著秩序行。」（林前十四40）知道是指這件事，馬上悔改，重新停過，裡面就說：「這就對了」。

g.神的話能使人健康：「我兒要留心聽我的言詞，側耳聽我的話語，都不可離你的眼目，要存記在你心中，因爲得著他的就得了生命，又得了醫全體的良藥。」箴四20～22）「不要自以爲有智慧，要敬畏耶和華，遠離惡事，這便醫治你的肚臍，滋潤你的百骨。」（箴三7～8）好些大病不起的人，因信神的話，重新得力，生龍活虎，醫學知識都無法解釋。

h.神的話使人享平安：「你的兒女都要受耶和華的教訓，你的兒女必大享平安。」（賽五四13）

i.神的話明亮人的眼目：「你的言語一解開就發出亮光，使愚人通達。」（詩一一九130）有次掃院子看到兩支被忽略了的衣服夾子，在灰塵樹葉堆裡，正要掃掉它，神的話在我心中說：「不行。」我說：「沒關係，現在有烘乾機了。」立刻神的話浮現出來：「作工懈怠的與浪費人爲弟兄。」（箴十八9）我忽然被點醒了。哦，原來我是懈怠的人，因爲平時沒有收好它，現在又要作浪費的人，所以想要丟掉它。「哦！主啊，請原諒，我去收好它。」主耶穌大有能力，只用五餅二魚就餵飽五千人，尚且將剩下的零碎收拾起來，不願糟蹋，使無變有的神尚且如此，我怎能糟蹋呢？

j.神的話使老人有吸力。人若一生勞苦愁煩，雖有滿屋的金銀，仍是一聲歎息地走了。不如毫無憂慮，滿有神的話：「他們年老的時候，仍要結果子，要滿了汁槳而常發青。」（詩九二14）意思是：這樣的人年老還能帶人信主，生命豐盛，有仁義的品德，令人愛慕。難怪許多主內的尊長們，仍到處受人歡迎，神的話眞使人生命有能力。

k.神的話使人享亨通：「這律法書不可離開你的口，總要晝夜思想，好使你謹守遵行這書上所寫的一切話，如此你的道路就可以亨通，凡事順利。」（書一8）總之，「神的話是與行動正眞的人有益處的。」（彌二7）信徒得勝的祕訣是：每天在神的話上多讀、多記、多想、多行。

l.神的話能安慰人心：「我因沒有違棄那聖者的言語，就仍以此爲安慰，在不止息的痛苦中還可踴躍。」（伯六10）「這話將我救活了，我在患難中因此得安慰。耶和華啊，我記念祢從古以來的典章，就得了安慰。」（詩一一九50、52）

申命記二十八章1到14節中神的應許說：「你若留意聽從神的話，謹守遵行不偏左右，不拜別神，以下的福必追隨你，臨到你身上。」其中大約有七類：

a.日常所需都豐盛（2～6）
b.得不止息的保護（7）
c.你所作的都興盛（8）
d.你必作神的聖民（9）
e.天下萬民都怕你（10）
f.你使多民同蒙恩（12）
g.你的地位必尊貴（13～14）

一個實際的故事

一位有三個孩子的母親徐姊妹，當她第三個孩子上大學時，她在存記神話語的經驗中，分享她的收穫與喜樂。她說：「神的話語有權能，用自己的話教導孩子，常常力量薄弱，但用神的話來教導，就滿有能力，使人心服。自從兩年來，我每天至少用一小時背誦神的話，因此神祝福我。雖然不全記得，但在必要時，神就用祂的話，除去我的憂慮，並且藉我用祂的話，使紛爭的人和好，許多作太太的，五十歲後開始感到無聊，要找事來消磨時間。但我因多背神的話，就當起輔導來了。主使我得尊榮，摩西因向神忠心，即使年老眼睛也沒有昏花，精神也沒有衰敗。我們只要專心愛主的話，多記、多用，就算只有五餅二魚的積存，但將這一點所學到的交主手中，也能大有用處。世上的學問帶不走，只有神的話和我們到永恆裡去。神的話存多了，就是世人都不用我們，神仍寶貝我們，要使用我們……」

感謝神，存記神話能使人爲主發光，照亮他人。我們若能在每天二十四小時中，抽出十五分鐘背經，就是一天中的九十六分之一的時間去熟記主話，也能幫助自己，建立他人，眞是何等有力的投資啊！

親愛的弟兄姊妹，如果你在神的話語上，已經常常領受祂的恩典，感謝主。如果你尚未養成天天勤讀聖經的習慣，讓我們來向神求恩，好使你得著祂的賜福：

「親愛的天父，求祢原諒我，沒有看重祢的話語，現在求祢賜下恩惠，引導我的心從今天開始，每天勤讀聖經，開我的眼能明白主的道，求賜下愛慕的心，能謹記默想又遵行，好使我一生道路亨通，作一個榮神益人的人，謝謝天父。這樣禱告是奉主耶穌基督的名求，阿們。」

2. 背棄它後果如何？

神的話是腳前的燈、路上的光，失去它，行路就沒有方向，好像建房子沒有藍圖、立國不用法紀一般。歷史上許多有學問的人，因無神的話，就作壞事，因爲他們靠自己的智慧行事。摩西在被神使用、變成偉人以前，曾經學了埃及一切的學問，至終因爲殺人而成了亡命之徒。

聖經中記載整個以色列民族的歷史，我們會發現，何時他們遵行神的話，何時國中就享太平；何時離開神的話，轉去拜偶像，倚靠那人手所造的金銀假神，何時內憂外患就頻頻發生。何西阿書四章6節說：「我的民因無知識而滅亡。你棄掉知識，我也必棄掉你，……你既忘了你神的律法（神的話），我也必忘記你的兒女。」

據說一個很有學問的人，在非洲某部落看到一個人在讀聖經，他就看不起那個非洲人，對他說：「你現在還在讀這本書啊？這本書在我們國家，已經被冷藏到博物館裡去了。」非洲人回答說：「這本書雖然在你們的博物館裡，它卻在我心中。這本書若不在我心中的話，我今天就把你吃掉了。」

在美國，從前中學生聽話，老師容易教。現在許多學生令老師頭痛，有的還有危險，都因從小沒有教好，到大了問題多多，等到成人就更嚴重。因此，今天美國多了許多的律師和警察。據說美國律師之多佔全世界第一位，都因遠離了神的話。

一九六二年，當美國最高法院把禱告和讀聖經從學校中刪除時，教會對政府這項規定不聞不問，就犯了與政府妥協的罪行，使得全美國及孩子們都陷於混亂之中。往後，全美國的學術能力測驗（SAT）成績，戲劇性的一下子就跌落許多，而且學生的婚前性行爲從一九六三年開始，已經提高了百分之兩百以上；未婚懷孕幾乎上升了百分之四百；性病的病例上升了兩百多個百分點；自殺的數目則增加了四百個百分點以上。（錄自《得著仇敵的城門》一書）

以上的紀錄眞是有目共睹的事實，年輕人是國家未來的主人翁，正在培育的過程中遭此一擊，怎不令人傷痛呢？不但年輕人，任何人都一樣，生命中沒有神的話，生活就失了光，必要滑跌，其危險性就如仇敵在夜半突然來襲一般，無法防範。所以，不遵行主的話，必要受苦。

3. 如何存記神的話？

常聽人說：「我記性不好」，神的話「記不住」。這是不負責任的敘述，為何一切重要事都記得住，惟獨主的話記不住？不好的閒話記得住，寶貴的眞理反而記不住，如何說得過去呢？

人其實看重什麼，就會去發展什麼，當你以為寶貝的，就先去發展它。你若眞想得透徹，世上也只有三樣眞寶貝能存到永遠，那就是神自己、祂的話以及祂所賜的永生。人眞的有這層認識就必看重它。你明白神的話，比極多的金子更可貴，就會渴慕去記它。要熟記神的話，必須要準備心，因為一生的果效由心發出。這樣好的開始是成功的一半，你想要，神必給你。其實一般來說，天生能力大家都差不多，惟有記性和動作勤於操練，就會有很大的差別，那麼為何不先試一試呢？何況你愈記神的話，記憶力就愈增加，所以存記神的話，第一要「有心」，其次要「恆心」，現在提供一些方法，可以幫助存記，等你作多了自然會想出更多的巧計來。

a. 找一個背誦的對象，不要用自己家中的人，恐怕中途而廢，要找一個負責任又愛神的話、願意聽你背，或能與你互相背的人。

b. 新信主的人，可以從每天讀經中，找出最感動你的經句，是你容易吸收消化的，是神特別給你的營養品，將它們抄在一個可以隨身攜帶的小本子裡，能記多少就記多少，不久你就有好些寶貝在心中，屬靈生命就會成長。

c.一開始量不要多，不要與人比較，恐怕會吃力。一週一節或兩節都無妨，要緊的是恆心。這樣一年下來，也有五十到一百節，就很有用了。

d.背多了，你信心與喜樂增加，智慧增添，就可以分類背經。比方：將救恩類背起來以便傳福音用；將神的愛、公義、聖潔背起來，以便多知道神，更多敬畏祂，使自己心意更新。這樣，將來就可以逐章背經了。

e.背經爲鼓勵，不爲比賽（年輕孩子可以例外）。如果背了不去明白或思想，用以檢查、改正自己，就枉費工夫，失了神要我們存記的目的與效用了。

f.把握零碎時間，借用耳機、錄音機，在運動、整理庭院或等公車時聆聽。小兒忠誠喜歡用錄音機背聖經。某次我找他來看書，他說：「媽，等等，我正在背聖經，快會背了。媽，妳有沒有背？爸爸說，不背的至少要一天讀一小時。」我爲這話慚愧，兒子是我們家背聖經最多的人，十六歲還能那樣聽話，眞是顯出神話語的功效。也要感謝主賜給我一位會教導的丈夫。

g.最好是清早起來固定一段時間去記，使你一天都有神的話相伴。另外，夜間也帶幾節上床，可以排除雜念，一邊默想神的話，一邊進入甜蜜的睡眠。

h.年輕人可以多背一些，徐姊妹的女兒在高中時，因不想學鋼琴，就將每天練琴時間用來背聖經。兩年以後，她將新約（除馬可和路加福音以外）全背會了，包括箴言也背了，眞是後生可畏啊。你若願意，不會太晚，今天就開始，只要勤勞積蓄，必見加增。

4.如何行出來？

讀聖經要明白，可以用串珠、啓導本或其他解經書來幫助，也可自己默想去明白，就容易記下來，記了就容易反覆思想。也可以用經文來禱告，把主話消化到生命中，然後告訴主，你定意要順服主的話，因爲第一要緊的，就是過一個討主喜悅的生順服，就能看見功效。這好比一隻蝴蝶，被關在玻璃房中出不來，等到有人將門打開，放牠自由，但牠必須自己飛出去才能得自由。同樣，我們的主已替我們除去咒詛，賜下祝福的道路。我們只要用意志去接受就得到了。當我們不斷操練順服主的道，主就會祝福成全我們，且能增添對祂話語的領悟力而更豐盛滿足。

有時你想求善，試探馬上會找你，不要因此灰心，只要忠勇往前，主必幫助你。

有一位姊妹對主說：「願意將主權交給主。」第二天就有一個非常困難的事臨到她，令她很傷心。於是她問主：「爲何那個人這麼不講理？」主回答她：「因妳將主權給了我，所以我讓這事發生，爲了訓練妳。」可見主對我們要行善是很關心的。以後她開始儆醒禱告，向主求恩，操練凡事謝恩，又常提醒自己只要愛神，萬事就與我有益。終於有一天，她在一個慶生席上，有人因她對罪惡的反對，當面大發雷霆地痛責她，她內心立時的反應是：「求主加我力量，爲此謝恩。」接著，又有一個至親的人來責怪她，她的心卻充滿喜樂，眞理叫她得自由。以後她謝恩的事愈來愈多，「懇切求善的，必求得恩惠。」（箴十一27）大家知道不該作的惡去作了，這是罪，但該作的善不作，也是罪。所以「人的愚昧，毀滅自己的道路，他的心也抱怨耶和華。」（箴十九3）

我們曾在惡者手下，被牠的謊言傷害，折磨很久了。如今回到造我們、愛我們的主面前，祂要我們行眞理，達到善美的地步，效法基督。當我們的思想被更新，懂得用神的方法來思想，我們就要逐漸像祂，可以過虔誠的生活，成全主所喜悅的事，又叫我們得福。雅各書一章21～25節說：「所以你們要脫去一切的污穢，和盈餘的邪惡，存溫柔的心領受那所栽種的道，就是能救你們靈魂的道。只是你們要行道，不要單單聽道，自己欺哄自己，因爲聽道而不行道的，就像人對著鏡子看自己本來的面目，看見，走後，隨即忘了他的相貌如何。惟有詳細察看那全備使人自由之律法的，並且時常如此，這人既不是聽了就忘，乃是實在行出來，就在他所行的事上必然得福。」

分享一點經驗

一張白紙，經過藝術家的手，可以成爲價値連城的巨作，供千萬人欣賞。若經過一雙拙劣的手，也可以變成廢物，丟進字紙簍裡燒掉。兒女是耶和華所賜的產業，他們也像一張張的白紙來到世上，被託管在每位父母親的手中，有的父母仔細建造，有的則拙劣經營，結果就有天淵之別。神造萬物都有美好的旨意，何況祂對我們的兒女，豈不更看重嗎？祂要我們與祂一同經營教養子女這偉大的工程。我們本不曉得神的話有多寶貝，也不知道如何幫助我們的孩子。惟有神在暗中引導，我們默默跟隨，就這樣一直走到今天。

回想二十年前，神感動我們作了一個對的決定，就是將兩個孩子送進一間浸信會辦的基督徒小學，在那裡有兩年時間，他們每天受到神話語豐富的裝備，打下了很好的基礎。他們每週要背十二節經文，都是快快樂樂地背。可見孩子們就像空白的紙，什麼都可以裝進去，他們腦筋一直在活動，你若不將好東西充滿他們，仇敵就會將不好的思想往裡面送。

那兩年給我們美好的回憶，雖然花了七千元，也是值得。以後因爲費用關係，就轉到公立學校，我們便開始負起監督背經的責任，因著那把火——他們的起勁，我們順水推舟就起航了。我們用彩色畫筆，揀他們喜歡的顏色，寫中文大字經文在大型白紙上，用大夾子夾好，一週一張，掛在牆上，每天早晨上學前和晚上睡覺前都要唸。雖然他們不認字，理解能力也有限，但進步卻相當可觀。

還記得當時最具權威的經文是：「要使生你的快樂。」（箴廿三25）時常被他們互相運用，每當這話一出，那不聽話的，就快快降服，十分有用。當你看到他們那張認眞的小臉，你都想笑了。

以後，女兒長大了，還圖文並茂地發揮一番，畫出各種尺寸的，放在家中各處有策略性的地方。比方馬太福音五章16節：「你們的光也當這樣照在人前，叫他們看見你們的好行爲，便將榮耀歸給你們在天上的父。」她畫出一支點亮的蠟燭在中央，左右各畫一雙大眼看著火，就舉起大拇指向上表示讚美神，貼在進門口的電燈開關處，好些客人一進來就注意到，有的還唸完了才進來，沒想到這小圖畫竟成了最好的開場白呢。又有詩篇三十四篇8節，可以畫一些孩子們愛吃的水果，來代表主恩的滋味。又可用詩篇四篇8節，畫一個快樂娃娃在雲中安睡。詩篇二十七篇14節又可畫幾個不同的鐘錶，代表等候，這樣可以增加孩子們背經的情趣。

當孩子初中時，神使我們遇見一對好鄰居Mr.& Mrs.Rossi，在他們的鼓勵下，參加了BMA組織（Bible Memory Association），他們製造許多背經的小冊子，其中包括分類專題經文，有新約中一本本書信的，從三歲到老，都有不同的供應。每週背七到十數節，照年紀分配。背了四個月後，就可以參加暑假爲期一週的營地生活，背會的還有打折優待。在那裡可以早晚聽道，下午有各類勞作遊戲、球類活動和比賽。孩子們很熱中這項活動，兒子就將他要背的箴言書，放入錄音帶中，每天早晚吃飯時就放出來。漸漸地，我們對箴言書都很熟悉，全家也很快樂，眞感謝外子連續帶我們去參加六年，獲益良多。相信教會或幾個家庭合作，也可以這樣舉辦一個暑期活動，好使神的百姓都能夠熱心來背聖經。

此外，當孩子十五歲開始，外子連續多年，每年暑期帶他們參加Basic Youth Seminar（在台灣叫眞、善、美）的課，在那裡Mr.Gothard先生教導各種聖經眞理，和如何應用在生活的種種層面上，使人享受到豐盛的生命。例如：如何使品格優美、家庭和睦、金錢不缺、智慧充足、前途光明等等，配合眞人眞事，許多生命見證，深入淺出，扣人心弦，帶給我們莫大的祝福。

加上教會二十年來，每週的信息與主日學，也是對孩子們成長不可少的屬靈寶貝和營養品。現在許多人問我：「如何把子女帶到今天的地步？」大致的路線就是這樣了。這並非我們有什麼不同，乃因我們飢渴，主就將教導子女的道路指引給我，我們只是緊緊跟隨。「若不是耶和華建造房屋，建造的人就枉然勞力，若不是耶和華看守城池，看守的人就枉然儆醒。」（詩一二七1）作父母的只要一直定睛看神，倚靠祂，祂必賜下諸般的智慧、知識與機會來帶領我們，使子女變成在基督裡的大能子民。神帶領百萬以色列民從埃及出來，個個強壯。今天神也同樣可以使我們個個強壯，但要聽從祂，遵行祂的道。否則，若不行主道，就會敗落。

教養子女沒有捷徑，正如作父親的，必須幾十年如一日地辛勞作工，才能養家活口。雖然不易，但我們有聖經作規範和依據，申命記六章5到7節中，摩西告誡以色列民，要如何教養子女。他說：「你要盡心、盡性、盡力愛耶和華你的神，我今日所吩咐你的話，都要記在心上，也要殷勤教訓你的兒女，無論你坐在家裡、行在路上、躺下、起來，都要談論……。」這是教導子女認識神、愛神的最佳良方，也是愛子女的最佳途徑，因爲留給兒女的產業中，沒有比叫他們個人與神、和神的話有直接的關係來得更好的。

顯微鏡怎樣可以幫助人看到微細之物，照樣，神的話可以照明我們心中一切微妙的動機。

「神的話是活潑的，是有功效的，比一切兩刃的劍更快，甚至魂與靈，骨節與骨髓，都能刺入剖開，連心中的思念和主意，都能辨明。並且被造的，沒有一樣在祂面前不顯然的，原來萬物，在那與我們有關係的主眼前，都是赤露敞開的。」（來四12～13）有了神的話作基礎，帶孩子就容易了。祂好像巴黎鐵塔，打了一個穩固的根基，就能往上建造。雖然甚高卻仍安穩，因爲基礎堅固。神的話是生命的準則，生活的糧食，吃進去就能消化吸收。屬靈的消化過程是緩慢的，因爲生命的成長需要時間。這就像一隻毛毛蟲，每天都慢慢地爬，甚至有一天躲起來，不爬了，但這一切的過程都是必須的，不然，牠就不能脫變成美麗的蝴蝶，快樂地飛翔。

交談與溝通

若要將神的話在我們生命中消化吸收得好，就要將祂生活化。父母爲兒女晝夜勞碌，爲照顧病中的孩子付出精神和時間，不食不眠。同樣，也應與子女花時間好好溝通談話，不要以爲他們太小，沒什麼好談的，其實孩子們在小學之前就已經有自己的想法了。他們看一部電影，很容易就產生憐憫的心，說：「那有錢人那麼多錢，應當搶去分給窮人。」他們不能分辨幻想與眞實之間的不同，所以我們應當將眞理告訴他們，最好從他們年幼時開始。

常聽到父母們說：「孩子們大了，不跟我們出去了，也不喜歡和我們說話。」這是很可惜的事。原因是從小沒有培養與他們談話的習慣。心靈的培育和身體的成長，是等量並重的事，不容忽視。除了要花時間，也需要眞誠與耐心。特別當他們小的時候，只有父母能耐心聽得明白他們在說什麼。

以下的現象，時常出現在談話中間，就是當兩個人在談話時，一個人想到別的事上去了，等他們從那裡回來，就說一句不相干的話，第一個人會奇怪，怎麼這樣說呢？若他敏銳一點就可以問問，爲什麼你這麼說？如此就可以有更深的溝通。比方：珍問瑪莉：「有人舉辦一個活動，是暑期送美國出生的中國孩子回本國學中文，妳聽過嗎？」瑪莉聽了沒什麼反應，覺得這很平常，當珍繼續說：「某人回去了，某人回去了，連大衛也回去了。」瑪莉就注意到，當珍說大衛時，聲音特別活潑響亮。原來珍一直在想念他。人們溝通會有這種遮蓋法，其實這是進入深入對話的一扇門。淺的對話不用經過感情和意志。但深的對話可以有強烈的感覺，不論是愛、是怕、是受傷，這些會暴露更多，就更要遮蓋多一些。你若不敏銳，你就看不見。它就像放在黑絲絨上的一顆珍珠。輕一點的話，如學中文的節目，不過是一個資料，一個事實，好像外面的黑絲絨，爲要作襯托用。因爲珍懷念大衛，是主要的信息，就是那顆珍珠是主題。

把思想包起來不都是壞事，有時候是必須的，舊約以斯帖記裡，王后以斯帖同樣用過這種包含法跟國王說話。她先請國王與哈曼兩人吃飯，國王發現情況不對，請客絕不用冒生命的危險來請，而且馬上再請第二次，這並非她要吊胃口，只因事情感受太深，她很難表達。即使第二次吃飯，仍是用絲絨包住珍珠。當國王再問她有何求，她不正面回答，仍不露出那顆珍珠。她卻對國王說：「我若在王眼前蒙恩，王若以爲美……願王將我的性命賜給我，我所求的，是求王將我的本族賜給我，因我和我的本族被賣了，要被殺了，我們若被賣爲奴僕，我也閉口不言……。」（斯七3～4）當國王一聽到此，馬上問她是誰作這事？她才說出是同席吃飯的哈曼。哈曼就是那顆珍珠，是國王最喜歡的人，不能馬上揭發他。

所以要試著明白，人說話背後的感受。人有時丟出一些消息，看你如何接受，如果你繼續接納他，他就會把珍珠給你看。物質對人並沒有多強的凝聚力，人需要感到安全、被接納、被注意與被愛。孩子們小的時候尤其需要父母的關愛，這就是爲什麼，幾年前柏克萊一場大火之後，叫人最傷心的是，照片被火燒了，而非那些貴重的東西。與子女交談與溝通，使他們得到滿足與福份，以及父母們日後不可預料的回報，是物質無法相比的。

從小帶子女，使他有正確的人生目標與價値觀，父母也作他們的好朋友，長大了，他們才樂意與你討論人生大事。外子喜歡運動，常常帶兒子到外面跑步，兩人感情融洽，時常有說有笑。許多重要的人生課題，就這樣不知不覺地建立起來。所以，生活中隨時的溝通與談話，是教養子女不可缺少的一環。

一個四歲小男孩在學校不守規矩，上課不專心，愛打人。小朋友都躲開他，換了學校仍然一樣，不肯安靜坐著，很愛動，在街上就隨便去抱不認識的小朋友，令父母很頭痛。這種過動兒表面上是不與人合作，其實他很孤單，他要表現自己，就用各樣的方法引人注意。原來他父親上大夜班，個性安靜。將管教子女的責任交給妻子，但孩子的母親在家中有自己的事業，很少同孩子說話。孩子同她說話，她常是一面作事，一面回答，心不在焉。日子久了，這孩子的心靈變得孤單飢渴。他的心好像腳踏車的前輪被陷在爛泥中，無法前進，正在發出求救的信號。如此一個受挫的心靈，來到學校，不知如何與人來往，就到處不受歡迎，四面碰壁。因爲缺乏管教與關心，就成了問題兒童，令父母很擔憂。所以父母除了教導兒女，同時也需要用心，要花時間「聽」孩子說話，「對」孩子說話，「爲」孩子禱告。後來有人關心他，一些教會姊妹們也爲他們禱告，這母親醒悟過來，向神悔改，開始多多關心，一面看參考書接受指正。三四個月過去，孩子在學校比較與人合作了。

因此，父母在孩子年幼發育期，能每天花時間陪他們在一起好好談話，是比什麼玩具都更有價值、更珍貴的。對子女來講，這是不可或缺的財寶。要教導子女，自己當先受教導，除了聖經和其他書籍外，爲了避免犯錯，可藉用作庭院或家務事時，收聽眞理的信息，或默想主的話，來保持靈裡的清醒。

幾個溫馨的回憶

有次去海邊玩，到了才發現全是大人，兒子沒有人作伴就生氣了。我把他拉到一邊，悄悄對他說：「我了解你的感覺，你想有小朋友一起玩是對的，但有時環境不許可，你要這麼想，或許這是天父給我一個機會，和不同年紀的人在一起，學一點新的東西，也可學習與他們作朋友，不要只求自己的利益。」等我解釋完畢，情況就好轉。那天晚上，他睡前禱告說：「天父啊，我很自私，只想自己喜歡的事，求天父赦免我的罪，求祢救薛伯伯、陳伯伯他們來信耶穌，也要救舅舅一家信耶穌，奉耶穌的名，阿們。」禱告完後，他和平時一樣，很自然的說：「媽咪給我Kiss叮噹。」這是我家裡多年來的小遊戲，它非常有用，就是每當晚上送孩子們上床後，我就親他們的小臉一下，然後用手關上他們的眼睛，把他們交給耶穌，使他們平安入睡。這天我給他一個滿意的回答，他甜甜的睡了。孩子年幼犯錯立刻糾正，容易帶得好，好像衣服髒了立刻洗，容易去污一樣，切不要姑息，等事情變大就難了。

兒子十二歲那年，有回講好一起去運動場玩，因他動作慢，就罰他一人在家。沒想到回家後，他將剛剛剝好的一盤瓜子，拿來迎接我們，令我很感動，並且他給了又給，又把花了許多時間削好的一個蘋果，切一塊給我，東西雖小，情意卻濃，把我整顆心都溫暖了。眞誠的關懷總是令人喜悅的。經上說：「管教你的兒子，他就使你得安息，也必使你心裡喜樂。」（箴廿九17）我一邊享用，一邊告訴他：「今天是不得已處罰你，希望你能快一點，免得習慣不好，將來要吃虧的，同時也影響別人。其實媽和姊姊今天在外面好想你呢！……。」我親親他、抱抱他，他滿意地笑了。孩子的心很單純，且柔和謙卑，所以神要我們像孩子一樣，才能進天國。我們愛孩子就要管教他們。「疼愛兒子的，隨時管教。」（箴十三24）

有一個晚上和恩德談話時，我說：「有一回爸爸問我，『爲何天天那麼早起來，好像機器一樣。』結果那天靈修，打開聖經，正好讀到詩篇一百零八篇第1～2節，就是最好的答案。說『神啊，我心堅定，我口要唱詩歌頌。琴瑟啊，你們當醒起，我自己要極早醒起。』神是活的，祂在我們需要時就迎面而來。」恩德馬上說：「作工的琴瑟要早起，屬神的人要更早起來。」我說：「對了，琴瑟好比作工的，大衛就是屬神的人，妳講得不錯。」接著我先生回來了，他聞到魚味不經心的說一聲：「好臭！」那是炸魚在桌上。從前我會對這樣的評語傷心，後來想通了，說不定他這靈光的鼻子，將來聞到毒氣，還要救我們呢！事實上，他這個鼻子也曾救過我，於是我笑笑對女兒說：「恩德，妳知道嗎？中國人說，與善人交，如入芝蘭之室，久而不覺其香。與惡人交，如入鮑魚之肆，久而不覺其臭。」講完解釋一番，她就明白了，並且回應道：「這好比人在罪中，久了不覺有罪、在恩典中，久了不覺有恩典一般。」我說：「說得眞好。」我的心為她答得有智慧而深深感動。箴言說：「良言如同蜂房，使心覺甘甜，使骨得醫治。」（箴十六24）從這些談話中，可以看見你平時撒種、澆灌、勞苦的功效，也可以了解他們的心聲。父母時常一點一滴正確的引導，就能建立孩子們的安全感。當他們的心得了滿足與安慰，就是父母的滿足與安慰了。

有次我問女兒：「你生日那天要一本新聖經嗎？或是去基督教書店，隨意挑一本喜歡的書？還是每天陪你談話十分鐘呢？」她說：「聖經我的還可以用，基督教的書，教會有許多，還未借完，這個錢可省了。每天說話十分鐘，這禮物我喜歡，我要這個。」接下去女兒又說：「媽，若我們的生活都和神的話有關聯，必定很快樂，也會長進一些呢。」看著她一個中學的孩子能說這樣的話，心中眞的很安慰。「義人的父親，必得快樂，人生智慧的兒子，必因他歡喜。」（箴廿三24）我說：「我先洗碗再談。」她就走過來和我一起洗，一面把頭偏過來，輕聲的說：「媽媽，我愛妳。我很喜歡跟妳講話。」洗完碗，她說：「我要背一些中文聖經目錄。」這是她學外婆的，接著她拿起家人的舊衣服，開始修理脫線的地方，邊縫邊談。我說：「記得嗎？今天牧師說，我們不要說私話……。」後來有一天，她聽到人說私話，就馬上明白，說：「私話就是死話。」眞高興，她能有這樣的看見。

教導子女神的話，神的靈就容易動工在他們身上，當她聽到爸爸唸：「一宿雖有哭泣，早晨便必歡呼。」就說這句聖經眞好。等她自己在縫長褲脫線的地方時，我說：「還記得這紅長褲的故事嗎？妳因順服，主就差人送妳一紅一藍兩條長褲，又合身、又好、又舒服。」她說：「對啊，上帝很豐富呢。」我一面和她談，一面就寫下來。她問：「媽，妳爲什麼寫下來？」我說：「神的恩典樣樣都要數，都要記清楚。」恩德說：「我們不可忘恩負義，應當爲主作見證。」我說：「寫下來的目的是爲主作見證，不會講錯。神不喜歡我們作假見證。」

有次我先生開車。恩德說：「媽，外婆禱告『候事』是什麼意思？」我說：「哦，外婆有家鄉音，『候事』就是『什麼事』。」恩德說：「媽，我準備一包衛生紙，因爲什麼時候要發生『候事』，我們都不知道。」眞有趣，十五分鐘後，外子發出警報了：「飛筆啊，快給我預備衛生紙，我要流鼻涕了。」我立刻向恩德拿。她很得意的說：「看，什麼時候要發生『候事』，我們都不知道。」後來看到遼闊的海，遠遠有白雲、小山、沙灘，不禁讚歎起來：「眞美啊！」恩德馬上說：「上帝以為這是小事，那麼你想天國將要怎麼樣呢？」接著她把兩隻手放在外子和我的頭上，學作按摩。我們同聲說：「好舒服。」女兒歡喜說話，她又發表了：「什麼時候要發生『候事』都不知道，所以讓你們舒服一點，就不至於打瞌睡了。」作父母的應當歡喜與孩子談話。詩篇中許多地方看到神聽人呼求，神多麼憐憫人，記念人的孤單與眼淚。「神垂聽窮人的禱告，並不藐視他們的祈求。」（詩一〇二17）正如大衛見證說：「我在急難中求告耶和華，向我的神呼求，祂從殿中聽了我的聲音，我在祂面前的呼求入了祂的耳中。」（詩十八6）

盼望我們從生活的片段中，時常與兒女交談，盼望我們都能「持續」守著父母的角色，使他們對神熱情，明白神的話，熟練神的大能，生命逐漸成熟，成為大有信心、大有盼望、大有智慧、在神國裡大有能力的子民，能興起為主發光，成為神忠心的見證人。

一座精工製作的大鐵橋，雖然進展緩慢，一旦成功，將來可使無數的大小車輛在上面飛奔行駛，成就許多美好的工程，孩子教好了，更是無上的價值。

十、目標是愛

當一個弓箭手想射中紅心，他必須把弓拉開，把箭瞄準。瞄準箭而不拉弓就無用，拉弓而不瞄準箭也是徒勞。

人的一生有許多目標，有短程的，也有長程的。人爲目標不斷努力，目標使人肯付代價。目標必須正確才不致徒勞無功，目標就是中心點。好比煤氣爐，它的中心點就是那圈火。在一個房子裡，電源的中心點就是它的總開關。幾條快速公路合併爲一條，它們也同有一個中心點，就是它們的目的地。那麼，生命也有一個最終的目標，就是「愛——被愛與付出愛」。

若沒有愛，一切可誇的目標、卓越的成就、高深的學問、顯赫的地位、豐富的資源，在神眼中就都算不得什麼，不是嗎？爲什麼百萬富翁會自殺？爲什麼有名的人仍不滿足？原因可以從以下的經文中解釋出來：「吃素菜，彼此相愛，強如吃肥牛，彼此相恨。」（箴十五17）實際上，生命中最重要的資源是愛，有了愛，其他的條件差一點都不重要。

愛何等重要，愛使人心靈飽足，使人臉上放光。當你看到一個孩子笑很多，就知道有人愛他。一個對雇工仁慈的老闆，能叫員工特別賣力。那裡有愛，那裡就有喜樂、平安。故此耶穌說，「你要盡心、盡性、盡意、盡力愛主你的神，其次就是要愛人如己，再沒有比這兩條誡命更大的了。」（可十二30）

這段話說到愛神和愛人。至於愛神，凡遵行神的話，就是愛祂了。至於愛人，耶穌在回答一個律法師的問題時，曾經引用了這段眞理，並加以說明。在路加福音十章25到37節解釋何爲「愛人如己」，就是：「愛鄰舍如同自己」。在此，主講了一個關於被強盜打傷、又被拋棄在路旁的人的故事，那時一個祭司與一個利未人正好經過看見，都沒有停下來照顧他，之後有一個撒瑪利亞人經過，就憐憫他、搭救他，盡他所能的照應他。主問律法師：「這三個人哪一個是他的鄰舍呢？」他回答說：「是那憐憫他的。」耶穌說：「你去照樣行吧。」

所以，當耶穌說「愛人如己」，祂所要求於人的，是一種積極爲人的態度。也就是說，要我們愛人沒有歧視，沒有分別，凡是主在你周圍預備的環境，不論他的種族、地位、才智、貧富、認識不認識、喜歡不喜歡、方便不方便，你都應當做開心接納、關懷並幫助他們，而且盡你所能的去作。這就是「愛鄰舍如同自己」的意思了。當然，主也曾說，要靈巧像蛇，馴良像鴿子，所以當分辨，不能叫你的善被惡人利用。

感謝主給我一位常年支持我的丈夫。記得十多年前有次，他幫助我對一個陌生人伸出同情的手，當時我還不會開車。那是一個大約十點多的傍晚，我在路上遇到一個愁苦的婦人帶著一個小孩。原來，她需要趕一班飛機回香港去找她的親人。她幾乎要哭出來，因她飛機再兩個多小時就要起飛了。她苦苦求我帶她去趕那班飛機，而飛機場距離我們家約有七十分鐘的路程。我只好回家告訴外子，外子本來要睡了，雖不情願，還是起來，這眞是主的恩典，使我們與祂合作。我還記得她那一副感激的表情。我們願意愛鄰舍，神眞是會給力量的。

眞愛是順服聖靈，而不求自己益處，是與神同工的，是有忍耐而不止息的。世間沒有一樣是長存的，惟獨愛。神最看重的是愛，人最需要的也是愛。

神愛無可比

羅馬書五章告訴我們：神兒子耶穌基督在我們還軟弱、還作罪人、甚至作基督仇敵的時候，祂就替我們死，爲我們還清罪債，用義的代替不義的，使我們與神和好，叫我們單憑著信，就可以作神的兒女，這是何等的愛。祂從至尊降爲至卑，爲了叫我們升高。祂替我們死，爲了叫我們活。祂從至豐到至貧，爲了叫我們富足。因祂受的刑罰，叫我們得享平安、因祂受的鞭傷，叫我們得醫治。祂擔當我們的憂患，背負我們的痛苦，都因我們偏行己路。祂救贖我們出黑暗入光明，給我們有永活的盼望。使我們一無所缺，作我們的保護與隨時的幫助。用恩慈的話引導我們走義路，使我們不用憂愁。祂愛我們愛到底，且永不改變，這就是神的愛。一直不住吸引著萬民和祂一同歡呼，前往永恆的家。祂使歷世歷代千萬聖徒的心被恩感，甘願跪祂、拜祂、愛祂、爲祂而死，祂眞配得我們的頌讚與敬畏。

眞愛是從神而來，神就是愛，祂愛世人。任何貴人、賤人、美人、醜人、富人、貧人、愚人、智人、好人、壞人，神一概都愛，都願意拯救。神愛何等無限，眾水不能熄滅，大水不能淹沒，世上誰能有這等的愛呢？愛是恆久忍耐，愛是永不止息，誰能愛你周圍的人，永不止息呢？所以我們都有虧欠。但我們卻不可灰心，仍要追求和學習愛，因這是神的命令，要我們彼此相愛。耶穌在約翰福音十五章12節說：「你們要彼此相愛，像我愛你們一樣，這就是我的命令。」

是的，我們本來沒有這種愛，但自從有了耶穌的生命，聖靈就將神的愛澆灌在我們心裡，使我們能愛鄰舍，愛不可愛、不想愛的人，甚至愛你的仇人，這就是神的愛。神要我們用這種愛來愛神、愛家人、愛弟兄姊妹與各樣的人。

愛需要操練

「凡有世上財物的，看見弟兄窮乏，卻塞住憐恤的心，愛神的心怎能存在他裡面呢？小子們哪，我們相愛，不要只在言語和舌頭上，總要在行為和誠實上，從此，就知道我們是屬眞理的，並且我們的心在神面前可以安穩。」（約壹三17～19）

我們信了眞理，又去行出來，就是屬眞理的。神要我們聽而去行，人才看見我們是屬神的。可以先從財物與人分享作起，叫愛心有實際的行動，所以人若以為自己愛神，就要照主的命令去行。經上說，「凡遵守主道的，愛神的心在他裡面實在是完全的。」（約壹二5）

寫此文眞需要主特別的恩典，因我從前是一個心裡剛硬的人。母親等我、勸我十年，我都當作垃圾。有次她又勸我，那時腹中正好懷了老大，我就很不耐煩的說：「媽！妳總是對我講耶穌，這樣吧！等我生下第一胎，就送給耶穌吧。」後來女兒生下來，滿面皺紋像隻猴子，眞是難看。當時我心中暗笑：「哈哈！這是送給耶穌的。」儘管我和神的關係冷到冰點以下，祂也不計較。因祂知道我是無知的，主愛眞如死之堅強。後來因祂的救贖，不斷開啓、提升我，使我越靠近眞光，越愛祂。「神就是光，在祂毫無黑暗。」（約壹一5）惟恐失去這光，再掉進黑暗中，就緊緊抓住、跟隨祂。而這光就是神的愛。

漸漸地，日子久了，不能一直作嬰孩，只吃靈奶，也要學吃乾糧。被愛是很舒服的，去愛也不能沒有，作一個健康的基督徒，兩樣都必須有，這樣才不會辜負主的愛。主愛世人，我們先領受愛，又將祂的愛流出去，作一個活水的管道，這就是愛主、愛人了。

某次，神提供我們一個愛鄰舍的機會。那時我們兩個孩子三歲及四歲，和樓上一對愛主、愛人的陳弟兄夫婦的三歲兒子Denny常玩在一塊兒。他們只有一個兒子，非常寵愛。有一天Denny病了，上吐下瀉又發燒。陳姊妹打電話來，要我們孩子上去陪伴她兒子。唉，這怎麼行呢？等下傳染到怎麼辦？雖然她平時作許多吃的給查經班弟兄姊妹，十分關心人。但這件事很難當呀，當電話一次兩次打來，主愛在我心中不住地催促。主說：「不求自己的益處」，我心想：今天若Denny是我們的孩子，不是也要住在一塊兒嗎？話雖那麼說，心裡仍是提心吊膽。後來他們玩得很好，似乎一點事也沒有。然而一回到家，小女就病倒了，同Denny的病一模一樣。我的心眞痛啊！「主啊！祢怎麼選中她呢？她是個早產兒呀。」「哦！主啊，她是那麼瘦弱，祢怎麼忍心看她上吐下瀉呢？」我的心都碎了。次日，正好是教會的退修會，只得放棄了。但仍鼓勵外子去，盼望他能夠把我們那份出席費奉獻給神，這就算我們的心也一起去了。在那漫長的一天裡，我悄悄對主說：「主啊！祢看，小女在那裡爲祢的道受苦呢！祢不顧嗎？如果祢願意救她，就叫她明天一早會餓吧，這樣就算是祢恩待我們的憑據了。」果然天一亮，救恩來了，小女如往日一般精神抖擻地喊著：「媽咪，肚肚餓，要吃東西，還要出去玩。」哦！那可愛的聲音回來了，我一把抱起她，看個究竟的說：「孩子，媽苦了妳。」爲了報償她，當天我就帶她和弟弟，還有兩個同年紀的印度小孩，一起到密西根湖邊參觀商業展覽，在那兒大家餓了，看到一個中國小吃攤招牌，就去排隊。當小女看到滷蛋、炒飯、炸春捲，就吵著說：「統統都要吃，非吃不可。」她竟然吃得精光，而且平安無事。

這叫我看到兩件事：一、本來她肚子剛剛好，不當馬上吃那些硬的東西，竟然吃了無恙，使我想到路加福音八章，耶穌叫一個女孩從死裡復活時，立刻吩咐人給她東西吃的情景。祂眞是全能。我們跟隨主的人，在難處面前當放下自己，回轉成小孩子的樣式，就能看見神的榮耀。二、主眞知道祂的兒女能承受的量，當試驗他們愛心的實際時，會在可能失敗的那一點上要求他們。或者說，在我們捨不得的事上向你伸手。等你眞的給了祂，祂就叫你看見祂是何等可靠、全能的主。

在幫助鄰舍上，不是說我已經完成愛的功課，因我仍是愛自己的女兒過於Denny。但是這個經驗加深了我的明白，關於神要我們「捨己愛人」的眞理。人的路線是「活出己」，聖靈的路線卻是「活出神」。神最終的目標是「愛神愛人」。當環境來到，你只要跟上去，不要講理由，神在天上，人在地上，地永遠不能與天比。愛是天國的方法，跟著祂一定不會錯。聖靈知道神的意思。祂知道：當一個情況在地上看來不合理時，祂的理仍在天上。如果天意在地上活出，就經驗眞愛，就能達到祂的目標。人怎能有眞愛呢？的確，跟祂就是達到目標最快的路，也是惟一的路，此外沒有通路。

信徒愈操練愛主，就愈經歷主愛，即使到殉道的地步。在使徒行傳中，當人用石頭打死司提反，司提反對神跟人的愛還是成全了，因爲他定睛看主，而不看難處，他的眼被開啓，看見神的榮耀。耶穌站在神的右邊，甚至他向神呼籲，饒恕那些害他的人，就像耶穌饒恕釘祂十字架的人。司提反的故事使人看到，基督徒可以活出基督的愛，只要願意爲主捨己，主總會給力量。這就是聖靈的工作，聖靈將神的愛澆灌在我們心裡，激勵我們去愛，因爲只有神的愛，能授權給我們去作一個違反理性與感情的事。等你經過了還能不後悔，反覺甘甜。這樣，愛裡不用懼怕是實在的了。

是的，耶穌要破碎我們的理性。我們憑自己不能活出的愛，惟靠順服主，才可以自然流露出來。因寶貝在瓦器裡，非我們能，乃是主能。有時環境艱難，但主說：「我總不撇下你，也不丟棄你。」（來十三5）祂樂意我們享受愛，親嘗祂的榮耀，得著異象，就如當年門徒在變像山上的光景。祂也要我們分享愛，所以主帶他們下山，關心其他的人。

主是世界的光，祂來爲要照亮全地的人，又藉著我們信祂的人，與祂一同彰顯祂的光與祂的愛。

神是信實的，你若信祂，就讓祂作主，祂本是主，救贖我們進入豐盛的生命裡。你沒有信心嗎？但主是信實的，交給祂，你就能在恩典中長大，天天讀經禱告，信靠順服祂的話，你就會明白，祂的恩典夠你用，我們只用跟著祂，曠野中有基督同行，曠野就成了樂園，難處就成了祝福。

人愈進到世界，就愈難擺脫它。所以，當趁兒女還年幼時，教導他們神愛的眞理。如果全家一起操練愛神，彼此相顧，激發愛心，勉勵行善，那個家便要活起來，發出眞光。

多年前某天，小女興高采烈地上學，因爲那天有專家來，給他們的啦啦隊員，在結業前來個大合照。當時外子答應她，可以去加入啦啦隊，但要自費五百元，從那時起，無論作家教存錢、練習與演出，她都很積極努力，因此這個大合照對一個中學生來說，怎能不興奮呢？

事前，我曾希望她不要隨隊到洛杉磯表演，所以她就成了補缺的隊員，又勸她省了十二元的個人照，讓我替她照就行了。但團體照是免費的，所有隊員都可參加，不如就只照團體的吧！她欣然同意，可是回來後她一臉愁苦，我說：「孩子，妳還好嗎？」「嗯！」她慢慢道來：「原先很好的一件事，等大家都站好了，準備要照的時候，來了一位同學沒穿制服。她堅持要老師把我身上的制服給她，因她是正式隊員，我是補缺的。老師猶豫一下問：『恩德，妳願意讓她嗎？』我同意了，走下來將制服給她。」事實上，恩德很開心能被解除團體照，因爲他們選用短裙內裡的、不夠禮貌的那一段作爲團體照的制服，使她感到很不自在。但是那女同學的態度與輕視的語氣傷了她的心。許多隊員看了都抱不平。她一面解釋，一面傷心地對我說。我用手環抱著她，是的，到底是孩子。她所有的期望與興奮頃刻之間都如水沖去，並且還要在成百雙的眼前被虧待，怎能不傷心呢？接著她直往鋼琴走去，不斷的彈奏詩歌，如往常一樣。所不同的是，這回是去尋找神的安慰。我的心也開始波動，悄悄走到隔壁，暗暗向神申述：「主啊！沒照個人照是我替祢訓練孩子，怎麼全體照又遭此不平待遇，這樣未免太過分了吧。這是爲什麼呢？祢得給我一個答案啊！」

就在這時，一個溫柔又微小的聲音回答我：「我就是要用這個方法，把我的女兒恩德介紹給大家認識。」這話一出，我知道是主，眼淚瞬間滾滾而下，滿心激動又慚愧，怒氣懊惱即刻全消。「主啊！我是罪人，請原諒我，我們不配，祢太看重我們了。」

旋即轉身把這個大好的消息告訴女兒。當時她正好翻開詩歌，上面寫著：「全獻在祭壇上。」原來，主在提升她、肯定她，要叫她將生命的道表彰出來。她一聽這話，兩行熱淚就在紅紅的面頰上流下來，快樂與眼淚摻著，一面不停地彈，一面再次將自己交給主。

「你們就是我們的薦信，寫在我們的心裡，被眾人所知道所念誦的。你們明顯是基督的信，藉著我們修成的，不是用墨寫的，乃是用永生神的靈寫的。不是寫在石版上，乃是寫在心版上。」（林後三2～3）神使我們成了一封信給世人看。耶穌既已死，把我們帶進神的家，我們也當藉著這個好消息，把別人帶進來。如果我們的信多寫好事，就可以帶多人進入神的家，這是神的心願。我們因爲生活重點時常偏離，忘了愛神，所以常有不必要的懼怕與憂愁。神當年如何試驗亞伯拉罕，叫他將以撒獻上，見證祂是主。祂今天同樣在你我身上，向我們要心中寶貝的以撒，再向世人宣告祂是主。孩子的世界就是那麼大而已，雖然難過，我們相信她所作的是盡她所能的，主也喜悅她。

許多學生利用暑期打工，爲了得工作經驗，或多修幾門課，想提早拿到學位。這都不錯，但都是人的方法，想多得利益。也有人犧牲暑假參加短期宣教事奉。感謝主，我們的孩子揀選了後者，這樣對主的事可以多學一點，想到畢業後賺錢機會多，短宣機會少，何不趁早把握呢？

有人說，先有打工經驗，畢業後才容易找工作。這話固然有理，但主也發出成功的邀請，祂說：「你們要先求祂的國和祂的義，這些東西都要加給你們了。」（太六33）只要我們專注發展神的國、聽從祂的話，一切生活所需主必看顧。這是神可以保證的，我們經驗過了，證明主是對的。

我們孩子們大學畢業，很快就找到好的工作，並且連短宣的費用，主都供應他們。記得小女二十一歲那年，就有機會到台灣傳福音。外子覺得她太年輕不放心，同時一千元又太貴。後來經過禱告，主感動他出兩千元，自己陪女兒去。當他毅然回應神的感動，在尚未付諸行動之前，神就差他的大嫂送了兩千元來，說：「主感動我送的，也不知道為什麼。」主真知道我們的心哪。人只要願意為主，錢在主看來是很容易的事。

小兒高中畢業那年暑假，要去印地安人保留區短宣。同年，女兒又要去阿根廷短宣。兩人費用除教會出一半外，另一半，他們打算靠打工賺得。雖然有人一再關心他，們卻說：「已經有了。」但別人還是要送錢來，而且超過他們所需用的，他們也不用為經費寫任何代禱信，因為當我們作祂所喜悅的事，祂就會供應一切的需用。

愛心的服事真的需要神來開我們的眼，加添力量。兒子十八歲那年，他去短宣的心有了，錢也夠了，只因地點在Arizona，環境險惡，他心中有掙扎：「媽，聽說那裡有野熊和響尾蛇呢！沙漠氣候華氏一百多度……。」孩子的感受，我們可以了解。但因報名晚了，就被拒絕，只能轉去北加州，我們都為此高興，因那兒天氣比較好，不過沒有電器、火爐、冰箱，還要住營帳，可能一週不能洗澡，並且仍有野熊與響尾蛇。我們就鼓勵他：「孩子去吧，主必看顧你。」馬可福音十六章20節不是說：「門徒出去到處傳福音，主和他們同在，用神蹟隨著。」「主比一切都大，野熊與毒蛇必不能傷你，我為你禱告，求主叫你不遇到這些事，並且在一切事上保護你。你看宣教士們常年在那裡，還不是活得很好嗎？他們的辛勞，主都看見了。主必報答他們，你去向他們學習吧。有年輕人來為主作一點，他們也得到鼓勵，主也會記念你。」

雖然說得很有信心，心裡卻很捨不得。等忠兒十分願意，消息又傳來，地點要再更換，去一個比較現代化、十分方便的地方。主知道我們的心，祂不將難擔的擔子給我們，等他勝過這一關，歡歡喜喜地回來，就對神產生嶄新的感恩，因為他父母都在身邊。由於他看見許多印地安人的小孩缺少父親的照應，就伸出憐憫的心，於是每年暑假自動報名參加服事。原來短宣可以激發愛心，勉勵行善，又能帶給人負擔與異象，不但如此，好些孩子們去了比較貧窮的區域，心眼打開，回來後對神所給的一切更加感恩。

相信我們都有機會聽到很多感人的宣教故事，而短宣對宣教士來說，真像一個幼兒牙牙學語。雖然是糊里糊塗不清楚，但有了對的一步，就能有正確的發展。各位親愛的主內父母們，如果你們尚未嘗試，我鼓勵你們要爲此禱告，也要鼓勵子女踏上這一步，使他們更成熟、可愛、尊貴而有力。目前短宣的機會如雨後春筍般發展開來，因爲主快回來了。孩子們物資的豐富固然要緊，但更重要的是心靈的飽足、被愛與去愛。短宣就是使他們得到靈裡飽足的最佳途徑。

愛心最重要

聖經哥林多前書十三章，對愛的描述最爲透徹，愛是神給人最大的恩賜，比說方言、說預言和施恩與人更爲寶貴。愛對任何人都適用。愛是只喜歡眞理，不喜歡不義。愛能凡事包容，凡事相信，凡事盼望，凡事忍耐。愛是自發的，是無可限量的。愛是無價之寶，能使人有希望。一切都要過去，愛卻長存。

「我若將所有賙濟窮人，又捨己身叫人焚燒，卻沒有愛，仍然與我無益。」（林前十三3）意思是：如果一個人作了許多好事，大家都稱讚他，但若心中無愛，在神看仍是「Nothing」（NIV聖經），毫無益處。所以愛是最重要的。

愛人要從周圍的人開始，家人是第一要愛的對象。一個家的建立首先要有愛，能好好愛家人，才能愛其他的人。孩子在家中得到充足的愛，長大了就容易愛人。愛是放下自己，追求公平、包容，替人設想，欣賞別人，情願吃虧。有價值的東西都要付代價，愈有價值的東西代價愈高。而愛是最高的代價，當全力去追尋。要人作你的朋友，就要付代價，要人作你的好丈夫，自己要先作好妻子。反過來說，要人作你的好妻子，自己必先作好丈夫，這是一定的道理。

愛最具影響力，是最妙的道，愛是永不褪色，永遠常新的。愛能勝過一切，愛帶給人光與熱。保姆的愛是一般性的，所以能夠更換。母親的愛很深，有獨特性，所以能持守到底。愛是最大的動力。人若不愛主，就無法走主的道路，事奉主不僅是「應當」，更要「有愛」。

愛好像一首美麗的樂章，能快活人心。
愛又像瓶中的小花，靜靜地獻上生命，發出香氣。
愛也像營地裡熊熊的火，把自己燒了，溫暖他人。
愛更像成熟的稻穗，彎下身來，給人吃飽。
如果你願意將自己純潔的愛，作一個奉獻的禱告，讓我們一同來告訴主：
「親愛的天父，感謝祢的大愛救贖我。主啊，我眞不配，我本貧窮，我本軟弱，如今成了何等人，是蒙了祢的大愛。主啊，我能一天天豐盛強壯，都因祢的慈愛與憐憫。主啊！我的盼望在乎祢。祢爲我死，我當爲祢活。主啊！謝謝祢赦罪的恩，使我得自由。主啊！我的一切好處全是祢給的。如今我因愛主的緣故，將自己的生命獻上給祢用，願祢來掌管。深信祢的智慧大過我的智慧，祢的道路高過我的道路，求主煉我、用我、保守我成全主的旨意，作一個愛主的門徒，又願我和我的家都能爲主使用，無論何處何方，願主來保守，喜悅這個奉獻。禱告奉主耶穌的名，阿們。」

十一、不住禱告

儆醒禱告，免入迷惑，不住禱告，主必成全。

禱告有時像種花，需要時間，又像划船慢慢前行，雖不能快，也不費力。只要合神心意，事必成就。比方：求神使弟兄姊妹在主裡合一；求主賜更多恩典給傳道人，使他們講道有能力；求神使兒女凡事端莊、敬畏神等等。這樣的事無論大小，主必成全。

禱告要持之以恆，非到蒙神應允不放手，否則中途而退，其錯誤就像人拉小提琴，雖然琴聲優美，令人舒暢，可惜拉到一半不拉了，多麼遺憾。

禱告不是自言自語，向空氣說話，乃是憑著誠實與眞理來到神面前，不是只到天花板就算了，更是相信會升到天上父神的施恩寶座前，是馨香蒙神悅納的，是滿有盼望、滿有功效的。

禱告需要忍耐，它的進展好像人乘坐馬車，而不是飛機，卻也不是普通的馬車，只有一、二匹的馬力。禱告的力量好像有六、七匹的馬力在拉你跑，最後一定會帶到目的地，並且經由禱告帶來的果效是堅固、牢不可破的，可以存到永遠。

禱告是人對神倚靠的表現，是一個愛的結晶。如同新郎與新娘的相會一般親密。當你愁苦哭泣來到神面前，就像新娘伏在新郎的肩上，傾心吐意地哭訴一般。最後因著愛的力量可以化愁苦爲歡笑，甚至還能喜樂到翩翩起舞呢！

禱告多了可以結善果，好像一顆成熟佳美的大樹，上面結滿了美麗奪目的果子，令人歡喜一般。

禱告經過艱難，可以令人歌唱，好像摩西帶領百萬大軍逃過紅海追兵，就歌頌神爲大。

禱告是倚靠神成事，不靠自己。因祂的智慧能力遠勝過我們，所以在禱告以前，任何有影響力的決定都不要作，便是智慧人。

禱告是主所悅納的事，在提摩太前書二章1～4節說：「爲萬國萬民或君王執政掌權的禱告是第一要緊的事。」這樣的人主應許他們，可以敬虔端正、平安無事地度日，並且保羅稱讚這是好事，在神面前可蒙悅納。

禱告能堅立信徒，使他們站穩，帶來家庭和睦，教會合一。仇敵怕禱告遠勝過我們的才幹，所以我們必須禱告。信徒憑禱告行事就能經歷豐盛的生命，只有一直禱告，方能忠勇向前，長久為主發光。

禱告的母親

家母本來是個軟弱的人，常常會哭，因為家父工作忙，時常不在家，那時我和兩個弟弟還年幼。祖父母輩又遠在海的另一邊，許多事情母親要獨當一面，無人相助，眞的叫苦連天。後來她信了耶穌，既然沒人可以依靠，就去找耶穌。人們以為她很可憐，天天自言自語，誰知她得了一個最好的金礦，一座最大的靠山。因她不住禱告，好事不斷發生。如今她像一個孩子，時常開心。又像一個園丁，常吃園中佳美的果子。因為不住的禱告，使她很有朝氣。雖然七十七歲，還是精力充沛，有兩次車門沒關緊，她就舉起膝蓋去撞擊關好，禱告眞使人有能力。

還記得十多年前，爸爸因心臟病危在旦夕，住進加護病房，天天要面對無鹽的飲食，難以下嚥，就要求媽媽買小籠包、叉燒包等各種美味給他，這些卻是醫生不容許的食物。媽媽怕他生氣對心臟不好，只能照辦，自己吃下醫院的食物外，還要不住禱告，求神格外施恩保守父親平安。感謝主，三十天後，父親平安出院，那天爸爸很感激地對媽媽說：「太太辛苦妳了。」媽笑笑回答：「感謝主給我們補度一個在戰爭中失去的蜜月。」以後爸爸乖乖聽醫生的吩咐，少吃動物肥油。但有一天，他在晚餐桌上忍不住夾起一塊大蹄膀，笑嘻嘻地說：「好久沒吃了，就吃一塊吧。」媽在旁笑笑。我們相信媽的禱告也跟著笑笑，後來神又加添他十多年的歲月。在那些時光中，爸爸幾乎天天自由往來，也時常上各家館子，享受各國風味，直到離世前兩週，還被小弟請去一個出色的餐館吃了一餐。我說這些莫非要人相信禱告。

我們孩子三、四歲的時候，母親來看我們，幫忙照顧孫兒。幾個月後，在離開前，她發現自己胸部長了許多粒東西。於是她禱告：「主耶穌，謝謝祢，給我一個健康的身體來美國。如今我要回去，求祢幫助我丟下這一粒粒東西，好重新帶著健康的身體回我丈夫身邊去，我奉主耶穌基督的名禱告，阿們。」後來果然一切恢復正常，四年後她把這事告訴我們，眞感謝主賜我一個勇敢又有智慧的母親。主又提醒我，不能再請她帶孩子，她已盡了上一代的辛苦責任，如今是她的金色年華，該受子女孝敬回報、享受天倫之樂了。

又有一次，在半年的冰天雪地中，她經常出門去上英文課，曾在冰雪上跌倒八次，卻沒告訴我們，直到有一天在冰上摔倒兩回，才逼她說出來，令我們十分震驚。「媽，妳怎麼不告訴我們呢？」她說：「怕你們擔心，不讓我出去了，何況耶穌都幫助了我。」我好奇地問：「那妳是怎麼禱告的啊？」她回答我：「主耶穌，身體是神的殿，不可輕易毀壞，我現在奉主耶穌聖名，叫我有能力站起來，平安無事。」果然每一次都平安了。因爲這緣故，我們禱告，主開了門，便搬來溫暖的加州居住。

還有一件事，媽因爲去禮拜的路遠，請人聚會不容易，就天天禱告，求神在我家附近開一所分堂，多年後在鄰城就開了一家。我說：「媽，主聽了妳的禱告，已經開了分堂。」她平靜地說：「那不是我求的，我要的是在我們城市裡的。」我說：「這家已經夠近了，何必固執呢？」但她仍堅持禱告，因她深信「恆常忍耐可以勸動君王。」（箴廿五15）果然，前後禱告了十五年，在她想要的城市裡開了一家，而且人丁興旺，十分美好，超過所求所想的。家母是一個禱告的人，禱告使天上的財寶傾倒下來，母親的禱告帶來天上的財寶。

「才德的婦人誰能得著呢？她的價值遠勝過珍珠。」（箴卅一10）禱告使軟弱的母親，成了剛強、仁愛、謹守的基督精兵。母親爲家人、也爲許多人禱告，有人說：「你的母親眞快樂，她是大家的母親。」不住禱告，石頭也要開花，這並非少數人的專利品啊！

聖經說：「我是耶和華你的神，曾把你從埃及地領上來（從為奴的地位升上來）。你要大大張口（憑信心多多開口求），我就給你充滿（使你豐富）。」（詩八一10）試想，一群孩子圍著作國王的父親吃著珍饈美味，他們還用客氣嗎？如今，神把我們從罪中救出來，我們自由了，又登上王子的地位，是榮耀豐盛的，就不用客氣。神的兒女們開口吧，口一開靈就開，神恩典的寶庫就要為你大大打開。

什麼是禱告？

禱告就是連上一根天線，比打電話方便又有力，三歲小孩也會作，但要探測得深入，卻是一生的功課。馬太福音六章5～8節給我們看到，禱告是一件隱祕的工作，是講給神聽，不是講給人聽，是要在今生得到神的答應，來生能得著神的賞賜，並且榮耀主聖名，吸引人來歸祂。

禱告五件事

聖經中教導人禱告有許多方面，但不可少的有五件：

1. 信心

主不喜歡不信和小信，因爲會限制主的權能。馬可福音九章那個害癲癇病人的父親對耶穌說：「你若能作什麼，求你憐憫我們。」問題不是主不能，問題乃是人不信主，所以主就把這個要點指出來。對他說：「你若能信，在信的人凡事都能。」（可九23）說了，就治好那個害病的孩子。人要信神，信神的話，信神的應許，就有能力出來。

世上一切看得見的東西，有一天都要過去，如一件衣服舊了，被捲起來，到那時，天地就都改變，惟有神的國存到永遠，是不能震動的國。所以要注目耶穌，仰望祂的話和權能。祂已從死裡復活，戰勝了陰間和魔鬼的權勢，以大能顯明是神的兒子，且被升爲至高，遠勝過一切執政的、掌權的、有能的、主治的和一切有名的，不但是今世的，連來世的都超過了。所以祂對門徒說：「要將一切的憂慮卸給祂，因爲祂顧念我們。」（彼前五7）這樣偉大的權能、肯定的應許，世上有誰能給呢？不靠耶穌，還靠誰呢？難怪詩人說：「除祢以外，在天上我有誰呢？除祢以外，在地上我也沒有所愛慕的。」（詩七三25）

有時雖然環境如狂風催逼，如獅子吼叫，如山洪爆發，但請記住，不要被環境吞吃嚇倒。因它們都是會改變的。在急難中要找主，那信實永存的膀臂，無限可靠的能力。主說，「你們信神也當信我……，起來，我們走吧。」（約十四31）「起來」，輕看困難，「走吧」是向前走、向神走、向高處行，看神爲你成就大事。

「又用大能成就你們一切所羨慕的良善，和一切因信心所作的工夫，叫我們主耶穌的名，在你們身上得榮耀，你們也在祂身上得榮耀，都照著我們的神並主耶穌基督的恩。」（帖後一11～12）看難處我們會被仇敵欺騙，因我們不是牠的對手，但牠在主裡毫無所有，所以牠也不是主的對手。我們在困難中最大的聰明，就是躲進主裡面，讓祂作我們的保護。經上說：「神是我們的避難所，是我們的力量，是我們在患難中隨時的幫助。」（詩四六1）信心是進入神家中的第一步。神學家加爾文曾說：「歸於神最大的榮耀，莫非以你的信心來印證神的眞實。」

容許我再說一個小故事。多年前當柿子上市時，每六十五分錢一個，那麼一元只能買一個半，我想柿子眞好吃，若能多買一些便宜又好看的送人眞好。我就告訴主，因萬物是祂造的，經上說：「地的柱子屬於耶和華，祂將世界立在其上。」可見萬物都是祂的，包括全地的柿子，也是祂的。

過了兩天，開車經過路邊，看到有柿子樹，好興奮，就停車想看個究竟。結果發現，高高的四棵大樹上都結滿了柿子，哇，不得了。這家主人會吃壞肚子了，我來替他分擔吧！於是在樹下禱告：「主啊，不知這些樹的主人是誰，這些柿子若採下來，一定會比外面賣的又便宜又好看。主，請幫助我能買到一些……。」禱告完，看到一個人站在那裡。就問他：「你知道這些樹的主人是誰嗎？」他說：「我知道，再過兩天它們會被採下來，放在我的小店裡賣。」於是我留了電話給他，真的，過兩天他叫我了。一塊錢七個，果然便宜又好。主真是好，但我說：「主啊，忘了告訴祢要大一些的，若能再便宜一點更好。」於是又過兩天，經過一個住家門口，有一個牌子說：「柿子十分錢一個的。」等於一塊錢十個。我就去問那家女主人，她說：「在她家後院裡，自己去採。」我走到樹下就禱告：「主啊，謝謝祢，我來了。」經上說：「不可起貪心。」所以我就採頭上四十五度範圍之內的，只買三十個。結果那三十個都是又大又美。媽媽看了，叫我給她買五十個，於是次日又去買了一百個回來。想想還有好些人沒送，於是再過幾天又去買了一些。後來想到吳牧師，他曾經恩待我的婆婆，也當送他一些，但傳道人忙，送尖柿子要等軟了才能吃，他沒時間管這事，不如就求神給我一些扁柿子吧，立刻可以吃，要一樣價錢的，也要又大又好的。當我再踏進那家門時，女主人說：「你怎麼只買尖的，我們的扁柿子也是十分錢一個。」哇，真的，整棵扁柿子樹，也是又大又好，就在旁邊，竟沒有看到，於是，前後一共買了三百多個。信心真是進入神豐富寶庫的金鑰匙啊！放著不用實在太可惜了，神喜歡我們信而求祂。所以希伯來書十一章6節說：「人非有信，就不能得神的喜悅，到神面前來的，必須信有神，且信祂賞賜那尋求祂的人。」並且在舊約聖經以賽亞書七章9節也說：「你們若是不信，定然不得立穩。」可見禱告的先決條件是信心。

2.要求

你們不求不問，怎能得著呢？神從不勉強人收祂的禮物，即使連這麼大的救恩，關乎人的永生與永死，祂也不勉強人接受。祂尊重人，給人絕對的主權與自由。所以，除非我們向祂要，或替人向祂要，否則祂不作什麼。雅各書四章2節說：「你們得不著，是因爲你們不求。」還有求也要說清楚，不要今天這樣說，明天那樣說，到底神要聽你哪一天的說法呢？所以爲了說清楚就要先想好，如果能用本子寫下時間、事情、爲什麼人、求什麼，到成就時，再寫下如何成就及何時成就，以後作見證也有根據，好讓神用你的眞見證去救人。而且常常翻看可以鼓勵自己的信心，也不致忘恩。因爲主說：祂的恩典樣樣都要數，都要記清楚，所以應當寫下來。

3.不可妄求

雅各書四章3節說：「你們求也得不著，是因爲你們妄求，要浪費在你們的宴樂中。」基本上，要應付缺乏或急難中的幫助是求告神的原則。否則若像一個孩子說：

「神啊，求祢叫我有翅膀像鳥能飛」，這是不會有回應的。聖經又說：「我們若照祂的旨意求什麼，祂就聽我們，這是我們向祂所存坦然無懼的心。」（約一書五14）所以妄求是超過所需的求，是不合神心意的，就不會有結果。除非屬靈生命經歷多了，有更多的負擔與看見，可以爲國爲民有更大的禱告。比方約書亞爲打敗敵人亞摩力人，曾求神叫日月停住，神也聽了他。凡合神旨意的禱告，主必要聽，所以要合情合理，合乎聖經，不能妄求。

4. 要對付罪

若上面三項都有了，禱告仍不蒙應允，就要省察有沒有罪的阻隔。因爲我們知道，神不聽罪人，惟有敬畏神，遵行祂旨意的，神才聽他。詩篇六十六篇18節說：「我若心裡注重罪孽，主必不聽。」心裡注重就是愛慕，心裡愛慕某個罪，主就不聽禱告。必須先棄絕這罪，拿去這個阻攔，通天的路才會開啓。箴言二十八章13節說：「遮掩自己罪過的，必不亨通、承認離棄罪過的，必蒙憐恤。」愛罪的人必不亨通。但若因軟弱勝不過罪，可以求神憐憫，依靠主的聖名，主的寶血，向神承認並且棄絕它，就必蒙主赦免。罪的阻隔一除去，禱告才蒙應允。

5. 要恆切

要恆切就要忍耐。忍耐是基督徒的特性，忍耐等候，恆切禱告，就能看見原先憑肉眼所看不見的神的大能，你的心就要歡喜，使你更倚靠主。因爲祂說有就有，命立就立。基督徒愈久愈知道遇事不用急，因主總有最好的答案。所以禱告要恆切，將主權交主，等祂來作。回應快慢都有好處，快的回應快有喜樂，慢的回應不但有喜樂，還學了忍耐，使生命更像主。主總不會錯，只要愛主必有益處，若能恆切就是忠心於你的禱告。

說到忠心，在教會中主不看你作什麼，主是看你有沒有忠心。馬太福音二十五章，主對僕人的要求是不看才幹，卻看忠心，因主是公平的主。禱告雖是一個隱藏的工作，但不可小看它，因主看見我們，耶穌在路加福音十八章曾設一個比喻，是要人常常禱告，不可灰心。那裡說到一個不義的官，因著寡婦的懇求而給她伸冤了，何況我們在天上慈悲的天父，豈不更要因神的選民晝夜不住的呼求，給他們快快的救護嗎？

禱告會灰心是仇敵的計謀，因牠的說法與主耶穌相反。有人說過一段話：「基督徒的禱告如一張薄紙，魔鬼的計謀如同一塊鐵，我們不住的禱告，紙多了重量就要超過那塊鐵，我們就要勝過魔鬼，禱告就要見效。不信你將不變的鐵塊，與日漸加增的紙張各放天秤一端，就知你勝了。」保羅三年流淚禱告，爲聖徒祈求，撒母耳也說：「我斷不停止爲你們禱告，以致得罪耶和華。」（撒上十二23）他們恆切禱告的榜樣已經爲主所悅納，也爲當時代的人，留下了歷史的痕跡，創造了偉大的時代。恆切禱告是眾聖徒都要踏上的腳蹤，這也是蒙福的。所以，爲人父母者也不能例外，當爲子女多祈禱。

父母的責任

父母的責任是牧養子女，牧養的良方是不住祈禱。

禱告能除去污穢與罪惡，帶來清潔與和平。父母每天爲家人作保護潔淨與守望的禱告是很重要的。不住禱告連於主就是歡迎主，歡迎得勝。所以，每一天的開始能在清晨支取那屬天的力量，使這一天可以平安穩妥，不慌不忙。但以理一日三次到主面前，就能處變不驚，處危不亂。我們若要勝過那惡者，不受牠擺布，就當不住仰望主。

你若沒有禱告的生活，可以求聖靈賜下施恩叫人懇求的靈給你，每天清晨爲神國、家人、環境來禱告。起先操練一天五分鐘到十五分鐘，以後看需要增加，最要緊是恆心。

有天女兒在回家的路上，看到一個算命店在迷惑人、騙人的錢財。就找我天天一起禱告，求神開恩救他們脫離黑暗的權勢，進入神愛子光明的國度，成爲蒙福的人。而且求神賜恩給居民，將這店背後的黑暗權勢打破，使這迷惑人的生意不再繼續。結果兩個月後，那店改爲照相館，哈利路亞。魔鬼不住地控告屬神的人，我們也當不住禱告，求神將仇敵擄去的人與環境都歸回正常。

主對父母的託付是要他們生養兒女，使生命延伸，並且牧養他們，照顧他們。父母如同小牧人，當一直走在牧養的路上。在教會裡，牧師怎樣以祈禱傳道爲事，父母在家庭中也相仿，要教導子女認識神，同時要多多祈禱。不住禱告是父母的首要責任，遠在教導之先。神看重大衛，雖生爲牧羊人，卻是誠實正直行在神面前，遵行主的話，主就將他從羊圈中召來，牧養神的百姓。下面一句話描寫大衛如何回應神的恩召，沒有辜負祂的託付，可以作爲你我爲人父母者的榜樣：「於是祂按心中的純正牧養他們，用手中的巧妙引導他們。」（詩七八72）大衛用神的話來牧養他的百姓，並且藉著禱告，巧妙地引導百姓行義路。

所以，父母羨慕有敬虔的後代，首先要有自律的生活。除了神的話，還要多多祈禱。在世上忙忙碌碌的一生，什麼都帶不走，除了藉著禱告、神爲我們作成的工夫，以及我們的兒女。你要兒女好，自己先要好，惟有付出愛，才能得著愛，也惟有付出心，才能得著心。

恆常正確的禱告是好的，每一次都有價值，因爲孩子的事是神的事。禱告的手能作神作的事，憑信心等待是正確的良方，因爲生命長大有一定的過程，時候滿足就長成了。有時教養孩子難免會急，看到許多父母送孩子到這兒或那兒去學技術。惟恐年紀大了來不及學，這是對的，但仍需要問主，否則天份不合，張冠李戴，到頭來終究成了一場空。

某次問一班八到十歲的孩子們有什麼課外活動，一天睡多少時間。從他們的回答中知道，他們都身兼多種技術，但多數睡眠不足。好些人已經戴了近視眼鏡。但比較許多破碎家庭，那些父母自顧不暇，無法顧全子女，這些孩子們就有福多了。他們的父母卻是難能可貴。然而，儘管人再努力，所知仍是有限。既然我們是受雇於神，替神養子女，何不問問主人，祂的旨意計劃是什麼。向祂索取智慧與策略，讓祂指引，增添力量。如果我們能常聽祂、作祂喜悅的事，祂就與我們同在。這樣，擔子就輕省，且更容易把子女教好。

第十一章

祂除去我的渣滓

熨斗很燙，才能燙平衣服。神的管教如熨斗，可以燙去生命中的皺紋。燙時會痛，燙完就美，好像枯枝剪掉，新芽長出一樣。

人不喜歡管教，但是真愛必有管教，你不打自己的孩子嗎？將來你要與他一同受苦。神是烈火，祂的處罰是為了愛。詩篇一百一十九篇67、71節說：

「我未受苦以先，走迷了路，現在卻遵守祢的話。」

「我受苦是與我有益，為要使我學習祢的律例。」

是的，「祂撕裂我們，也必醫治；祂打傷我們，也必纏裹。」（何六1）因為祂愛我們。

二十多年前，初信主不久的我，某次為了想聽一位美國人用中文講道，好不容易等了半年，終於等到，但在證道前，有人報告需要保姆看孩子，問了兩次沒反應，就認為是我的責任，因為別人只有一個孩子，而我有兩個。與孩子們在一起的時候倒也快樂，但等到聚會結束，別人不住的說：「這道真好啊，飛筆，妳沒有聽，真是可惜啊！」一聽了這些話，我的快樂便速速逃跑，後悔速速追來。回到家，我滿肚子的苦水向先生發洩，直到晚上十二點上床為止。他很同情我，我也覺得沒什麼不對，但上床後才發現不對。呀！怎麼回事啊？除了頭可以抬以外，全身都無法動彈，我幾次掙扎之後，急得拼出一句話。「不得了，我昏倒了。」旁邊的先生已經十分疲倦。他說：「倒就倒吧，反正在床上。」「哦，不對，我癱瘓了。」「亂講，剛才還好好的。」是的，連我自己都不敢相信，好端端的，哪裡會癱瘓？他說：「快睡吧。」我就這樣睡著了。

半夜醒來，想起床，又一陣掙扎，大叫一聲。不得了，我眞的癱瘓了。外子起來扶我站在地上，他手一放，我就如一件柔軟的衣服落下去，好像沒有骨頭的人一樣。這時我的心開始害怕，「生命轉眼如煙被風吹散，如蠟被火熔化，又如水沖下山坡，快快消失。」（參詩六八2）生命眞的那麼脆弱嗎？「快快替我找費述凱牧師，他有禱告醫病的恩賜。」我又命令又哀求。他回答我：「算了吧，現在是半夜，別吵醒牧師吧。」我等到清晨六點，情況仍舊一樣，我情詞迫切地求他，非找到那位牧師不可。感謝主，他終於替我找到他。在電話中，我聽到牧師很安靜地問我：「昨天怎麼過的？」由於他是一位上帝忠信的使者，我就直說，並不隱瞞。等他明白了，就說：「問題出在晚上發怨言上面，得罪了神，因此死天使來找妳了。」接著，他說：「我盼望主醫治妳，等會八點鐘我們再一起禱告吧。」之後，我全身發軟無力地躺在那裡。哦！等兩小時可眞長啊！那一刻好像隔世之久。

禱告完放下話筒，我即試著起來。眞的啊！那一身癱瘓無力走了，彷彿不曾發生過一樣。感謝神，在發怒的時候以憐憫待我。我跌跌撞撞，東倒西歪，如喝醉酒的人，大步小步地衝向兩公尺外的牆邊，就站住了。啊！我能走了，我能站了。感謝主，祂原諒了我，又把生命再次給我。雖然不敢放手，但是內心有十足的把握，主不與我計算，信心的光芒再次如點亮的火把。我深知：全能的主把我從仇敵手裡搶救回來了。當天我們全家都歡歡喜喜，一同去參加主日崇拜。

我像從死裡復活的拉撒路坐在那裡一直感恩。因爲主藉此照明我的黑暗，使我看清自己的本像，祂沒有照我的過犯待我，又把我從死亡的網羅裡拉出來，存留我的性命，讓我可以好好活著。

聚會一完，我全身都健壯了，誰能相信昨晚那驚濤駭浪、要命的一刻曾漫過我身呢？正當我如往日一般，輕快地躍上樓時，突然間，昨夜那可怕的一幕閃過眼前，彷彿有主的使者站在旁邊對我說：「孩子啊，要記念這件事，我救贖了妳，塗抹了妳的過犯……。」這感覺很眞實，好像當年神對以色列說話：「雅各，以色列啊，你是我的僕人，要記念這些事。以色列啊，你是我的僕人，我造就你，必不忘記你。我塗抹了你的過犯，像厚雲消散，我塗抹了你的罪惡，如薄雲滅沒，你當歸向我，因我救贖了你。諸天哪，應當歌唱，因爲耶和華作成這事。地的深處啊，應當歡呼，眾山應當發聲歌唱，樹林和其中所有的樹，都當如此，因爲耶和華救贖了雅各，並要因以色列榮耀自己。」（賽四四21～23）

我立刻收住腳步，滿懷敬畏地張開雙手，向神獻上無比的感恩。那一刻眞像與主面對面，頓時我忘了一切。「主啊，祢垂聽我的呼求，祢醫治了我，使我力量復原，祢的怒氣不過是轉瞬之間，祢的恩典卻是一生之久。我謝謝祢，祢使我重新歡笑，祢的慈愛比生命更好。主啊，有何神像祢，因祢受的刑罰叫我得平安，因祢的受的鞭傷叫我得醫治。祢的愛情比酒更美，比蜜更甘甜，比花還香，比死還堅強。惟有祢，使我這彷佛已死的身體又活過來，叫我快跑如母鹿，如高飛的鷹。主啊，我餘下的光陰要爲祢而活，祢使我不再畏懼。都因祢掌管生命，失去祢，就失了一切，得著祢，也得了一切，一切的好處不在祢以外。主啊，求祢把握我的生命，不再忘記祢的名，也不再違背祢的約，偏左偏右。主啊，幫助我，一生一世活在祢面前，因爲在祢那裡有生命的泉源，有永遠的福樂……。」

親愛的弟兄姊妹，當經歷過這種刻骨銘心的疼痛之後，我才深深體會到，神是輕慢不得的，人種的是什麼，收的也是什麼。順著情慾撒種的，必從情慾收敗壞，順著聖靈撒種的，必從聖靈得永生。詩篇一百三十九章1～6節說：

「耶和華啊，祢已經鑒察我、認識我。我坐下，我起來，祢都曉得，祢從遠處知道我的意念。我行路，我躺臥，祢都細察，祢也深知我一切所行的。耶和華啊，我舌頭上的話，祢沒有一句不知道的。祢在我前後環繞我，按手在我身上。這樣的知識奇妙，是我不能測的；至高，是我不能及的。」

是的，無論在高空或在地的深處，在白晝或在黑夜，神都看見，祂都明瞭。人所作的，連一切隱藏的事，無論是善是惡，神都必審問（傳十二14）。並且，人一切所行的，神都要審判。神既是公義的，神必不免去罪人的刑罰。這是阿摩司書一章多次提到的。

弟兄姊妹，你今日若是得勝者，我為你高興。盼望兒女們個個都得勝，但仍要小心，因為從前倒斃在曠野的那些以色列民，正是自以為站立得穩的，他們都經歷過神的豐盛和榮耀，卻因不敬畏、不謹慎、發怨言，雖然跟隨主走曠野四十年，人數眾多，也不得進迦南美地。最後，摩西無限感傷地寫下詩篇九十篇，作為對後人的警誡。其中告訴我們：人一生所矜誇的，不過是勞苦愁煩，轉眼成空。比起永生的神，人真是何等渺小啊。因此，摩西又指教我們當向神求恩，好叫我們少吃苦，多蒙福。他求了六件事：

1.「求祢指教我們如何數算自己的日子，好叫我們得著智慧的心。」數算神的恩典，就能多感恩，埋怨會浪費生命。

2.「耶和華啊，我們要等到幾時呢？求祢回轉，為祢的僕人後悔。」這樣我們就可以在神面前活著，成爲有盼望的人。

3.「求祢使我們早晨飽得祢的慈愛，好叫我們可以一生一世歡呼喜樂。」祂的慈愛是我們喜樂的源頭。

4.「求祢使我們在遭難中也能喜樂。」

5.「願祢的作爲，向祢的僕人顯現，願祢的榮耀，向他們子孫顯明。」願神的作爲不僅在我們這一代顯明，也在我們的下一代中被認識。

6.「願主堅立我們手所作的工……。」我們一生的成就，都會歸於塵土，惟一能長存的，就是被神所堅立的工作。

摩西因爲認識自己的渺小，和神的偉大，就緊緊倚靠神，又教導人要緊緊倚靠神。人犯錯都因缺少這兩種的認識。

人都難免有錯，要緊的是錯了要回轉，因爲神是有憐憫又有恩典的。創世記中第一位殺人犯該隱，殺了他的弟弟，他認罪悔改，神就赦免、保護他。彼得三次不認主，他悔改回頭後，主仍大大用他。個人如此，一國也如此。約拿書中，尼尼微城上下全國悔改後，神就不降所說的災，反倒重新憐憫他們。何西阿書十四章，給我們看到一幅悔改的圖畫，先知呼籲以色列民悔改，承認所行的錯，就是拜假神，倚靠外邦人的勢力。悔改了，神要再施恩給他們。何西阿書十四章4～5節上面說：「我必醫治他們背道的病，甘心愛他們……我必向以色列如甘露，他必如百合花開放，如黎巴嫩的樹木扎根……。」彌迦書七章18～19節，也給我們看到神樂意施恩給肯悔改的人。

弟兄姊妹，一旦有錯要快悔改，不要把它藏起來，要儘早逃出罪的網羅，回到神面前，從新過正常的生活（箴言廿四16）。悔改就是正路，悔改後生命會更豐盛。順服主，順服聖靈，使生命能發光，照亮周圍的人。繼續順服可以使生命的光照到更遠，好像海岸的燈塔，使遠航疲乏歸來的人找到正路。神是眞光，遵從他的就不在黑暗裡行。

主願意我們往高處行，只有跟從主，才能達到目標，主一直在供應我們的需要，人需要謙卑，主的供應是大的，教導也是正直的。人需要注意反應祂的帶領。好像人造衛星，用對的收聽器，就能收聽到正確的消息與回應。人對主的正確回應是謙卑柔和，領受眞道。不要東奔西跑，要安靜放下自己，如同向日葵，靜靜地從太陽得能力，時候到了，就飽滿子粒。神的供應是大的，「神既不愛惜自己的兒子，爲我們眾人捨了，豈不也把萬物和祂一同白白的賜給我們嗎？」（羅八32）

我們本來都是該死的，但基督叫我們活過來。聖經說：「我們是蟲，原是活在世上毫無指望。」（參賽四一14）一旦被神救回，就要使我們成為有快齒打糧的新器具，叫我們使飢餓的人得飽美食。神能使沙漠變成水池，使乾地流出泉湧，這是神改變生命的寫照（參看賽四一14～18）。我們既有那麼好的前途，怎能不悔改、好好跟從主呢？怎能不心存敬畏，謹守祂的誡命、盡我們的本份呢？

誰是智慧人可以明白這些事，誰是通達人可以知道這一切（何十四9）。因為耶和華的道是正直的，義人必在其中行走，罪人卻在其上跌倒。主耶穌啊，歡迎祢來，救回千萬靈魂。求赦免我們，醫治這地。親愛朋友，神今日要赦免你、醫治你。只要尊榮祂，來就近祂，祂要提升你，使你飽足。

第十二章

時候到神會動工

等候神，時候到了，榮耀便臨到。神是光，在祂的光中，必能見光。神是愛，祂造我們，又將生命賜給我們，並且引導我們行義路，一生一世看顧我們。

我們所知道的有限，只有仰望那無限的神，向我們開懷，領受就不同凡響，因爲：「神爲愛祂的人所預備的，是眼睛未曾看見，耳朵未曾聽見，人心也未曾想到的。」（林前二9）

基督徒遇到困難不用怕，因爲神是我們的倚靠，我們只要尋求、等候祂，就能重新得力，奔跑不困倦，行走不疲乏。雖然困難有時如大鐵門嚴嚴關鎖，但你只要尋找主，就發現鐵門沒有鎖上。其實，對主來說，任何事都沒有上鎖，都有通路。是的，困難有時又大又多，但在神看他們就如花圈圍繞，神的能力如火箭，當它飛起來時，一下子就衝出去了，毫不費力。神是能力的源頭，眞實的財寶都在祂那裡。凡等候神的必不蒙羞，時候滿足，神的珍寶會一箱箱運進來，我們只要相信，只要等候。

爲要顯明等候神的重要性，我願在此分享兩個經驗，見證神的旨意與顧念。當兩個孩子還在三歲、四歲時，主的愛就激勵我。於是，我悄悄將他們獻給主，報答主恩。

兒子的事

十多年前八月的一天，學醫的王弟兄夫婦和我們談起癌症的事，我順便請他察看小兒忠誠身上的出生痣。哦！不得了，他看完就用食指頻頻指向兒子，誠懇地說：「癌症，癌症，癌症，癌症。」眞奇妙，當時我內心非常平靜安穩，也不驚慌。

後來有人問：當時你聽到惟一的兒子得了絕症，怎能不驚慌呢？我就說：「感謝主。」因爲：

1. 靠主恩典沒有罪的控告，所以內心平安。

2. 我們只是管家，孩子是神的，祂是主人，凡事不經祂許可，不會臨到祂兒女身上。

3. 人的意念是虛妄的，人豈能明白自己的路呢？但主是全能的創造者，又是生命之主，生命在祂手中，人若信，就必進入祂的安息，也必得見祂的榮耀。

4. 多年來常爲忠誠禱告，因他是頭生的，是屬乎主。或者主要藉此來熬煉他的信心，以便將來爲主所用。

那幾天我們好好省察、禱告後，心中仍是平安。我說：「主啊，在台灣有病的人，找台大醫院，在美國則找史坦福醫院，因爲他們的技術是舉世聞名的。然而，主啊，我要找祢。因爲祢的名更大，祢是宇宙的主宰，祢比他們的總和還大。」經上說：『耶穌的鞭傷使我們得醫治。你們彼此認罪，互相代求，使你們可以得醫治。』主啊，今日祢的孩子忠誠若是癌症，必須開刀，若是成功，人把榮耀歸給醫生，還要留下一道疤痕。但萬一失敗，一次、二次、三次開刀，直到死地，對你有什麼益處呢？主啊！他們的醫術固然傑出，但祢的方法不用經過疼痛，更好。主啊，求祢對孩兒說話，祢若醫治他，何必多此一舉，再經過醫生的手呢？祢只要說一句話就成了，而且不留下疤痕，榮耀也必歸於祢。」

「倘若祢命定他不得醫治，那麼找醫生也是徒然。主啊！顯出祢的作爲來吧，叫忠誠經歷祢，好趁他年幼無瑕疵之時，把自己獻給祢。因他是頭生的，理當歸祢。」

過了幾天，八月五日清晨靈修時，我讀到以賽亞書五十五到五十七章，當我唸到五十五章自8節開始就滿心歡喜，因爲知道主回應了我的禱告。上面說到主話語的能力與功效，能滋潤人心，能使人歡喜，使人亨通，且能改變現狀。確實如此，祂的話語開通了我的心，尤其在13節，神說：「松樹長出代替荊棘，番石榴長出代替蒺藜，這要爲耶和華留名，作爲永遠的證據，不能剪除。」啊！這豈不是特別對我說的嗎？

呀！全能者要醫治我兒子，多麼偉大啊！

我快樂地找詩歌，一打開就看到〈主我今〉這首歌，就唱起來。「主我今跟定祢，再也不分離……。」唱完後再翻到〈要發光〉：「主的門徒在世上，要發光，要發光……。」又唱了一會兒，越唱越甘甜、越喜樂。我突然感到，主用這兩首歌來堅固我，因它們放在一起成了「主我今要發光」。哇！在主的眼中，兒子的情況並不是一個大災害，乃是一個祝福，並且神還要叫我們發出光來呢！

雖然如此，我還是感謝王弟兄夫婦的熱誠與關懷。因著他們的關係，特別請了幾位皮膚科醫生來會診，他們幾乎都說是癌症，但也有說可能不是的，由於出生痣比較大，我們就去找外科。當時外科醫生說：「百分之十七是癌症」，但我一點都不怕，因爲有神的話作後盾。後來再找小兒科醫生，他說：「兒子目前很健康，但最好能切除這顆痣。」於是又回到外科去，護士說：「三週內會決定開刀的日子，到時再打電話通知。」

三週瞬間飛逝，醫院一直沒消息，外子催我去查問。護士在電話中肯定地說：「你不用來問，我們會告訴你日期。」眞奇妙，就這樣，等到如今十七年了，請問，這是誰的手作成的？「仇敵好像急流的河水沖來，神用更高明的智慧驅逐牠。」（賽五九19）「憑智慧行事的，必蒙拯救。」（箴廿八26）

儘管如此，親友的看法卻眾說紛紜，而我時常看到那顆礙眼的痣，難免信心動搖。由於他是我們強壯時所生的，是勇士手中待發的箭，就當專心一意，才能把箭發得準確，於是我們再禱告，尋求神的心意。同年十月，我決定爲小兒禁食禱告三天。第一晚上我曾大吐，但感謝主，次日身體情況良好。第三日上午，我去參加了一個滿有聖靈能力的二十四小時禁食禱告會，由陳仲輝牧師主持。大家爲各樣的事禱告，也爲小兒迫切禱告，眞是良機難逢，使我不覺孤單。當時禱告的靈十分火熱，感到弟兄和睦同居，是何等的善，何等的美，那幅美好的圖畫，至今仍銘刻在心，難以忘懷。

等候是一件磨人的事，有時我試著去想，神說松樹長出代替荊棘，番石榴長出代替蒺藜，這到底是什麼意思呢？難道祂的意思是說：「這顆痣會長出別的皮膚，來代替它嗎？」我有一個糊塗的白日夢，因祂曾應許：「這要成爲永遠的證據。」就是說：主要吩咐那塊皮膚，直接長出神作爲的記號來。哦！那會是一個紅十字架嗎？還是別的？所以當月曆一頁一頁的少了，心想，怎麼半年了，那顆痣還不改變呢？逐漸地，朋友的問候聲沒有了，只有家母和外子偶爾會提起。

等到第二年三月一日清晨五時許，當我讀到羅馬書八章17節時，外子突然冒出一句，兒子的事到底怎麼樣了？不等我說話，他就一溜煙似的跑出去運動，留下我孤伶伶地坐在那裡，心裡又苦又難過！我趕緊跪下問神：「主啊，兒子的事到底怎麼樣啊？」禱告完繼續讀到18節：「現在的苦楚，若比起將來要顯於我們的榮耀，就不足介意了。」呀！這句話就像金蘋果在銀網子裡，何等美麗奪目啊！好像及時的雨，澆在乾旱的田裡。祂知道困苦人的哀聲，祂把我提升到祂的榮耀裡，帶給我極大的安慰。接著26節說：「況且我們的軟弱有聖靈幫助，我們本不曉得當怎樣禱告，只是聖靈親自用說不出來的歎息，替我們禱告。」

哇！聖靈在禱告，那是會叫神的心震動的呼求，是最有能力、最有功效的禱告。再看31節：「神若幫助我們，誰能抵擋我們呢？」呀！全宇宙最大的能力要爲我們出動了。「基督耶穌……替我們祈求。」呀！死裡復活的主，也關心我們。聖父、聖子、聖靈三位一體的眞神同時安慰我，何等大的能力啊！再唸37節：「靠著愛我們的主，在這一切事上，已經得勝有餘了。」哈利路亞，得勝有餘了。我心滿了頌讚！主啊，祢眞偉大，祢是我的喜樂、我的力量，是我的主。那幾天我被喜樂的靈所包圍，見人就想談這件事，甚至對不信的，我也興高采烈地侃侃而談。

從此，我把這事拋諸腦後，那顆痣雖然仍舊屹立不動，但神的應許更顯爲有力，所以心中十分平安，深信主早已動了善工，忠兒絕不致受害。相反地，它還是一個愛的記號呢！這是神的智慧。主以祂的全能，帶領我們全家，進入完全的安息裡。

十多年後，王醫師在路上遇見我們，他以奇異的眼光看著忠兒，對我說：「這是妳兒子嗎?」我說:「是的。」如今他已是一個強壯的青年了。他說:「快認不出來了。」我點點頭。接著他衝口而說:「他還活著。」是的,神是一切問題的答案。人若從難處中抬頭仰望神,就要看見神的榮耀、全能、智慧與高明,那時人就要丟下重擔,跳起來歌唱說:「看哪!全能者爲我成就了大事,我要讚美祂。」有傳道人說:「信徒不當被環境重壓追趕,因爲信徒有聖靈的恩膏。我們是世上的光,應當爲主發光。」

之後,主給我們一個明確的指示:「松樹長出代替荊棘……。」意思是:虔誠的生命要長出代替自然的生命。忠兒要爲主使用。果然,在他唸大學時,主用一年的時間經常對他說話,有兩次更呼召他出來,但他大學還未畢業,不想辜負父親的期望,就沒有跟從,等到大學一畢業,神再呼召他。外子明白且同意了,不過建議他先工作。往後的三年多,無論在家、在教會、在公司,他都叫人快樂。人們看他頂不錯嘛!但神的路不是這樣。

主是葡萄樹,我們是枝子,枝子連於葡萄樹,才能結果子。雖然我多次憂心,因這不是主要他走的路。但該來的一定會來,不需掙扎,因祂是主,只要堅持到底,好像以利沙堅持跟隨以利亞,終究得福,何況我們跟隨的是主自己。

果然,在九八年一月的退修會中,神再次溫柔地呼喚他,告訴他要忠心跟隨祂,那更好、更美的路必要顯明。感謝主，如果他憑己意行，最多只能在平地騎單車，跑不遠。若跟隨主，就可乘火箭往高處行，因爲主的能力是沒有限量的。

這回外子和我及女兒都全力支持他出來，到Youth With A Mission服事，他盼望去之前能蒙神恩典，可以多領兩個月額外的薪水，以便支付新車餘款六千元。這樣他走後，父親就可以輕鬆用車，而且他頭五個月的學費、生活費等，都可以支付。正好當時他的公司不景氣，老闆通知大家，凡在規定的三個月內辭職的人，可多發三個月薪水。因著這件事，再一次看到神的信實，叫他得著鼓勵。就這樣，他大膽地把他所愛的家、熟悉的環境、教會的朋友……，都丟下了。他將自己全然獻上，去服事愛他的主。

忠誠走了，這支箭終於飛出去，彷彿美夢成眞，又彷彿生命眞實的一幕即將開啓。感謝主，因著幾位牧者的關心與鼓勵，使他能走出去。也感謝主揀選他，使他願意把自己擺上。記得出門前惟恐他東西不夠用，要將一些新的用品給他。他卻說：「媽，我是去宣教，不必講究什麼，用舊的就行了。」嗯，我想他已經有吃苦的心志了。

有人問我：「將這樣好的孩子送出去不難過嗎？」我有幾次很想哭，記得最後一晚半夜起來替他蓋被子時，心想：「這孩子現在睡好的床，蓋好的被子，等天一亮他就要去受苦了。」隨即一陣辛酸侵襲過來。但我立刻轉念：「不，他是從僕人手下回去主人手裡，他要蒙大福了。」想想十多年前，我開那架歪頭車到處去服事，卻是愈發喜樂與豐富。如今忠兒年輕力壯出來爲主所用，必然更有福。

回想當年，忠兒三歲的時候我將他獻上，十七年前主說要用他，好不容易等到今天，我就再次感謝主，用禱告將他交託給主。「主啊！十七年前爲了忠誠，祢對我說，祢的道路高過我們的道路，祢的意念高過我們的意念……。祢口所出的話絕不返回，在祢命定忠誠去成就的事上，必然亨通，他必歡歡喜喜出來，平平安安蒙祢引導。主啊，祢是信實的神，世上有什麼比祢的同在更好呢？願祢用慈愛與大能吸引他、教育他、帶領他、寬待他，也賜福給他、使用他，叫他被祢的喜樂充滿，永不回頭，一生屬主、愛主、事主。阿們！」

關於這本書

我眞相信保羅說的：「我今日成了何等人，是蒙神的恩才成的。」（林前十五10）我從零寫成了那麼多，眞的沒有可誇的，因我感到寫此書的路甚難。我屢次求主幫助，有時邊說邊流淚。但主卻差派許多人來幫助，使我寫成這書。因此我要感恩，也要勉勵人，更要與你分享「等候神」是何等寶貝。

我要感謝各位親愛的弟兄姊妹們，在這幾年中熱切的代禱與關懷，也要感謝各位牧者們在百忙中的支持與問候，以及我親愛的家人，他們不懈的鼓勵與幫助。求神在今生和來世，都厚厚地報償他們，叫他們豐富有餘。

因我曾深嚐那種孤單無助、求問無門之苦，也親嚐過主的甘甜與釋放。因此，願意告訴像我一樣毫無經驗、正在爲主面臨考驗的人，先苦後甜是好的。我奉主耶穌基督的名，眞誠的勸你們當剛強壯膽，不要懼怕，因爲主動了善工，祂必完成。要緊緊倚靠祂的大能大力，照祂的旨意，藉祂的方法，用心去作。願神的靈提升你，願祂的愛充滿你，使你完成託付，榮耀主聖名。

自從神召我出來，又陸續看到人信了主，生命被改變，心中就有了渴望：「主啊！一個一個地救人太慢了，若能下網打魚多好呢？」在那些年間，也繼續聽到人建議我將這些見證寫成書。我說：「主啊！眞是這樣，若是祢起意，祢感動，祢就指明，但不要叫我來寫，因那是不可能的事。」於是，祂又找了三位牧者和四位弟兄姊妹，在短期內向我提起寫書的事。

我說：「主祢是陶匠，我是泥土，願憑祢意行。」於是，我不知天高地厚的，將這件對我來講有如千斤重擔的事，大膽地承擔下來。中間雖有幾位好心人，要拿書名給我，我卻哭著找主，請祂親自賜下題目。一等就是半年，終於在一個清晨四點多聽到：「獎賞與聯合，獎賞與聯合。」

「主啊！這是書名嗎？」主回應我：「凡聽從主的，都有獎賞。」既清醒了，就被喜樂充滿，接著祂用我自己的口唱出一首新歌，是從未聽聞過的。那詩歌說：（見下方）

得力在乎平靜安穩　4/4 F

| 3 3 3 3 3 - | 2 3 2 1 6 - |
得力在乎平　靜安穩

| 2 2 2 2 2 - | 1 2 1 6 5 ·
得力在乎平　靜安穩

6 | 5 5 5 5 5 5 6 | 5 6 5 3 2 · |
那　等候耶和華的必　從新得　力

3 | 2 2 2 2 2 2 3 | 2 3 2 1 6 - |
那　等候耶和華的必　從新得　力

| 5 5 - 3 | 3 - 6 5 | - 3 3 ·
世人以為　這是　愚拙

3 | 2 2 2 2 2 2 3 | 2 3 2 1 6 ·
但　等候耶和華的必　從新得　力

2 | 1 1 1 1 1 1 2 | 1 2 1 2 1 - ‖
但　等候耶和華的必　從新得　力

祂用我的口一直唱，唱到心中火熱，唱掉一切的愁煩。感謝主，耶和華的熱心，必成就這事，有功效的門爲我開了。哦！主啊！惟有祢能滿足我的渴望，惟有祢能吹去我的愁雲，使我全身心靈都舒暢。之後，主把一段話帶進我心裡：

「尊神爲大，以神爲樂，祂就將你心裡所求的賜給你，並將你所不知道，又大又難的事指示你。」「你要清楚曉得祂的作爲，認識祂的榮美。」

第二天，當我正要敬拜讚美祂時，因祂知道我的軟弱，爲了堅固我的心，就再賜下另一條新歌：

（見下方）

得勝在乎耶和華　4/4 F

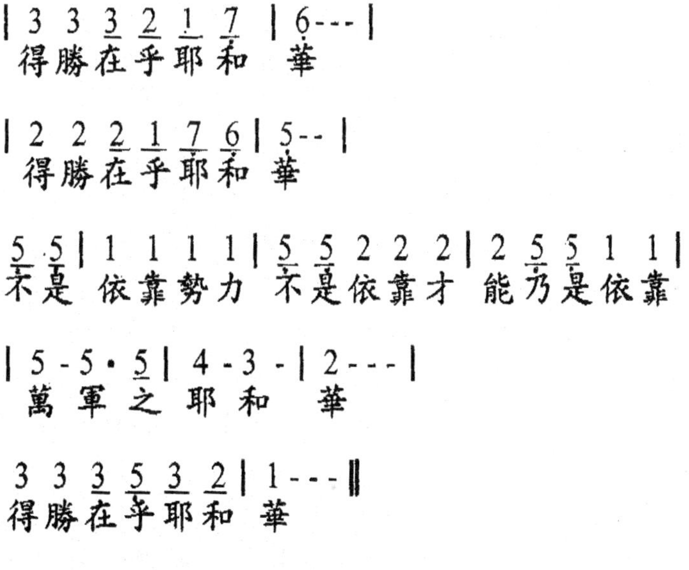

| 3 3 3 2 1 7 | 6 - - - |
得勝在乎耶和　華

| 2 2 2 1 7 6 | 5 - - |
得勝在乎耶和　華

5 5 | 1 1 1 1 | 5 5 2 2 2 | 2 5 5 1 1 |
不是　依靠勢力　不是依靠才　能乃是依靠

| 5 - 5 · 5 | 4 - 3 - | 2 - - - |
萬軍之耶和　華

3 3 3 5 3 2 | 1 - - - ‖
得勝在乎耶和　華

接著神說：「天天靜默在神前，乃是大福。」安靜等候神並非什麼事都不作，乃是心中常常仰望主。主啊！是的，我要仰望祢，我的好處不在祢以外，因爲離了祢，我就失去方向。

我再進一步求問書的綱要，這樣又過了兩個月。有一天，女兒發現神使她弟弟有了知識言語的恩賜，能從異象中得啓示。他便開始爲這本書的綱要禱告。那時他正好畢業在家，我們每天用兩三個小時或更長的時間，在神面前仰望禱告。感謝主，不早不晚，藉自己兒子來相助，這眞是神的恩典哪！

同兒子禱告的日子，神幽默的用兩個段落來回應我們。首先主用三十個異象，藉許多有趣的方法，來啓示祂各種的偉大與屬性，正如聖經中所說的。之後，主才把十二綱要，以及一些細則賜下來。主的智慧大哉美哉，祂深知我們軟弱，祂就樂意賜恩，在平安中把我的事說得淋漓盡致，使兒子能在短時間內，知道許多我不曾告訴他的事。神征服了我的心，挪去我的疑慮。祂將書的綱要順序排列得那麼有智慧，令人心服。叫我無可推諉。

後來，主使我在異象中看到一隻蠶猛吃桑葉，藉此提醒我要多讀聖經。又透過箴言二十四章27節給我方法：「你要在外頭預備工料。」意思是：多讀經、聽道，並且要讀自己的日記實錄。而「在田間辦理整齊」的意思是：多禱告，仰望神賜恩來整理資料。然後才「建造房屋」，意即開始著手寫。期間，主又提醒我不可停止關心人，要兩者同時進行，才能多蒙恩。

當我戰戰兢兢地寫第一章時，主啓示我三個異象。首先，我看到一壺水滾開，水氣拚命往上冒，衝得好高。後來又看到一桶白色牛奶倒下去。末後再看到一個女孩在流淚，主就給我講解：

第一個異象代表世界的黑暗已到了極點，人心惶惶如沸騰的水，永無止息。故此，第二個異象指示我要用眞理與見證去餵養他們。第三個則代表他們的心在哭泣，要趕快傳福音。於是，這些異象成爲本書第一章的架構。

接著，我再求問第二章的內容。主就給我兩個異象，首先是從台北寄來的資料，過幾天會從信箱中收到，裡面有份我要讀的東西。第二個異象是有份資料在兒子房間、進門處左手邊的地上。我按著指示找到這兩份東西。第一份是關於基本問題，第二份是聯合國三十年來對全球自然災禍的統計報告。我像幼稚園小孩看圖識字般，靠著這些資料完成第二章。接下來的每一章，都是主透過不同的方式與朋友的啓示寫出來。

在寫的過程中，仇敵曾屢次打擾，在開始寫的頭兩週就生了六個病。等初稿完成又生六個病。奇妙的是，都只病了兩星期就好了。而且我的生活並不受影響，雖然難受卻沒有大妨礙。有時打擾也相當猛烈，但主說，一面寫一面禱告。這使我想起當年聖經中的尼希米和百姓修造城牆時，也被仇敵打擾，但他的僕人都一手作工，一手拿兵器，最後終於得勝。因這事出於神，使我可以昂然前行。

弟兄姊妹，願我們都來等候神。神看重我們的生命過於工作。在等候中好像神什麼也不作，其實祂一直悄悄在作，但主要我們學習謙卑、忍耐、信心與持守，叫我們的工作不致羞愧。主又在天上爲你預備一切，直等到我們順服與祂合作時，就會完成美而牢固的善工。

我們都是有福的，現在地上一切美善的福，不過是天上一切美善的影兒，地上的都要過去，是短暫的，惟獨天上的才能長存。因此，我們當趁著還有今天，天天彼此相勸，要愛惜光陰，因爲現今的時代邪惡，要作智慧人，明白神的旨意，靠主站穩，努力作工。凡事頌讚感恩，相信等候。同時仰望主早日再來帶我們回天家，享受祂在萬世以前爲我們所預備的福。

故此，我們既有這等盼望，今日就當將心歸主，抓住機會，快傳福音，往各國、各族、各邦，直到地極的人群中向他們呼籲：不要再耽延，不要再忽略那麼大的救恩了！同時又當使家中的孩子們，各個端莊尊貴，和樂相處，同蒙主恩。

願主快來，使全地看見主的榮耀，願祂的榮光普照大地，叫全地成爲可讚美的。

願認識耶和華的知識充滿遍地，如水充滿洋海一般。願神的百姓都預備整齊，因神國必要降臨，惟有祂是主，祂是王，直到永遠，阿們。

跋

因為丁社長的眼光與鼓勵，我就把這個跋寫出來，相信會增添各位的信心來讀它，好叫你們多蒙福。

曾為了書的內容，一位陳牧師鼓勵我，要寫教養子女的書，也有人鼓勵我寫怎樣傳福音。但主說，兩樣都要寫。

人說要預備五千元，我問主，錢在哪裡？主差洪姊妹送來三千，以後又送來兩千，再感動女兒送來四千。主真會堅固人。

有位戴牧師好意說，將第五篇先在肢體交通上出版，供三千讀者先看。我問主，主說，孩子尚未成形，不能將一隻手先生出給人看。

人說，書要薄一點容易銷出。主說，這是一本厚的書。因此李姊妹在禱告中，看到書像飄雪自天而降，非常多。一位黃牧師看到，許多書在滑板上一堆堆送出去。他說，神會成就送書的工作。高姊妹說，這是一本活的書，有靈生命的傳遞，一直延續的充滿，像一棵樹結滿了果子，有香味可滋潤人心，明亮人眼睛，叫人心門打開，進入永生神的國，此書到各處都有神蹟奇事隨著，十架被高舉，是啓示寫給萬民的書。

人說，你四年才寫成啊。主讓兒子看到這本書將要飛起來。所以女兒將作者叫飛筆。王姊妹爲這書禱告，看到火箭衝出去。安藤牧師說，此書將如種子被撒入萬民萬邦中，使不懂這語言的人，有辦法讀這本書。今天人們所需要的平安，會從這書帶來。看到聖靈好像鴿子，將這書帶到各處去。神會將祝福帶給凡讀此書的人。

原以爲本書在別處出版，豈知主選中天恩出版社，因此書出於天的恩惠嘛。人問我印兩千或三千本？但主說一萬本。雖手頭也只一萬多元，但主是全地之主，有祂就夠了！一萬本比起同胞的人數又算什麼呢？

主曾向我要這書，我說，哪怕頭版是一萬本，我也全獻給祢。但主說，要全數。我就明白主的意思，是要書的主權。我問爲什麼呢？祂說，向來我要什麼，你都全數給我。這使我想到兩個孩子已經蒙召被選，並且也都辭職獻身。所以將書給主是理所當然的。

有人問，書已超過四百頁了，要修剪到四百頁以下嗎？我與同工朱姊妹禱告問主。主啓示一顆完整的「心」。意即無須減少內容，主再一次叫我學習放手。

人問，爲何用「金鑰匙」三個字，並且還將它放大？那是四位姊妹在禱告中不約而同的看見與提示。

感謝天恩出版社諸位可愛的同工們，不斷用愛心，同心努力地擺上，使之有成。我們不是只爲這一代的人活，也要爲三、四代以後的人活。這是從神的眼光來看，因此樂意寫下此跋！

在事奉神的路上，永遠是憑信心可以一關關地突破。因祂是主，是超越理性的神，祂知道如何帶領我們。親愛的讀者，盼望你也憑信心來讀完全書，並傳遞與代禱，深信這樣作，必然蒙受天福。

若有人想多知道這本書，敬請參看十二章的末了「關於這本書」一文。

主啊！雖然我們不配，但因祢揀選，主，我就願成爲一個祝福的管道，被祢使用，願祢大大祝福凡爲此書效力的每一位可愛的同工，也大大祝福凡使用此書的每一位親愛的讀者。奉主耶穌聖名求，阿們。

耶和華啊，祢必派定我們得平安，因爲我們所做的事都是祢給我們成就的（賽廿六12）。

主啊！祢的道在海中，祢的路在大水中，祢的腳蹤無人知道，惟獨祢當配尊崇，阿們。

回應表

凡因本書被主愛激勵樂意獻身的，或決志信主的弟兄姊妹們，我為你們高興，我必為你們禱告。請你們關心下面的請求。

一、對樂意獻身的弟兄姊妹們：

今天你們如一疊貴重的文件交在主手裡，有香氣發出，等候主來用，為主所喜悅，眞感謝主。請為自己、為人做下面的禱告：

1. 請為自己和新獻身的人，用第七章末了的禱告文禱告，叫生命成長更好，並天天向神求恩。求主指示前面道路，好在合適的崗位上，小心為主發光，照亮他人。

2. 請為主的僕人們代禱：奉主耶穌的名捆綁那惡者，除去一切阻力，求主繼續保護使用他們和他們的家，賜力量與喜樂照主旨意行事，同榮主聖名，奉主名阿們。

3.請為本書代禱：奉主耶穌的名除去惡者一切的阻力，求主將寬大有功效的門開起來，隨聖靈引導，靠主豐盛的恩典藉此書流傳萬民，明亮人的眼睛，打開人的心門，叫各樣的人湧進神的國，讓神的名得著稱讚。

你們在暗中的禱告，天父必在明處報答你（太六6）。

你們要使疲乏人得安息，這樣你們才得安息，才得舒暢（賽廿八12）。

二、對決志信主的弟兄姊妹們：

今天你們願意棄舊更新，進入神的國，勇敢的來到平安的樂土，雖然要付代價，但你們的報償是大的，且是無可比的，我為你們感謝主。為了你們可以繼續在神家成長，請為自己和新信主的弟兄姊妹們，做下面兩件事：

1.請為自己和新信主的人，用第七章末了的禱告文禱告，叫生命成長堅固起來。你們用什麼量器量給人，也必用什麼量器量給你們，並且要多給你們（可四24）。

2.請填寫回應表，並寄回給下面任何一個地址，深願你能得幫助：

・美國：（加州）生命河靈糧堂1095 Dunford Way, Sunnyvale,CA94087

Tel:408-260-0257　　Fax:408-260-0258

E-mail:ccoffice@river-of-life.org

（加州）聖荷西基督徒聚會 123 Dempsey Rd,Milpitas, CA95035

Tel:408-945-1095　　Fax:408-251-9596

（華盛頓州）西雅圖靈糧堂13233 N.E.16 street Bellevue,WA98005

Tel:425-454-2165　　Fax:425-454-2165

（伊利諾州）芝城華人基督教聯合會

2301 S. Wentworth Ave. Chicago, IL60616

Tel:312-328-1188　Fax:312-328-7452

・加拿大：（溫哥華）基督敬拜中心

21277 56Ave Langley B.C. Canada V2Y1M3

Tel:604-530-7344　　Fax:604-888-8935

・台灣：台北靈糧堂（台北市和平東路二段24號）

Tel:2362-3022-9　　Fax:2363-1765、2366-0860

高雄聖經禮拜堂（高雄市三民區十全一路74號2樓）

Tel:7311-0646　　Fax:7311-0646

《獎賞與聯合》讀者決志信主回應表　請撕下交回

姓名：（中）＿＿＿＿＿＿＿＿（英）＿＿＿＿＿＿＿＿

地址：＿＿＿＿＿＿＿＿＿＿＿＿＿＿＿＿＿＿＿＿

＿＿＿＿＿＿＿＿＿＿＿＿＿＿＿＿＿＿＿＿

電話：（家）＿＿＿＿＿＿＿＿（公）＿＿＿＿＿＿＿＿

E-mail（郵件地址）：＿＿＿＿＿＿＿＿＿＿＿＿＿＿

年齡：＿＿＿＿＿＿＿＿性別：＿＿＿＿＿＿＿＿

請勾選：□我願意接受耶穌做我的救主。

□請寄有關信仰生活的資料給我 □請介紹附近的教會地址

《獎賞與聯合》讀者決志信主回應表　請撕下交回

姓名：（中）＿＿＿＿＿＿＿＿（英）＿＿＿＿＿＿＿＿

地址：＿＿＿＿＿＿＿＿＿＿＿＿＿＿＿＿＿＿＿＿

＿＿＿＿＿＿＿＿＿＿＿＿＿＿＿＿＿＿＿＿

電話：（家）＿＿＿＿＿＿＿＿（公）＿＿＿＿＿＿＿＿

E-mail（郵件地址）：＿＿＿＿＿＿＿＿＿＿＿＿＿＿

年齡：＿＿＿＿＿＿＿＿性別：＿＿＿＿＿＿＿＿

請勾選：□我願意接受耶穌做我的救主。

□請寄有關信仰生活的資料給我 □請介紹附近的教會地址

《獎賞與聯合》讀者決志信主回應表　請撕下交回

姓名：（中）＿＿＿＿＿＿＿＿（英）＿＿＿＿＿＿＿＿

地址：＿＿＿＿＿＿＿＿＿＿＿＿＿＿＿＿＿＿＿＿

＿＿＿＿＿＿＿＿＿＿＿＿＿＿＿＿＿＿＿＿

電話：（家）＿＿＿＿＿＿＿＿（公）＿＿＿＿＿＿＿＿

E-mail（郵件地址）：＿＿＿＿＿＿＿＿＿＿＿＿＿＿

年齡：＿＿＿＿＿＿＿＿性別：＿＿＿＿＿＿＿＿

請勾選：□我願意接受耶穌做我的救主。

□請寄有關信仰生活的資料給我 □請介紹附近的教會地址

《獎賞與聯合》讀者決志信主回應表　請撕下交回

姓名：（中）______________（英）______________

地址：______________________________

____

電話：（家）______________（公）______________

E-mail（郵件地址）：______________________

年齡：______________ 性別：______________

請勾選：□我願意接受耶穌做我的救主。

□請寄有關信仰生活的資料給我 □請介紹附近的教會地址

《獎賞與聯合》讀者決志信主回應表　請撕下交回

姓名：（中）______________（英）______________

地址：______________________________

____

電話：（家）______________（公）______________

E-mail（郵件地址）：______________________

年齡：______________ 性別：______________

請勾選：□我願意接受耶穌做我的救主。

□請寄有關信仰生活的資料給我 □請介紹附近的教會地址

《獎賞與聯合》讀者決志信主回應表　請撕下交回

姓名：（中）______________（英）______________

地址：______________________________

____

電話：（家）______________（公）______________

E-mail（郵件地址）：______________________

年齡：______________ 性別：______________

請勾選：□我願意接受耶穌做我的救主。

□請寄有關信仰生活的資料給我 □請介紹附近的教會地址

國家圖書館出版品預行編目資料

獎賞與聯合 ／ 飛筆著.——初版.——臺北市 ：
天恩，1999〔民88〕
面； 公分.——（見證系列）

ISBN 957-0326-03-4（平裝）

1.基督教—傳道

245.2 88015097

見證系列

獎賞與聯合

作　　者：飛筆
發　　行：Carilyn Chang
地　　址：P. O. Box 1946, Cupertino, CA95015, U.S.A.
E - mail ：JSYLH@Yahoo.com
文字編輯：殷麗群・李懷文
美術編輯：張慧明
總 代 理：天恩出版社
出　　版：天恩出版社
臺北市和平東路二段24號7樓之1
郵撥帳號1016237-7天恩出版社
電話：（02）2362-5732
傳眞：（02）2363-1993
出版日期：一九九九年十一月初版
登 記 證：局版臺業字第3247號
ISBN 957-0326-03-4